À lui seul

À lui seul

Elizabeth Lowell

Traduit de l'anglais par
Guy Rivest

Éditeur : François Doucet
Traduction : Guy Rivest
Révision linguistique : Nicolas Whiting
Correction d'épreuves : Nancy Coulombe, Émilie Leroux
Conception de la couverture : Matthieu Fortin
Photo de la couverture : © Thinkstock
Mise en pages : Sébastien Michaud
ISBN papier 978-2-89767-563-9
ISBN PDF numérique 978-2-89767-564-6
ISBN ePub 978-2-89767-565-3
Première impression : 2016
Dépôt légal : 2016
Bibliothèque et Archives nationales du Québec
Bibliothèque et Archives Canada

Éditions AdA Inc.
1385, boul. Lionel-Boulet
Varennes (Québec) J3X 1P7, Canada
Téléphone : 450 929-0296
Télécopieur : 450 929-0220
www.ada-inc.com
info@ada-inc.com

Diffusion
Canada :   Éditions AdA Inc.
France :   D.G. Diffusion
                Z.I. des Bogues
                31750 Escalquens — France
                Téléphone : 05.61.00.09.99
Suisse :   Transat — 23.42.77.40
Belgique :   D.G. Diffusion — 05.61.00.09.99

Imprimé au Canada

Crédit d'impôt   Gestion
livres   SODEC
Participation de la SODEC.
Nous reconnaissons l'aide financière du gouvernement du Canada par l'entremise du Fonds du livre du Canada (FLC)
pour nos activités d'édition.
Gouvernement du Québec — Programme de crédit d'impôt pour l'édition de livres — Gestion SODEC.

**Catalogage avant publication de Bibliothèque et Archives nationales du Québec et Bibliothèque
et Archives Canada**

Lowell, Elizabeth, 1944-
    [Only his. Français]
    À lui seul
    (Seulement l'amour ; tome 1)
    Traduction de : Only his.
    ISBN 978-2-89767-563-9
    I. Rivest, Guy. II. Titre. III. Titre : Only his. Français.

PS3562.O88O5414 2016   813'.54   C2016-941787-5

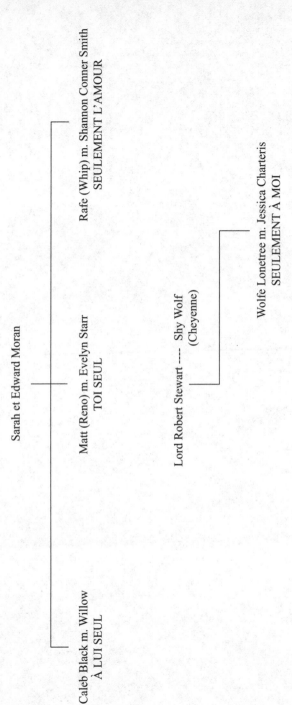

LA FAMILLE « SEULEMENT L'AMOUR »

Sarah et Edward Moran

Caleb Black m. Willow
À LUI SEUL

Matt (Reno) m. Evelyn Starr
TOI SEUL

Rafe (Whip) m. Shannon Conner Smith
SEULEMENT L'AMOUR

Lord Robert Stewart ---- Shy Wolf
(Cheyenne)

Wolfe Lonetree m. Jessica Charteris
SEULEMENT À MOI

Chapitre 1

L'homme paraissait dangereux. Le teint foncé, de forte carrure, le visage impassible, son corps occupait toute l'entrée de l'hôtel. Il émanait de son immobilité une puissance maîtrisée. Quand il bougea, sa coordination musculaire sembla plus prédatrice que simplement gracieuse.

Dieu du ciel, songea Willow Moran en le regardant traverser vers elle le hall du tout nouvel hôtel Denver Queen. *Ça ne peut pas être Caleb Black, le spécialiste militaire que monsieur Edwards a trouvé pour me mener à mon frère.*

Le désarroi de Willow ne s'afficha ni dans ses yeux noisette ni dans sa posture. Malgré les battements soudainement frénétiques de son cœur, elle ne recula pas d'un centimètre. La guerre entre les États lui avait appris que lorsqu'une fille ne pouvait fuir et se cacher, elle gardait sa position avec autant de dignité que possible… et un pistolet à deux coups dissimulé dans une poche camouflée de sa jupe.

Comme cela s'était souvent produit dans le passé, le poids de l'acier froid entre les replis de soie la rassura. Elle agrippa le petit pistolet et regarda s'approcher l'étranger au visage sombre. Le fait de le voir de près ne la réconforta aucunement. Sous l'ombre de son chapeau noir à large bord, des yeux de la couleur du whiskey observaient le monde avec une intelligence glaciale.

— Madame Moran?

Sa voix était aussi terriblement virile que l'épaisse moustache et la barbe noire de plusieurs jours qui accentuaient plutôt que d'atténuer les traits aiguisés de son visage. Malgré cela, la voix elle-même n'avait rien de dur. Elle était profonde et douce, puissante comme une rivière se déversant dans une mer invisible au milieu de la nuit. Une femme aurait pu se noyer dans cette voix ténébreuse, dans ces yeux mordorés et dans la force qui bouillonnait sous la surface contrôlée de l'homme.

— Oui, je suis made... euh, madame Moran, répondit Willow en sentant ses joues s'empourprer pendant qu'elle mentait.

Willow Moran était une demoiselle.

— Êtes-vous venu pour me conduire à monsieur Black? demanda-t-elle.

Sa voix était trop rauque, presque essoufflée, mais il n'y avait pas grand-chose qu'elle puisse y faire. Il était déjà suffisamment difficile de parler avec le resserrement soudain de sa gorge tandis que la force virile de l'étranger l'envahissait comme une marée sombre et attirante.

— Je suis Caleb Black.

Willow se força à sourire.

— Excusez-moi de ne pas vous avoir reconnu. D'après la description donnée par monsieur Edwards, je m'attendais à rencontrer un gentilhomme un peu plus âgé. Est-ce que monsieur Edwards est avec vous?

Elle avait très légèrement insisté sur le mot «gentil-homme», d'une manière que la plupart des hommes n'auraient pas remarquée, mais ce n'était pas le cas de Caleb Black. Sa bouche se tordit en une ligne courbée que seule une personne charitable aurait appelé un sourire pendant qu'il indiquait du pouce quelque chose derrière lui.

— Là-bas, dans ces montagnes, madame Moran, un «*gentil*homme» n'est d'aucune utilité. Mais je ne m'attends pas à ce qu'une dame du Sud raffinée comme vous comprenne ça. Nous connaissons tous l'importance que les gens de Virginie comme vous accordent aux manières élégantes.

Caleb porta le regard vers l'autre entrée, à l'extrémité du hall.

— Eddy et la veuve Sorenson nous attendent là-bas.

La peau translucide de Willow s'empourpra de nouveau en un mélange d'embarras devant sa maladresse involontaire à l'égard de Caleb et de colère devant l'insulte délibérée de celui-ci. Elle n'avait pas eu l'intention de le rabaisser par ses paroles irréfléchies. Le long voyage à partir de sa ferme ravagée de Virginie-Occidentale avait durci les muscles de ses cinq chevaux arabes, mais lui avait réduit le cerveau en bouillie.

Elle s'avoua à contrecœur qu'elle méritait au moins en partie le jugement austère dans les yeux de Caleb, des yeux qui s'attardaient à présent avec un léger mépris sur l'ajustement de ses vêtements. La robe avait été taillée pour elle en 1862, avant que la guerre ait totalement ravagé les fermes et bouleversé le destin de sa famille. Neuve, la robe avait mis en valeur chacune des courbes du corps prometteur de Willow. Quatre ans plus tard, ces courbes étaient devenues plus prononcées, mais la robe était demeurée la même. En conséquence, la soie d'un bleu-gris se serrait contre ses seins et autour de sa taille.

C'était la seule robe de soie de Willow. Elle l'avait portée parce qu'elle s'attendait à rencontrer un gentilhomme qui apprécierait son geste rappelant une époque plus civilisée. Elle ne s'était pas attendue à voir apparaître un *pistolero* mal rasé qui ne remarquerait pas que ses vêtements sont trop ajustés.

Elle releva légèrement le menton en regardant l'homme qui, de toute évidence, ne l'aimait pas.

— La guerre est finie, monsieur Black.

— Et vous l'avez perdue.

Willow ferma les yeux, puis les rouvrit.

— Oui.

L'aveu, émis d'une voix rauque, surprit Caleb, tout comme la soudaine tristesse dans les yeux de Willow. L'étonnement de découvrir que sa proie, Matthew « Reno » Moran, avait une épouse faisait place au soupçon que la jeune femme à la robe moulante et à la bouche carrément sensuelle ne correspondait pas tout à fait à l'image qu'elle voulait projeter. La *femme* de Reno, certainement. Mais son épouse ? Probablement pas. Rien de ce que Caleb avait appris à propos de Reno depuis qu'il avait commencé à le traquer n'indiquait qu'il était du type à être marié.

Il observa de nouveau Willow, prenant son temps, regardant le rouge lui monter de nouveau au visage. La rougeur piqua sa curiosité. Les femmes comme elle ne pouvaient se permettre de manifester des émotions ou de l'orgueil, et pourtant, elle possédait visiblement les deux.

Caleb se demanda une fois de plus quel genre d'homme son soi-disant mari était — et quelle sorte de gentilhomme raffiné du Sud pouvait à la fois séduire une jeune fille innocente comme sa propre sœur, Rebecca, et inspirer une passion puissante chez une femme expérimentée comme Willow au point de la rendre prête à le suivre jusqu'au cœur de l'Ouest sauvage.

Avec un haussement d'épaules qui fit bouger ses muscles sous les vêtements de voyage qu'il portait, il décida d'ignorer sa curiosité. Le fait que Willow soit probablement une demoiselle plutôt qu'une dame importait peu, à l'instar du genre d'homme que Matthew « Reno » Moran était. Caleb recherchait depuis 11 mois l'homme qui avait séduit sa sœur Rebecca.

Quand il allait le retrouver, il le tuerait.

— Est-ce que nous partons ? demanda-t-il. Ou avez-vous changé d'avis à propos de retrouver votre… mari, c'est bien ça ?

Son regard froid se porta sur la main gauche de Willow, mince et dépourvue d'alliance. Elle rougit de culpabilité. Elle détestait devoir mentir, mais son frère avait insisté dans ses lettres sur le fait qu'il vivait dans un lieu sauvage, non civilisé. Une jeune femme voyageant seule dans un tel endroit était en danger, mais une épouse jouissait de la protection d'un mari. Même un mari absent suffisait à faire hésiter les autres hommes.

— Oui, répondit Willow en s'éclaircissant la gorge et en regardant Caleb dans les yeux avec un mélange de gêne et de défi. Mon mari. Avez-vous par hasard entendu parler de lui ?

— Beaucoup d'hommes changent leur nom quand ils passent à l'ouest du Mississippi. Même des hommes honnêtes.

Willow écarquilla les yeux.

— Comme c'est étrange.

— La plupart des gens ne trouvent pas l'honnêteté étrange.

Willow se sentit offensée par le mépris dans les paroles de Caleb.

— Ce n'est pas ce que je voulais dire, répondit-elle.

Le regard de Caleb passa des cheveux blonds brillants de Willow à ses délicates chaussures de cuir dépassant de sous sa longue robe de soie.

— Je n'ai jamais rencontré un homme du nom de Matthew Moran. Avait-il un surnom ?

— Si c'était le cas, il n'en a jamais parlé.

Caleb plissa les yeux.

— Vous en êtes sûre ?

— Pratiquement.

— Depuis combien de temps êtes-vous… mariée ?

D'après son ton, il était évident que Caleb avait des doutes sur la situation matrimoniale de Willow. Ses yeux répétèrent le message. Willow essaya de réprimer la rougeur qui lui montait encore aux joues. Elle détestait vraiment mentir, mais la guerre lui avait enseigné que pour survivre, il fallait faire des choses qu'elle détestait.

— Est-ce que c'est important ? demanda Willow.

Un coin de la bouche de Caleb se souleva en un sourire sardonique.

— Pas pour moi. Vous paraissez seulement un peu jeune pour être mariée. À peine sortie des langes, en fait.

— J'ai 20 ans, répondit-elle distinctement. Beaucoup de femmes de mon âge ont déjà des enfants.

Caleb grogna.

— Quel âge a votre mari ?

— 25 ans, dit Willow, souhaitant ardemment dire la vérité chaque fois que c'était possible. Matt est le plus jeune de mes... Il est le plus jeune de cinq fils, se reprit-elle rapidement.

Après un bref silence pendant lequel il sembla la réévaluer, Caleb leva un sourcil noir et offrit son bras à Willow.

Elle ignora le caractère moqueur de son geste poli, car elle était certaine que Caleb n'était pas un homme dont les gestes se fondaient sur la politesse. Malgré cela, elle posa le bout de ses doigts sur sa manche en un geste gracieux qu'on lui avait inculqué au cours des années, avant que la guerre mette fin à la nécessité d'avoir des manières courtoises.

— Merci, monsieur Black, murmura-t-elle.

Le ton légèrement traînant et rauque de sa voix de contre-alto eut sur Caleb l'effet d'une caresse. Le poids léger de ses doigts provoqua une vague de chaleur à travers son corps. Il se raidit avec une violence qui le secoua, car il ne s'était jamais permis de se mettre à la merci de ses désirs. Il était irrité que son corps réagisse avec une si primitive exci-tation à la voix obsédante et aux courbes magnifiques de Willow. Manifestant trop d'intérêt à son goût, Caleb se demanda si Willow rejoignait un homme avec une honnête passion ou si la «femme» de Reno n'était qu'une jolie pute froide qui ouvrait ses jambes pour n'importe quel homme qui avait une pièce d'argent dans une main et son désir dans l'autre. Il n'avait aucun intérêt pour les prostituées, quel que soit leur statut.

À l'autre bout du hall, un petit homme trapu se leva len-tement et fit un geste dans leur direction. Son manteau était fait d'un tissu de laine terne, sa chemise était empesée, et comme beaucoup d'hommes dans l'Ouest, ses pantalons avaient déjà fait partie d'un uniforme militaire.

— Voilà monsieur Edwards, dit Willow.

— Vous paraissez soulagée, observa Caleb.

— Monsieur Edwards a débordé d'éloges à votre égard.

— Et vous pensez qu'il mentait.

Willow s'arrêta brusquement de marcher. Automatiquement, Caleb fit de même, et il regretta la douce pression des doigts de Willow sur son bras.

— Monsieur Black… commença Willow, qui se tut soudain quand les yeux mornes couleur de whiskey se concentrèrent sur elle.

Elle prit une inspiration et recommença :

— Je me suis excusée de vous avoir offensé. Je n'avais aucunement l'intention de vous insulter. Votre apparence m'a surprise, c'est tout. Je m'attendais à voir apparaître un homme deux fois plus âgé que vous, un érudit sur les campagnes militaires, un homme aux cheveux blancs, vieux jeu…

— Un gentilhomme ? l'interrompit Caleb.

— Un homme qui craint la colère de Dieu, termina Willow.

— Qu'est-ce qui vous fait penser que je ne crains pas la colère de Dieu ?

— Je ne crois pas que vous ayez peur de quoi que ce soit, répliqua-t-elle, y compris de Dieu.

La bouche de Caleb se tordit cette fois en un véritable sourire, un sourire qui modifia les traits durs de son visage. Willow eut le souffle coupé. Quand Caleb souriait, il était aussi beau que ce qu'on disait sur le diable. Impulsivement, elle toucha de nouveau son bras en lui rendant son sourire.

— Pourrions-nous recommencer à neuf ? demanda-t-elle doucement.

La courbe séductrice des lèvres de Willow provoqua chez Caleb un élan de désir presque douloureux. La réaction primitive de son corps à celui de la maîtresse d'un autre homme le rendait furieux. Sa bouche se serra pour former une ligne aussi mince et dure que la lame du long couteau qu'il portait à sa ceinture.

— Gardez vos longs cils et vos doux sourires pour votre *époux*, dame du Sud. Chaque fois que je regarde votre robe luxueuse et vos cheveux blonds soyeux, je me souviens du nombre d'hommes qui sont morts des deux côtés de cette guerre pour vous maintenir dans le luxe que vous croyez mériter.

Willow se figea en entendant le mépris dans la voix de Caleb. En vérité, elle ne venait pas du Sud, et elle n'était ni riche ni gâtée. Mais le fait de le lui dire ne susciterait en rien sa compassion et pourrait même facilement l'empêcher d'accepter le travail qu'elle lui proposait. S'il savait qu'elle n'avait pas d'argent pour le payer jusqu'à ce qu'ils rejoignent son frère, Caleb pourrait très bien lui tourner le dos.

Ce serait une catastrophe. Monsieur Edwards lui avait bien fait comprendre que Caleb était un des rares hommes de l'Ouest — et le seul homme dans cette petite ville rude de Denver — à qui il pourrait confier la vie de Willow, sa vertu et ses précieux chevaux de race.

Sans un mot, Willow se détourna de Caleb et se dirigea vers monsieur Edwards. Elle ne remarqua pas les coups d'œil admiratifs et les murmures des hommes qui la suivirent à travers le hall. Il y avait si longtemps qu'elle s'était sentie comme une femme qu'elle en avait perdu l'habitude.

À ses yeux, son corps était une chose qu'elle nourrissait, lavait et habillait de façon à ce qu'il fonctionne. Après que son père soit parti combattre, laissant Willow seule avec sa mère fragile, c'est elle qui avait lutté afin de s'assurer que la ferme familiale fournisse la nourriture pour garder vivantes les femmes Moran.

Même si Willow n'avait rien remarqué, Caleb, quant à lui, n'avait rien raté des regards approbateurs qu'elle avait suscités. Il foudroya du regard plusieurs hommes dans la pièce. Il se dit qu'il ne protégeait pas ainsi la vertu inexistante de Willow, qu'il ne faisait que se garder un moyen d'aller assister aux funérailles du mystérieux Reno. N'importe lequel des jeunes durs à cuire qui flânaient autour du tout nouvel hôtel de Denver aurait été heureux de gagner 50 dollars yankees pour guider l'adorable jeune Willow vers une terre si éloignée que la plupart de ses rivières, canyons et sommets montagneux n'avaient pas encore été nommés.

— Monsieur Edwards, dit Willow d'une voix douce, je vous remercie d'avoir organisé cette rencontre.

Eddy sourit, lui prit la main et inclina le buste dans sa direction avant de se tourner pour lui présenter sa compagne, une femme rondelette dans la trentaine, avec une chevelure noire, des joues rouges et des yeux d'un bleu vif.

— Madame Moran, voici madame Sorenson. Rose, voici la jeune femme dont tu as tant entendu parler ces trois dernières semaines.

Willow parut étonnée.

— Trois semaines ? Mais je ne suis à Denver que depuis moins de trois heures !

Eddy grimaça.

— Depuis que ce damné télégraphe est entré en fonction, les rumeurs voyagent si rapidement qu'on en devient étourdis. Nous entendons parler d'une belle femme du Sud et de ses cinq pur-sang depuis que vous êtes montée dans la diligence à Saint-Joseph et que vous avez attaché vos chevaux derrière.

Rose prit la main de Willow entre ses doigts rugueux et la tapota doucement.

— N'y faites pas attention, madame Moran. Ici, dans l'Ouest, il n'y a pas beaucoup d'autres sujets de conversation que les rumeurs. Tout ce qui sort de l'ordinaire nous fait bourdonner comme une ruche qu'on vient de renverser d'un coup de pied.

Willow vit de la gentillesse sur le visage de la femme, ainsi que des rides de tristesse. C'était une tristesse qu'elle avait vue sur le visage de sa propre mère après que la guerre et le veuvage ne lui aient laissé aucune perspective d'avenir autre que la maladie et la mort, qui s'étaient bientôt emparées d'elle.

— Ne vous inquiétez pas, Rose, intervint Caleb en arrivant derrière Willow. N'importe quelle fille qui part à la recherche d'un jeune et bel étalon comme Matthew Moran à travers ce pays doit avoir l'habitude d'être l'objet de bavardages.

Rose éclata de rire. En souriant, elle tendit la main vers l'homme au teint bronzé qui la surplombait de toute sa hauteur.

Même si Caleb s'était assuré de demeurer hors du lit de Rose depuis qu'il l'avait présentée à Eddy quelques mois auparavant, il prenait encore plaisir à la voir quand il venait à Denver. Il admirait à la fois le cran et l'humour de la veuve, de même que la façon dont elle avait réussi à garder ses cinq jeunes enfants et à les élever sans le soutien d'un homme. Même si de discrètes contributions de quelques hommes l'avaient aidée au cours des trois années qui s'étaient écoulées depuis le décès de son mari, son opinion à propos de Rose n'avait pas changé. Elle consacrait l'argent aux soins de ses enfants plutôt qu'à des vêtements de soie et à des pur-sang.

Caleb retira son chapeau d'un grand geste et se pencha sur les doigts de Rose avec l'élégance issue d'une longue expérience. Willow comprit en observant avec quelle aisance courtoise il avait embrassé la main de Rose à quel point Caleb avait peu de respect pour elle. L'homme avait d'excellentes manières, et pourtant, il n'avait pas retiré son chapeau en sa présence et s'était encore moins penché pour lui embrasser la main en l'accueillant.

— Je pensais que vous ne connaissiez pas mon fr... mari, dit Willow d'une voix glaciale.

— Je ne le connais pas.

Willow haussa ses sourcils blonds.

— Alors, comment savez-vous que Matt est un bel homme?

— Je n'ai jamais connu une fille qui parte à la poursuite d'un homme laid à moins qu'il soit riche. Votre époux est-il riche?

— Non, répondit-elle immédiatement en songeant au filon d'or que Matt avait découvert et tentait de protéger. Il n'a pas un sou.

Mais Caleb n'écoutait pas. Il s'était détourné de Willow pour serrer la main d'Edwards.

— Bonjour, Eddy. Heureux de vous revoir sur pied. J'ai cru que ce fougueux étalon vous avait tué.

— Il a bien failli le faire, répondit Edwards en serrant la main de Caleb avant de s'asseoir avec un soulagement évident. Ma main et ma jambe droites sont encore un peu engourdies. La prochaine fois, je vous laisserai dompter ce cheval.

— Non, merci. À votre place, je m'en débarrasserais de la même façon que vous l'avez acquis : dans une partie de poker. Il a un pelage d'un blond tape-à-l'œil, dit-il en jetant un bref regard sur la chevelure de Willow, mais sous cet aspect, il est vicieux comme un serpent. Vous ne pourriez jamais en venir à lui faire confiance. Une bête hostile reste une bête hostile, peu importe son aspect extérieur.

Willow se dit que Caleb n'était pas en train de l'insulter, mais qu'il conversait simplement à propos d'un cheval. C'est ce qu'elle se disait encore quand Caleb se détourna et s'employa avec tant d'ardeur à aider Rose à se rasseoir qu'Eddy commença à se lever pour faire asseoir Willow.

— S'il vous plaît, ne vous levez pas, dit Willow d'une voix basse quand elle vit la difficulté qu'avait Eddy à se mettre debout.

Elle s'assit rapidement et ajouta :

— Je suis capable de m'asseoir toute seule.

— Merci, m'dame, fit Eddy en soupirant tristement. Depuis que cet étalon m'a jeté par terre, je ne vaux plus grand-chose.

Willow sourit et dit à voix basse pour ménager l'amour-propre d'Eddy :

— La qualité d'un homme ne varie pas selon l'âge ou selon les blessures. Vous avez été d'une immense générosité envers moi.

L'ouïe fine de Caleb enregistra chaque mot de Willow. Il lui jeta un regard oblique, mais ne vit dans son expression que de la compassion plutôt que les coups d'œil séducteurs d'une femme. Il fronça les sourcils et prit la dernière chaise près du petit groupe. Il avait cru que Willow attendrait d'un air impérieux qu'on la fasse asseoir comme la dame du Sud choyée qu'elle était, mais elle s'était plutôt assise elle-même tout en atténuant gracieusement l'embarras d'Eddy à propos des blessures qui l'empêchaient de bondir sur pied et de l'aider. La maîtresse de Reno se révélait surprenante.

Caleb n'aimait pas les surprises. Il avait vu trop d'hommes mourir avec un regard étonné sur le visage.

— Avez-vous eu des problèmes pour venir dans l'Ouest ? demanda Rose en se tournant vers la jeune femme, souhaitant de toute évidence faire la conversation.

— C'était toute une aventure, avoua Willow avec un sourire contrit. Les lettres de Matt faisaient allusion au Mississippi, mais ce n'est qu'au moment où je me suis tenue sur ses rives au crépuscule et où je l'ai vu flamboyer comme un grand océan d'or que j'ai compris à quel point le fleuve était large et puissant. Quand nous l'avons traversé le lendemain, c'était comme chevaucher une bête sauvage.

Rose frissonna.

— Je m'en souviens. J'ai failli mourir de peur quand je l'ai traversé, il y a des années, et mon mari avait attendu que les eaux soient basses. Si vous l'avez traversé en mai, ce damné fleuve doit avoir été terriblement agité.

— Il l'était. Des arbres plus gros que des chariots étaient ballotés comme des fétus de paille. Quand un vieux chêne a frappé le traversier, des chevaux sont tombés par-dessus bord, mais nous étions assez près de l'autre rive pour qu'ils puissent l'atteindre en nageant.

Caleb se souvint de sa propre traversée de cette grande barrière bouillonnante appelée le Mississippi. Il n'avait alors que cinq ans, mais l'immensité du fleuve l'avait davantage réjoui qu'effrayé. Il se rappela sa propre euphorie en entendant Willow lui dire de sa voix rauque qu'elle aussi s'était laissée emporter avec joie par l'étreinte sauvage du fleuve.

— Comment s'est passé le voyage en diligence? demanda Rose. J'ai songé à me rendre dans l'Est, mais j'ai juré de ne plus jamais faire ce périple à pied, et je mourrai probablement avant que le chemin de fer se rende jusqu'ici.

Willow hésita, puis avoua :

— La diligence vacillait et faisait des embardées, le conducteur faisait claquer son fouet et jurait constamment, et le bruit des roues aurait suffi à réveiller un mort. En fait, après quelques jours de voyage, j'ai commencé à me demander si la Hollady Overland Mail & Express Line n'était pas de mèche avec le diable.

Rose sourit.

— Ça doit avoir semblé étrange aux yeux d'une jeune fille élevée dans le luxe.

— Pas autant que cette immense terre nue, répondit Willow. Pas un seul arbre. Les relais de diligence étaient creusés à flanc de colline, et leurs toits étaient recouverts de mottes de terre. Matt m'en avait parlé, mais j'avais cru qu'il exagérait.

Eddy éclata de rire en regardant Willow, puis il secoua la tête.

— Ne dites pas que je ne vous avais pas avertie, madame Moran.

— Oh, vous l'avez fait, acquiesça Willow. Quand j'ai trouvé votre nom dans la correspondance de mon père... euh, de mon beau-père et que vous ai écrit que je voulais retrouver Matt, vous avez été on ne peut plus décourageant.

— Il doit y avoir certainement un millier de kilomètres à partir de Saint-Joseph, fit Eddy. C'est un voyage long et difficile pour une jeune femme seule.

— Et c'est un long voyage pour n'importe qui, mais j'avais mes chevaux. Mon étalon Ishmael est plus confortable que n'importe quel siège de diligence. Quand il ne pleuvait pas, je le chevauchais. Certains passagers ont plus souffert que moi. Ils n'avaient pas de chevaux à monter ni d'argent pour arrêter la nuit et se reposer du voyage. J'ai rencontré nombre de pauvres gens qui faisaient le voyage en la moitié de temps qu'il m'en a fallu.

— Pourquoi n'avez-vous pas attendu que votre homme vienne vous chercher? demanda Rose, puis elle éclata d'un petit rire et rougit. Dieu du ciel, écoutez-moi! Je suis désolée, madame Moran. Je suis tellement impatiente d'avoir des nouvelles de tout ce qui se trouve à l'est de Denver que j'en oublie mes manières. Beaucoup de gens qui viennent ici ne veulent pas parler de ce qu'ils ont laissé derrière, de la raison de leur départ ou même de ce qu'était leur nom là-bas.

Avant que Willow puisse répondre, Caleb dit avec froideur :

— Ne vous tracassez pas à propos des bonnes manières, Rose. Madame Moran est une dame du Sud tellement raffinée qu'elle ne s'attend pas à beaucoup de politesse de la part des gens d'ici.

— Caleb Black! s'exclama Rose, renversée. Qu'est-ce qui vous prend? Vous n'êtes pas du genre à vous soucier du côté où un homme se battait, du moment où il avait suffisamment de cran pour le faire. Et vos manières sont meilleures que celles de n'importe quel homme, qu'il soit de l'Est, du Sud ou du Nord! Du moins, elles étaient bonnes auparavant.

Elle se tourna vers Willow et tapota la main de la jeune femme.

— Ne vous occupez pas de lui. Il s'amuse seulement à vos dépens. Il ne déteste pas les gens du Sud. Dieu du ciel, Eddy vient du Texas!

— Ça n'aurait pas d'importance si Cal détestait les gens du Sud, intervint Eddy. Madame Moran est une Yankee de Virginie-Occidentale, et celle-ci s'est déclarée en faveur du Nord.

Caleb plissa les yeux en direction de Willow.

— Dans ce cas, pourquoi m'avez-vous dit que vous aviez perdu la guerre?

Willow se dit qu'elle n'aurait pas dû répondre, mais il était trop tard. Elle parlait déjà d'une voix aussi sèche et froide que l'avait été celle de Caleb.

— Nos fermes se trouvaient dans la zone frontalière, dit-elle. Quand les sudistes sont arrivés, ils nous ont qualifiés de Yankees et ont emporté tout ce qu'ils pouvaient manger ou transporter. Quand les Yankees sont passés, ils nous ont qualifiés de sudistes puis ont mangé et transporté tout ce qui pouvait l'être. Pendant la guerre, mon père a été tué, et ma mère est morte avec le cœur brisé. Tous nos chevaux sauf cinq ont été volés ou «réquisitionnés» par un côté ou l'autre. Nos récoltes ont été brûlées et nos arbres, coupés. Nous avons perdu nos fermes une après l'autre jusqu'à ce qu'il ne reste rien, pas même un potager. Dites-moi, monsieur Black, de quelle façon me suis-je trouvée du côté gagnant de cette glorieuse guerre?

— Alors, c'est la raison pour laquelle vous êtes venue dans l'Ouest, dit rapidement la veuve dans l'espoir d'interrompre les courants d'émotions féroces qu'elle sentait entre la jeune femme fatiguée et Caleb Black. Vous vous sentirez chez vous à Denver, ma chère. Ici, un tas de gens sont partis en laissant tout derrière comme un serpent se débarrassant de sa vieille peau. C'est à ça que sert l'Ouest : à repartir à zéro quand tout le reste va mal. Est-ce que votre mari et vous allez faire de l'élevage ?

Willow détourna le regard des yeux ternes de Caleb et se concentra sur Rose. Elle aurait aimé dire toute la vérité à l'aimable veuve, mais dans sa lettre, Matt l'avait clairement avertie de ne faire confiance à personne avec la carte qu'il avait envoyée. La plupart des gens étaient de bonnes et honnêtes personnes dans leur vie quotidienne, mais un filon d'or aurait mis à l'épreuve les meilleures amitiés. C'était pour cette raison qu'il avait envoyé une lettre à la maison, espérant qu'un ou plusieurs de ses frères viendraient l'aider à sortir l'or de la terre. Quand la lettre était arrivée, les frères Moran s'étaient déjà dispersés de l'Angleterre à l'Australie. Toutefois, Willow avait été prête à le rejoindre.

— Quoi que Matt fasse, dit-elle finalement et en détestant mentir même par omission, je voudrais élever des chevaux. Ishmael est un bel étalon, et mes quatre juments ont été élevées avec le même soin.

— Où comptez-vous vous établir ? demanda Rose.

— Je ne l'ai pas encore décidé. Les lois agraires permettent à une femme de…

— Vous ne pensez tout de même pas faire de l'agriculture de subsistance, n'est-ce pas ? l'interrompit Eddy. Vous êtes une dame trop raffinée pour vous abîmer les mains en travaillant cette terre aride de l'Ouest. Laissez votre homme s'occuper de vous.

— Vous êtes très gentil, répondit Willow, mais je préférerais ne dépendre que de moi-même. Les hommes sont si facilement distraits. Agitez un drapeau devant eux ou murmurez quelques mots à propos d'or ou d'aventure, et les voilà partis, laissant leurs femmes se débrouiller seules avec les enfants qu'ils étaient si impatients de mettre au monde au départ.

Rose regarda Willow d'un air surpris, puis éclata de rire.

— Comme c'est vrai ! Mon cher Joe était le meilleur des hommes, mais quand un voisin est parti pour ces damnées montagnes il y a quatre ans, certain qu'il y découvrirait de l'or, Joe l'a suivi sans se préoccuper des quatre petits pendus à mes jupes et de celui qui allait naître. Le voisin est revenu en crachant du sang, et Joe n'est jamais réapparu.

— Je suis désolée, madame Sorenson, dit Willow d'une voix basse. C'était suffisamment difficile pour moi de m'occuper seulement de ma mère. Je ne peux imaginer ce que j'aurais fait avec quatre enfants et un bébé.

— Oh, ce n'était pas si mal, ma chère. Les hommes sont des créatures capricieuses, mais quand même charmantes. La vie sans eux serait triste, dit la veuve en souriant à Eddy. Personne pour tenir le fil à tisser pendant que je le roule en pelote. Personne pour réparer une pompe récalcitrante pour que je puisse me laver les cheveux. Personne avec qui aller me promener quand la lune est pleine et que l'air embaume le lilas. Personne pour sourire quand j'entre dans une pièce.

Rose rit doucement, puis ajouta :

— Et personne vers qui se tourner quand le tonnerre gronde et me remplit de frayeur.

Un étrange désir envahit Willow en voyant la façon dont Rose et Eddy se regardaient. Il s'était écoulé beaucoup de temps depuis qu'elle avait rêvé de partager sa vie avec quiconque. Même alors, elle était trop jeune pour comprendre ce que signifiait vraiment un tel partage. À 16 ans, une fille connaissait peu de choses de la vie, sauf l'impatience de se mettre à la vivre.

Mais la guerre était arrivée. Steven avait été tué, et elle avait appris que la vie était un concours d'endurance sans vainqueurs ; il n'y avait que des survivants.

— Vous oublierez la guerre, poursuivit Rose en tapotant la main de Willow. Votre homme vous fera des enfants, et vous oublierez cette idée folle de faire de l'agriculture de subsistance pour prendre soin de vous-même. Le Seigneur savait ce qu'il faisait quand il a créé la femme pour l'homme.

Caleb se laissa aller contre le dossier de sa chaise.

— Gardez votre sympathie pour quelqu'un qui en a besoin. Tout ce dont madame Moran a besoin, c'est d'un guide pour la conduire à Matthew Moran.

— Acceptez-vous ? demanda Eddy.

— Je ferais tout aussi bien, répondit Caleb d'un air faussement indifférent. Je me dirige vers la région des monts San Juan de toute façon.

— Bien, dit Eddy, soulagé. Je le ferais moi-même, mais ce damné étalon…

Il regarda Caleb dans les yeux.

— Je suis content que la rumeur vous ait rejoint. Je ne savais pas si vous étiez au sud à Yuma ou dans le territoire du Wyoming.

— Plus la terre est déserte, plus les rumeurs voyagent vite, fit Caleb. Je chassais avec Wolfe Lonetree quand un rétameur ambulant est arrivé au camp et a dit que vous aviez besoin de moi pour guider madame Matthew Moran jusqu'à son mari.

— Lonetree, n'est-ce pas ? grogna Eddy. Pas étonnant que la nouvelle vous soit parvenue si rapidement. Si un insecte rampe quelque part dans le territoire, ce métis le sait tout de suite.

Eddy sortit sa montre et regarda l'heure.

— Rose, si nous n'allons pas dans la salle à manger, un jeune blanc-bec va prendre notre table.

En remettant la montre dans sa poche, il jeta à Willow un regard interrogateur.

— Maintenant que vous avez fait la connaissance de Cal, êtes-vous satisfaite de cet arrangement, madame Moran ?

Après une hésitation à peine perceptible, Willow opina de la tête parce qu'elle n'osait pas parler. Son chagrin aurait transparu dans sa voix. Pourtant, ce n'était pas de la compétence de Caleb en tant que guide qu'elle doutait, pas plus que de son honnêteté. C'était l'effet qu'il avait sur elle qui la faisait hésiter. Il la rendait intensément consciente d'elle-même en tant que femme tout en ne faisant rien pour dissimuler le fait qu'il ne l'aimait pas. La combinaison était déconcertante.

Je suis seulement fatiguée, songea Willow pour se rassurer. *Un bain chaud et une nuit de sommeil feront toute la différence du monde. J'ai fait une trop longue route pour repartir à cause d'un rude étranger qui me donne l'impression d'être une fillette maladroite. De plus, je n'ai rien vers quoi revenir. Maman avait raison. Les rêves qu'elle et papa avaient ont disparu avec la terre. Je ne peux pas retourner à la maison. Je peux seulement essayer de trouver un nouveau foyer et de construire un nouveau rêve.*

— Madame Moran, fit Eddy en se levant lentement, je vous laisse entre bonnes mains.

— Merci. Si je peux un jour vous rendre votre gentillesse…

— Sottises, l'interrompit fermement Eddy. Le père de votre mari m'a vendu le meilleur cheval que j'aie jamais possédé. Il m'a sauvé la vie plus d'une fois. Si je peux aider l'un des siens, j'en suis heureux.

Eddy ajusta son manteau par-dessus le pistolet qu'il portait et se pencha au-dessus de la main de Willow avant de se tourner vers Caleb.

— Je vous dirais de prendre soin de la jeune dame, mais si je n'avais pas pensé que vous le feriez, je ne lui aurais jamais mentionné votre nom. Et si j'entends parler d'un vagabond du nom de Reno, je vous le ferai certainement savoir.

Caleb adressa à Willow un regard oblique. Elle n'avait pas réagi au surnom, ce qui signifiait qu'elle était une bonne comédienne ou qu'elle ne connaissait son « mari » que sous le nom de Matthew Moran.

— D'accord, Eddy.

Caleb se tourna vers Rose, inclina le torse au-dessus de sa main et dit :

— Prenez soin de lui, Rose, et tenez-le éloigné de ce damné étalon doré.

Willow et Caleb regardèrent le couple s'éloigner en silence. Malgré les efforts que faisait Eddy pour dissimuler sa raideur, il était évident qu'il souffrait.

— Est-ce qu'il va s'en remettre ? demanda doucement Willow.

— Pourvu que ses vieux ennemis ne le trouvent pas avant qu'il guérisse, il ira bien.

— Ses ennemis?

— Eddy a été shérif dans des endroits malfamés. Un tel homme se fait des ennemis, dit-il en tournant vers Willow son regard terne. Où sont vos chevaux?

— Dans l'écurie au bas de la rue.

— Laissez-les là. Je vais vous trouver un cheval qui ne va pas vous laisser tomber la première fois qu'une situation deviendra difficile.

— C'est très gentil de votre part, mais...

— Je ne suis pas un homme gentil, l'interrompit rudement Caleb. Je suis un homme pragmatique. Là où nous allons, un cheval délicat, nerveux et trop choyé représentera beaucoup plus de problèmes qu'il n'en vaut la peine.

— Mes pur-sang arabes sont bien élevés et non choyés, et ils seront à la hauteur de n'importe lequel des vôtres en ce qui concerne l'endurance.

Caleb émit un juron à voix basse.

— Où voulez-vous aller dans la région des San Juan?

— Dans la partie montagneuse.

— M'dame, dit sèchement Caleb, il n'y a aucune partie de cette région qui ne soit pas montagneuse. Quel sommet aviez-vous à l'esprit?

— Je vous le dirai quand nous y serons.

— Ma chère dame du Sud, si nous prenons vos chevaux de race, nous n'atteindrons jamais cette région.

Chapitre 2

A vant que Willow puisse répondre, un brouhaha se fit entendre dans la direction de la salle à manger. Dans le silence qui envahissait le hall, une voix d'homme retentit.

— Votre femme d'occasion et vous n'avez qu'à attendre qu'une autre table se libère, vieillard. En fait, vous pourriez très bien attendre jusqu'à ce que mes amis et moi ayons fini de manger. Je ne veux pas que cette traînée se trouve assise dans la même pièce que moi.

Ébahie, Willow se tourna pour regarder vers la salle à manger. Un instant plus tard, elle se rendit compte qu'Eddy et Rose étaient confrontés à quatre jeunes hommes tous armés de pistolets. Un murmure parcourut la foule pendant que les gens s'éloignaient de la confrontation. Willow entendit à travers les murmures quelque chose à propos de gangsters et de Rose qui avait refusé de laisser le jeune frère de Slater habiter dans sa pension de famille.

Caleb entendit aussi les murmures, mais il savait déjà ce qui se passait. Il l'avait su depuis que sa nuque s'était serrée en un avertissement de danger qui remontait à la nuit des temps, et il s'était brusquement retourné pour voir les ennuis qui s'abattaient sur ses amis. Si Eddy avait été en bonne santé, Caleb se serait simplement dirigé vers eux pour agir en tant qu'arbitre officieux, s'assurant que les amis du garçon n'interviennent pas dans ce qui se produisait entre le vieux shérif et le jeune hors-la-loi.

Mais Eddy n'allait pas bien. Il était blessé, et Johnny Slater le savait. Eddy le savait aussi. Il avait le choix entre laisser Rose se faire insulter ou dégainer son pistolet avec sa main droite blessée. Il pourrait essayer de dégainer avec sa main gauche, même si la poignée de l'arme se trouvait du mauvais côté. Dans un cas comme dans l'autre, il mourrait probablement avant que le canon de l'arme ait franchi le bord de son étui.

— Non! s'exclama Rose en allant se placer devant Eddy, tournant le dos au jeune dur à cuire qui l'avait insultée. Tu ne peux même pas tenir une fourchette, et encore moins un pistolet!

Avant que Rose ait fini de parler, la grosse main de Caleb s'abattit sur l'épaule de Johnny Slater, le faisant pivoter sur ses pieds.

— Tu es insultant, garçon. Les gens autour de Denver sont fatigués de t'entendre. Maintenant, tu peux t'excuser à madame Sorenson et quitter la ville ou bien essayer de saisir un de ces chics pistolets que tu portes.

Le visage de Johnny passa de l'étonnement au désarroi quand il prit toute la mesure du regard sombre de Caleb. C'était une chose que de hurler contre un homme blessé qui pouvait à peine dégainer une arme dans une pièce bondée, mais c'en était une autre que d'affronter directement un homme qui n'était ni blessé ni effrayé, un homme qui se foutait de la réputation de tireur rapide de Kid Slater et de la présence d'un frère plus âgé et brutal pour le soutenir.

Johnny Slater se mit à transpirer. Il regarda rapidement ses amis et s'aperçut qu'ils l'observaient les bras croisés, s'attendant de toute évidence à ce qu'il s'occupe lui-même de l'intervention de Caleb.

— Décide-toi, garçon, fit Caleb.

La froide impatience dans la voix de Caleb fit légèrement tressaillir Johnny. Sa main se rapprocha lentement de son pistolet, hésita, puis s'approcha encore. Il scruta de nouveau les yeux de Caleb et se figea.

Caleb émit un bruit de dégoût.

— Ton grand-frère est peut-être un vrai loup, mais tu es un pur coyote. Présente tes excuses à la dame, Kid Coyote.

— Il est hors de question que je présente mes excuses à une…

Caleb gifla Johnny avant qu'il puisse terminer sa phrase. Le coup fut rapide au point d'être presque invisible. La tête de Johnny se balança violemment sur ses épaules, envoyant voler son beau chapeau. Avant qu'il comprenne ce qui était arrivé, il était trop tard. Caleb le giflait en des gestes lents et mesurés, des coups qui l'humiliaient autant qu'ils lui faisaient mal. Mais c'étaient surtout les paroles dédaigneuses qui le blessaient.

— Kid Coyote le lâche, dit Caleb. Ça, c'est pour chaque homme que tu as abattu en lui tirant dans le dos.

Vlan.

— Pour chaque femme que tu as insultée au cours de ta vie.

Vlan.

— Pour chaque enfant à qui tu as volé une friandise.

Vlan.

— Maintenant, sors tes pistolets, Kid Coyote.

— Quoi ? demanda Johnny en secouant la tête, incapable de croire ce qui lui arrivait.

— Enlève tes ceintures à pistolets et laisse-les tomber sur le plancher.

Johnny tendit vers sa première ceinture des mains rendues maladroites par un mélange de rage et de peur.

— Qui que vous soyez, vous êtes un homme mort ! Mon frère vous tuera pour ça !

La première ceinture tomba sur le plancher.

— À n'importe quel moment où Slater se sentira chanceux, dit calmement Caleb, dis-lui de demander Caleb Black.

La deuxième ceinture suivit la première sur le sol.

— Si les gens ne connaissent pas ce nom, poursuivit Caleb, dis-leur de demander l'Homme de Yuma. Quant à toi, Kid Coyote, tu ferais bien de ne jamais plus porter un pistolet. Ceux qui vivent par l'épée meurent par l'épée. Et tu vas mourir, garçon. Si je te vois porter une arme où que ce soit, n'importe quand, je vais t'abattre sur place. C'est compris ?

Johnny opina de la tête de mauvaise grâce.

— C'est le seul avertissement que tu auras, et c'est un de plus que ce que tu mérites.

Caleb se retourna et fit face aux amis de Johnny. Il regarda chacun pendant un long moment, imprégnant sa mémoire du visage de ses nouveaux ennemis. Il reconnut l'un d'eux, un chasseur de primes et un voleur de concession minière des monts San Juan.

— Laissez tomber ces armes, garçons.

D'autres ceintures tombèrent au sol.

— Vous avez de mauvaises fréquentations, mais c'est un pays libre. Toutefois, j'ignore comment vous pouvez endurer cette odeur.

Caleb fit un signe de tête en direction de la rue.

— Foutez le camp.

Johnny et ses amis partirent, une colère profonde émanant d'eux. Ce n'est qu'au moment où la porte se referma derrière le dernier bandit qu'une vague de paroles excitées traversa la foule; des hypothèses et des conjectures s'échangèrent, un autre incident venant alimenter la légende de l'Homme de Yuma.

Willow n'émit pas un son. Elle se contenta de soupirer et retira sa main de la poche de sa robe de soie où reposait le métal froid du derringer[1] contre sa paume.

Après quelques moments, les gens retournèrent à ce qu'ils étaient en train de faire au moment où Caleb avait tenu tête à Johnny Slater. Tous sauf Willow contournèrent à bonne distance les ceintures sur le plancher et le colosse dont les yeux avaient la couleur dorée et brillante de ceux d'un couguar — ou d'un ange vengeur.

Caleb se tourna vers Rose.

— Je suis désolé que vous ayez dû entendre ces paroles ordurières, dit-il simplement.

Rose essaya de parler, eut un sourire tremblant et réussit à murmurer :

— Vous êtes un homme bon, Caleb Black. Il y aura toujours une place pour vous à ma table.

Caleb sourit et caressa la joue pâle de la veuve avec une gentillesse et une affection qui étonnèrent Willow.

---

1. N.d.T: Petit pistolet de poche sans barillet qui porte le nom de son inventeur, nom qui désigne un type de pistolet plutôt qu'une marque en particulier.

— Merci, dit simplement Eddy à Caleb. Je te suis redevable.

Caleb secoua la tête.

— Tu es la meilleure chose qui soit jamais arrivée à Rose. C'est toute la reconnaissance dont j'ai besoin.

— Un jour, Johnny te tirera dans le dos, fit Eddy d'un ton nonchalant. Tu aurais dû le tuer quand tu en avais l'occasion.

— Il y avait trop de femmes dans la pièce pour commencer à tirer. Une balle perdue…

— Tu n'es pas du genre à tirer au hasard.

Caleb haussa les épaules et commença à ramasser les ceintures de pistolets.

— Johnny est un putois mal embouché, mais il n'a tué personne de ma famille. Il a insulté Rose, et je l'ai insulté. En ce qui me concerne, c'est réglé.

— Œil pour œil, dent pour dent, murmura Willow en observant Caleb. Est-ce que c'est votre code de conduite dans l'Ouest?

Il se redressa et se tourna vers elle avec la grâce foudroyante d'un prédateur.

— Ce n'est pas mon code de conduite, dame du Sud. C'est celui de Dieu : «Mais s'il y a un accident, tu donneras vie pour vie, œil pour œil, dent pour dent, main pour main, pied pour pied, brûlure pour brûlure, blessure pour blessure, meurtrissure pour meurtrissure.»

L'intensité dans la voix de Caleb fit frissonner Willow.

— Qu'en est-il du pardon? demanda-t-elle. Et du fait de tendre l'autre joue?

— C'est un luxe des gens de la ville qui ont suffisamment de policiers pour s'occuper des bandits comme Kid Coyote. Il n'y en a pas encore assez à Denver. Où je vous conduis, il n'y a aucune loi. Si un homme tend l'autre joue, il reçoit une autre gifle — plus forte — jusqu'à ce qu'il se batte ou cesse de se considérer comme un homme. Là-bas, dans ces montagnes, un homme s'occupe de lui-même, parce que personne d'autre ne le fera pour lui.

— Et une femme? demanda Willow à contrecœur. Qu'est-ce qu'elle fait?

— Elle reste en ville, répondit brutalement Caleb. Si elle ne peut pas le faire, elle trouve un homme suffisamment coriace pour la protéger, ainsi que les enfants qu'elle portera pour lui. C'est comme ça ici, dame du Sud. Rien de raffiné. Vous tuez pour obtenir votre viande, vous la préparez, vous la cuisinez, vous la mangez, puis vous repartez pour chasser de nouveau.

Caleb regarda Willow à travers ses yeux plissés, se rapprocha et lui dit à voix assez basse pour que personne n'entende :

— Vous voulez toujours partir à la recherche de votre... mari?

Willow regarda le colosse qui la dominait, ses yeux durs comme l'acier et ses mains remplies d'armes. Sa première impression en voyant Caleb Black avait été correcte.

Il était dangereux.

Puis elle se rappela la caresse de ses doigts sur la joue de Rose. Caleb était aussi dur qu'une pierre à aiguiser, mais c'était aussi un honnête homme. Elle allait être en sécurité avec lui. Elle le savait avec une profonde certitude qu'elle ne remettait pas en question.

— Oui, répondit-elle.

Caleb parut surpris pendant un moment, mais dit simplement :

— Préparez-vous à monter en selle. Nous partons dans une heure.

— Quoi ? Mais la nuit est tombée, et...

— Dans une heure, dame du Sud. Soyez à l'écurie en bas de la rue, car sinon, je vais venir vous traîner hors de votre chambre.

Une heure et trois minutes plus tard, Willow entendit frapper impatiemment à la porte de sa chambre d'hôtel. Elle se figea pendant qu'elle attachait un des nombreux boutons récalcitrants du corsage de sa tenue de cavalière.

— Qui est-ce ? demanda-t-elle en arrêtant de pousser un bouton à travers un petit trou dans la laine épaisse.

— Caleb Black. Vous êtes en retard.

La voix était aussi basse, contraignante et sombrement virile que dans son souvenir. Elle sentit un minuscule frisson lui parcourir l'échine. La sensation la surprit, car elle n'avait jamais eu peur des hommes.

Puis elle se rendit compte du fait qu'elle n'avait pas vraiment peur de Caleb. Il était tout simplement différent de tous les hommes qu'elle avait connus ; il lui était donc impossible de prédire ce qu'il ferait ensuite ou de savoir comment elle réagirait. La capacité qu'avait cet homme de lui faire voleter des papillons dans le ventre simplement en lui parlant à travers une porte close était déconcertante.

— J'arrive dans quelques minutes, dit-elle d'une voix inhabituellement rauque.

— Vous allez sortir dans trente secondes, ou je viens vous chercher.

— Monsieur Black...

Ce qu'elle allait dire se termina par un son de surprise quand elle entendit une clé s'insérer dans la serrure.

— Je ne suis pas habillée !

— 20 secondes.

Willow ne perdit pas de temps à argumenter. Même si ses doigts volèrent d'un bouton à l'autre, elle eut à peine le temps de fermer à moitié son corsage sur ses seins au moment où la porte s'ouvrit. Quand elle vit les larges épaules de Caleb remplir l'embrasure de la porte, elle se trouva trop abasourdie pour bouger. Le tissu fin de sa camisole et ses délicates fleurs brodées apparurent, tout comme le mince velours entre les courbes épanouies de ses seins.

Rougissant jusqu'à la racine de ses cheveux blonds, elle saisit les bords de son corsage et les tint l'un contre l'autre. Elle était tout aussi furieuse qu'embarrassée.

— Sortez de ma chambre !

— Ne vous énervez pas, dit Caleb en refermant la porte derrière lui. Vous n'avez rien que je n'aie déjà vu.

Éberluée, Willow dit la seule chose qui lui vint à l'esprit :

— Comment avez-vous obtenu la clé de ma chambre ?

— Je l'ai demandée. Lequel de ces sacs de voyage apportez-vous ?

Pendant plusieurs secondes, Willow lutta pour garder son calme. Caleb n'avait apparemment aucun respect pour sa pudeur, mais il ne faisait aucune tentative pour profiter d'elle. Il avait regardé son corsage ouvert d'une manière complètement désintéressée. Elle aurait dû être soulagée qu'il la considère comme étant mariée et donc hors limite, mais elle découvrit avec surprise qu'elle était irritée par son manque d'intérêt envers elle en tant que femme. Le caractère irrationnel de sa réaction ne la fâcha que davantage.

— Je prends tous mes bagages, dit-elle d'un ton dur.

Caleb secoua la tête.

— Choisissez un sac.

— Mais…

— Nous n'avons pas le temps de discuter, l'interrompit-il impatiemment. Nous partons maintenant, et nous voyageons léger. Il y a une tempête qui approche. Si nous partons assez vite, il est fort probable que nos traces soient effacées avant que l'on constate que nous sommes partis.

Willow se souvint de la promesse de vengeance de Johnny Slater et fronça les sourcils.

— Croyez-vous que le frère de Slater va essayer de nous suivre ?

— Jed Slater et toute personne qui voudrait s'emparer d'une femme libre et de chevaux de race. Ça fait beaucoup d'hommes, et aucun d'eux n'est du genre à fréquenter l'église le dimanche.

— Monsieur Black, je ne suis pas une « femme libre ».

Il haussa les épaules.

— D'accord. Vous êtes une femme qui vaut cher. Quel sac prenez-vous ?

Willow n'osa pas répondre. Elle prit quelques articles dans les plus petits sacs et les fourra dans le plus grand.

— Celui-là, dit-elle sèchement.

Caleb saisit le sac et fit demi-tour sans se permettre de jeter le moindre regard oblique aux espaces intrigants dans le corsage de Willow. Le simple coup d'œil rapide qu'il lui avait jeté en entrant dans la chambre était plus que suffisant. Les douces courbes et les ombres séductrices du corps de

Willow avaient provoqué chez lui une érection en l'espace d'un instant. Il lui avait fallu toute sa maîtrise de soi pour ne pas lui écarter les mains puis pencher son visage entre ses seins et découvrir par lui-même si elle était aussi douce pour sa langue qu'elle l'était pour ses yeux.

— Dame du Sud, dit Caleb sans se retourner, nous...

— Je m'appelle Willow Moran.

— Nous n'allons pas à un bal, continua-t-il en ignorant son interruption. Ce vêtement de voyage chic que vous portez est aussi inutile qu'une flush à quatre cartes. Quand cette longue jupe sera trempée, elle sera plus lourde que vous. Portez autre chose.

— Comme ?

— Des pantalons, répondit-il brièvement.

Willow plissa les yeux. C'était effectivement un homme pragmatique.

— C'est impossible, fit-elle autant pour elle que pour Caleb.

— Les Indiennes font ça tout le temps. Nous n'allons pas chevaucher dans des chemins de campagne. Nous allons parcourir une des terres les plus hostiles que Dieu ait créées de ce côté-ci de l'enfer. La dernière chose dont vous ayez besoin, ce sont des mètres de vêtement qui volent au vent et s'accrochent à chaque branche.

— Je vais devoir faire de mon mieux. Je n'ai rien d'autre qui convienne.

Malgré lui, Caleb tourna la tête vers Willow. La lumière de l'unique fanal dans la pièce se reflétait dans ses yeux, donnant l'impression qu'ils brûlaient.

— Dans ce cas, retirez au moins vos jupons, dit-il d'un ton sec.

— Je ne peux pas. Ils sont cousus dans la jupe de voyage.

Une giclée de pluie frappa la fenêtre de l'hôtel. Le tonnerre gronda au loin. Caleb regarda l'eau sur la vitre, secoua la tête et ouvrit la porte. D'un rapide coup d'œil, il s'assura que personne ne se trouvait dans le corridor. D'un geste brusque, il indiqua à Willow de le précéder.

— Et le reste de mes bagages? demanda-t-elle.

— Vous les retrouverez à la pension de Rose quand vous reviendrez.

Sans ajouter un mot, Willow passa devant Caleb en essayant de ne pas lui toucher. C'était impossible. Il laissait très peu d'espace quand il se tenait dans l'embrasure d'une porte. Se rendant à nouveau compte de la taille de Caleb, ses joues s'empourprèrent encore une fois, et elle éprouva encore ces étranges sensations de frissons courant de son torse à ses genoux.

Les quelques bougies de corridor avaient été soufflées récemment, laissant derrière elles l'odeur de fumée provenant des mèches.

— À gauche, dit Caleb à voix basse.

Elle tourna à gauche en se demandant où elle allait, car le hall de l'hôtel se trouvait sur sa droite.

— Monsieur Black, où…? commença-t-elle.

— Ne parlez pas, l'interrompit-il rapidement.

Elle jeta un regard par-dessus son épaule et se trouva convaincue que c'était le mauvais moment pour lui poser des questions. Il portait les mêmes vêtements sombres que plus tôt et ressemblait à une immense ombre qui la suivait. Il était absolument silencieux. Si ce n'avait été que de la lueur dans ses yeux et de l'éclat occasionnel du métal où il avait repoussé le pan de sa veste derrière son étui à pistolet, Caleb aurait été pratiquement invisible.

Mal à l'aise, Willow se retourna et fixa l'obscurité devant elle. Elle marchait lentement et prudemment, essayant de faire aussi peu de bruit que Caleb. Le froissement de ses jupons sous le lourd tissu de laine de sa jupe de voyage l'en empêcha.

— Attendez, dit doucement Caleb.

Willow arrêta de marcher comme si elle avait frappé un mur. Elle sentit le frôlement du corps de Caleb, puis la chaleur qui irradiait de lui contre elle quand il se pencha pour lui murmurer à l'oreille :

— Je vais passer devant. Les marches sont étroites et inégales. Posez votre main sur mon épaule pour garder votre équilibre.

Avant que Willow puisse répondre, il passa devant elle, tourna le dos et attendit. Elle posa une main hésitante sur son épaule. Même à travers sa veste de laine et sa chemise, elle sentit la chaleur vitale du corps de Caleb. Elle retint son souffle. Elle ne s'était pas trouvée si près d'un homme depuis que son fiancé était parti à la guerre.

Mais Steven ne l'avait pas chamboulée à ce point ; son cœur s'accéléra, et ses genoux faiblirent soudainement.

Quand Caleb bougea sans avertissement, Willow trébucha et porta une main devant elle pour se soutenir dans l'obscurité. Il se tourna et l'attrapa avec la même rapidité qui avait provoqué la perte de Johnny Slater. La sensation des mains de Caleb pressées contre sa taille, la serrant et la soutenant, était aussi troublante que la vitesse et la puissance de son corps. Quand il se pencha pour lui parler à l'oreille, Willow ne put s'empêcher de retenir son souffle.

Elizabeth Lowell

— Si vous ne pouvez même pas marcher sans trébucher dans ce fichu vêtement, marmonna-t-il d'un ton dur, je vais prendre mon couteau de chasse et le couper à vos genoux.

Instinctivement, Willow posa ses mains sur les bras de Caleb tandis qu'elle se raidissait contre lui.

— Vous… vous m'avez surprise, c'est tout, murmura-t-elle. Quand vous avez bougé.

Caleb scruta le visage de Willow. Ce n'était qu'une tache pâle dans la pénombre. Il était heureux parce qu'il ne pouvait pas pouvoir voir ses yeux et qu'elle n'était pas en mesure de voir le désir dans les siens. Elle sentait la lavande et la chaleur du soleil. Sa taille mince était agréable entre ses mains. Trop agréable. Il eut toutes les peines du monde à se retenir de palper sa chair tendre pendant qu'il attirait les hanches de Willow contre ses cuisses, atténuant le désir intense qui gonflait le tissu sombre de son pantalon.

Caleb la relâcha brusquement, saisit son sac de voyage et lui tourna le dos. Il se passa un moment avant qu'il sente une petite main se poser de nouveau sur son épaule avec légèreté. Il éprouva la chaleur de son toucher dans tout son corps. Silencieusement, sauvagement, il jura contre sa réaction débridée devant la maîtresse de Reno, et il sut qu'il allait subir les tourments de l'enfer avant d'arracher à Willow le secret de la cachette de l'homme.

Mais c'était ce qu'il allait faire. Il n'y avait aucun autre moyen de sévir contre l'homme qui avait abandonné Rebecca à une mort solitaire quelques jours avant qu'elle ait donné naissance à l'enfant de son amant, un enfant qui était mort à peine quelques heures plus tard que sa mère.

Dans les mois qui avaient suivi le décès de sa sœur, Caleb avait redoublé d'efforts pour retrouver Reno. En vain. Quand il arrivait dans des hameaux isolés ou à des feux de camp et demandait des renseignements, il était toujours trop tard ou trop tôt, ou alors Reno n'y avait jamais mis les pieds. Les pots-de-vin n'avaient pas fonctionné. Les Mexicains, les Indiens, les colons et les prospecteurs se taisaient simplement quand Caleb évoquait le nom de Reno. Celui-ci était peut-être habile quand il était question de séduire les vierges, mais il avait toujours donné un coup de main ou un dollar sur sa route chaque fois que cela avait été nécessaire. Quiconque pourchassait Reno était seul.

Caleb l'avait traqué sans relâche. La chose avait été rendue plus difficile du fait qu'il ne prenait pas des chemins achalandés ni ne s'arrêtait de façon prévisible dans des hameaux solitaires. Il était à la recherche d'un trésor espagnol — l'or.

Il avait le goût d'un loup solitaire pour les régions éloignées et les sentiers indiens oubliés le conduisant à travers un labyrinthe de canyons et de sommets de granit enneigés. Caleb pensait que les chasseurs d'or étaient des imbéciles, mais il éprouvait le même goût que Reno pour les endroits éloignés et vierges. En fait, si ce n'avait été de la froide séduction et de l'abandon de sa sœur Rebecca, Caleb pensait qu'il aurait peut-être aimé Reno. Mais Rebecca était morte, et Reno allait crever pour ça.

Une vie pour une vie.

— Des marches, dit Caleb d'une voix basse et froide.

Willow sentit l'épaule de Caleb s'abaisser puis s'abaisser encore tandis qu'il descendait l'escalier. Elle posait prudemment les pieds devant elle, essayant de trouver où le plancher s'arrêtait et où commençaient les marches, mais c'était presque impossible à cause de la semelle dure de ses bottes.

Caleb descendit une autre marche, libérant de son épaule les doigts de Willow.

— Attendez, murmura-t-il. Je ne vois pas où les marches commencent.

Elle le sentit se tourner vers elle avec sa rapidité troublante.

— Tenez ça, dit-il.

Il lui fourra le sac de voyage dans les mains, et un instant plus tard, il la souleva.

— Qu'est-ce que vous faites ? demanda-t-elle dans un souffle.

— *Restez tranquille.*

Le murmure féroce réduisit Willow au silence. Le monde bougea et tourna autour d'elle. Personne ne l'avait prise et transportée depuis qu'elle était enfant. Le sentiment d'impuissance était renversant, surtout dans l'obscurité. Elle tourna son visage contre la poitrine musclée de Caleb et serra son sac jusqu'à ce que ses doigts deviennent douloureux, souhaitant pouvoir se tenir plutôt à lui. Après quelques pas, sa peur de tomber s'atténua. Caleb descendit les marches mal construites avec la certitude absolue d'un chat. Elle soupira profondément et desserra sa poigne sur le sac de voyage.

La chaleur que dégagea le soupir de Willow était comme une marque au fer rouge sur la poitrine de Caleb. Il serra les dents pour écarter la tentation de s'arrêter, de poser sa bouche sur la sienne et d'éprouver les profondeurs de sa douce chaleur féminine. Quand il atteignit le bas des marches, il la déposa brusquement, prit le sac de voyage et se détourna d'elle sans un mot.

Willow laissa échapper un autre long soupir frémissant et essaya d'oublier comment elle s'était sentie avec les bras puissants de Caleb autour de son dos et sous ses genoux tandis qu'il la portait. Elle essaya aussi d'oublier à quel point il avait senti bon, avait dégagé une odeur virile de laine et de cuir et de vent de tempête descendant des montagnes. Les mains tremblantes, elle lissa son costume de voyage et se demanda ce qu'il était advenu de son calme habituel. Elle avait tenu tête à des soldats armés avec des tremblements moindres que ceux qu'elle éprouvait en ce moment.

La porte latérale de l'hôtel s'ouvrit et se referma presque sans bruit derrière elle. La ruelle sentait les déchets et les eaux usées. Le vent transportait une odeur de fumée de bois et de pluie froide. Elle ramena contre elle autant qu'elle le put sa longue jupe de laine et s'avança. La pluie s'abattit sur son visage. Elle souhaita avoir quelque chose de plus utile pour combattre l'eau froide que le minuscule chapeau vert qui s'agençait à son costume de cavalière.

Caleb entra dans l'écurie par la porte arrière, pressant Willow de le suivre avec une impatience non dissimulée. Il avait peu d'espoir que leur départ demeure secret pendant longtemps, mais ils auraient besoin d'avoir toute la longueur d'avance possible s'ils voulaient finir par semer de quelconques poursuivants. Peu importait à quel point Willow avait farouchement plaidé l'endurance de ses pur-sang arabes, Caleb doutait que les élégants chevaux qu'il avait entraperçus derrière les portes des stalles puissent suivre les gros chevaux du Montana qu'il possédait.

Jed Slater et les hors-la-loi comme lui possédaient également des chevaux robustes nourris au grain et prêts à distancer n'importe quels chevaux ordinaires de petites troupes de village ou de cowboys en colère. Comme Caleb avait peu d'espoir de chevaucher plus vite que les hors-la-loi ou de dissimuler les traces de ses deux chevaux et des cinq de Willow jusqu'aux monts San Juan, il devait trouver un moyen de se montrer plus intelligent — ou plus rapide sur la gâchette — que les hommes qui le suivraient inévitablement.

Et ils seraient nombreux, des renégats attirés comme des mouches vers le miel par la valeur des chevaux et par une femme aux cheveux couleur d'or.

Quand Willow passa près de lui dans l'écurie, il huma son odeur de lavande. Il essaya de ne pas la remarquer, mais n'y parvint pas. En marmonnant un juron, il tendit la main vers les allumettes sur le rebord près de la porte. Une fois le fanal allumé, il écrasa l'allumette entre ses doigts avant de la laisser tomber sur le sol.

Les chevaux renâclèrent et étirèrent leur cou par-dessus les portes des stalles, sentant la présence familière d'humains. Willow se dirigea immédiatement vers ses pur-sang en leur murmurant des mots gentils et en les caressant de manière rassurante. Caleb observa les chevaux avec leur tête délicate, leurs oreilles dressées et leurs yeux largement espacés. Il s'avoua à contrecœur qu'ils étaient magnifiques, de même que bien dressés. Quand Willow commença à les entraîner hors des stalles, ils la suivirent sans hésitation et sans broncher devant les ombres vacillantes que projetait le fanal.

Même l'étalon était calme, bien que visiblement parcouru d'un frisson semblable à un éclair dans un orage. Sa robe brun-roux émettait des éclairs rouges dorés à chaque mouvement de son corps. Une tache d'un blanc éclatant descendait de son front jusqu'à son museau, et une autre s'étalait sur sa patte avant droite. Quand il bougea, on aurait dit qu'il était monté sur des ressorts, débordant d'une énergie retenue, d'une force attendant d'être déployée. Des siècles d'accouplements minutieux et intenses transparaissaient chez l'étalon dans chacun de ses muscles bien définis et dans la ligne pure de ses os.

— C'est un remarquable étalon, dit Caleb. Il vaudra la peine que vous risquiez votre vie pour le faire sortir de Denver.

— Ishmael est aussi doux qu'il est fort.

Caleb grogna.

— Je ne parlais pas de ses manières. Cet étalon suffirait à faire commettre un péché mortel à un saint et encore plus au genre d'hommes que nous croiserons sur la route des monts San Juan. Tous les hors-la-loi et les Indiens renégats du territoire le regarderont et s'imagineront immédiatement en selle sur lui.

Il n'y avait rien que Willow puisse dire. Elle avait remarqué pendant le voyage en diligence que plus elle avançait vers l'Ouest, plus ses chevaux suscitaient de l'intérêt. Pourtant, elle ne pouvait pas davantage les abandonner qu'elle aurait pu se trancher une main. Elle adorait ses chevaux. Ils étaient tout ce qui lui restait de son passé et représentaient son seul espoir de sécurité dans l'avenir.

Elle finit de mener en silence ses quatre juments hors de leurs stalles. Deux d'entre elles avaient une robe d'une couleur alezan aussi vive que celle d'Ishmael. Les deux autres étaient des juments aux corps bruns luisants avec de longues queues noires comme leurs crinières. Les quatre juments se déplaçaient avec une grâce féline.

Chacun de ces chevaux aurait valu la peine qu'on tue pour l'acquérir.

— Sainte-Mère de Dieu, murmura Caleb en regardant les cinq animaux élégants. Ce sera toute une expédition que de mener ces chevaux jusqu'aux monts San Juan sans attirer tous les hors-la-loi du monde.

Willow ne dit rien, se pencha et vérifia les sabots de chacun des chevaux pour y détecter des débris ou des fers lâches. Les pur-sang lui rendirent la tâche facile. Aussitôt qu'elle touchait un fanon, ils présentaient un sabot pour qu'il soit inspecté. Quand elle eut terminé, elle brossa le dos luisant d'Ishmael et mit en place le tapis de selle sans ébouriffer un seul poil.

Quand Caleb la vit tendre le bras vers la selle d'amazone, il faillit l'arrêter. Une pareille selle dans une contrée difficile était dure pour la femme et encore davantage pour le cheval. Peu importait à quel point la cavalière était expérimentée ; le poids ne se trouvait jamais au milieu du dos du cheval.

Malgré cela, il regarda Willow finir de seller sa monture, et il ne dit rien ; rester silencieux était plus approprié à son objectif. Quiconque serait chargé d'observer l'écurie ferait immédiatement rapport du fait qu'une femme portant une longue jupe de chevauchée et utilisant une selle d'amazone était sortie de l'écurie au milieu de la nuit. Les hommes qui les suivaient poseraient des questions à propos d'une femme en vêtements chics sur un type de selle qu'on voyait rarement à l'ouest du Mississippi.

Mais Willow n'allait pas se servir de cette selle au-delà de quelques jours, même si Caleb devait l'en faire descendre de force et en couper toutes les courroies de cuir avec son couteau de chasse.

Il fit sortir ses deux hongres de leurs stalles. Les chevaux étaient prêts à voyager. Il attacha le sac de voyage de Willow au bât de la selle, recouvrit le tout d'une bâche imperméable et conduisit les chevaux dans la large allée entre les stalles. Les narines d'Ishmael palpitèrent en présence des deux gros hongres, mais ses oreilles demeurèrent droites. Il était plus curieux qu'hostile.

Caleb secoua volontairement un poncho sombre finement tissé sous le museau de l'étalon. Le bruit sec ne dérangea pas le cheval de Willow. Caleb endossa le poncho, puis fit courir une main le long du cou musclé et luisant de l'étalon. La chair de l'animal était aussi dure que la sienne. Les pur-sang arabes pouvaient bien paraître élégants, mais ils avaient l'élégance de l'éclair plutôt que celle de la rose.

Quand Willow eut terminé de seller Ishmael et d'attacher ensemble les juments pour mieux les conduire, Caleb s'approcha et vérifia les sabots de chaque animal. Ils se laissèrent toucher presque sans bouger. Ensuite, il vérifia la solidité des sangles de selle sur l'étalon.

— Satisfait ? demanda Willow.

— Avec ce truc ? demanda Caleb en secouant la tête tandis qu'il enfilait des gants de daim usés et souples. Je suis heureux que ce ne soient pas mes fesses qui frappent ce cuir inutile.

Willow lui jeta de côté un regard glacial, puis commença à mener Ishmael jusqu'au montoir. Quand elle passa devant Caleb, il agrippa brusquement les rênes et l'arrêta.

— Il n'y aura pas de montoir sur la route, souligna-t-il.

Il se pencha et joignit ses doigts, puis leva vers elle ses yeux clairs.

— Allez, ma chère. Vous avez voulu me monter dessus aussitôt que vous avez posé les yeux sur moi.

Sa voix profonde et son sourire nonchalant provoquèrent de douces sensations à travers le corps de Willow. Elle lui sourit presque timidement et posa un pied dans ses mains comme dans un étrier.

Contrairement à un étrier, Caleb était vivant. Et fort. Il la souleva avec une facilité évidente. La jambe droite de Willow, couverte de jupons et de lourds tissus de laine, s'accrocha au pommeau latéral de la selle, l'aidant à se tenir en place sur le siège de cuir peu profond. Le pommeau, de même que l'unique étrier sur le côté gauche, offrait les seules prises sur cette selle qui avait été inventée pour des promenades paisibles dans un parc plutôt que pour des chevauchées.

— Merci, dit Willow en regardant Caleb dans les yeux.

— Ne me remerciez pas. Je vous conduis dans la pire nuit de toute votre vie.

Il se détourna, puis s'arrêta et la regarda par-dessus son épaule.

— N'avez-vous même pas un chapeau qui convienne ou un manteau de voyage ?

— Je prévoyais acheter ce dont j'ai besoin demain.

Il marmonna un juron.

— Mon habit de voyage est chaud, dit Willow. Il a été fait pour l'hiver.

— En Virginie-Occidentale.

— Nous avions de la neige là-bas.

— En tombait-il souvent? Beaucoup? Et chevauchiez-vous toute la journée dans cette neige? demanda Caleb sur un ton sarcastique.

— Il pleut, maintenant; il ne neige pas.

Sans un mot, Caleb retira son poncho et le lui tendit.

— Mettez-le.

— C'est très gentil, mais je ne voudrais pas prendre votre…

— *Je vous ai dit que je n'étais pas gentil*, l'interrompit Caleb en aboyant presque. Mettez ce foutu poncho avant que je vous fourre dedans comme un porc dans un sac.

Willow le foudroya d'un regard rebelle pendant un long moment avant de prendre le poncho et de l'enfiler. Taillé comme un justaucorps avec des fentes pour chevaucher, le poncho convenait aux épaules larges et aux hanches minces de Caleb, mais il était beaucoup trop grand pour elle.

— Dieu du ciel, vous êtes vraiment petite, murmura-t-il.

— Je fais un 1,60 mètre, et j'étais la fille la plus grande dans notre vallée.

— Une vallée foutrement petite.

Caleb tira de sa poche une lanière de cuir qu'il serra sur le poncho autour de la taille fine de Willow. Puis il fouilla dans ses grandes sacoches de selle jusqu'à ce qu'il trouve un long cache-col de laine.

— Penchez-vous, dit-il.

Willow s'inclina vers lui. Même si elle était en selle, elle n'avait pas à se pencher beaucoup. C'était un homme anormalement grand. Il enroula le cache-col autour de sa tête, en attacha les extrémités sous son menton et essaya de ne pas sourire devant l'image qu'elle présentait, avec sa peau claire, ses lèvres rouges et son cache-col couleur d'ardoise qui faisait briller ses yeux comme du cristal. Caleb s'éloigna brusquement vers son propre cheval. Il déroula une lourde veste de cuir de derrière sa selle. Elle était comme tout ce qu'il possédait : noire, dépourvue d'ornements et faite avec un matériau de la meilleure qualité. Sa chemise de laine épaisse à manches longues et sa veste suffiraient à le tenir au chaud pour le moment, mais sans qu'il soit véritablement à l'aise. Il endossa la veste, attacha les rênes des juments à la selle et grimpa sur son grand cheval avec la grâce nonchalante d'un homme né pour chevaucher.

— Vous avez des gants ? demanda-t-il d'un ton brusque.

Willow acquiesça de la tête.

— Mettez-les.

— Monsieur Black…

— Appelez-moi par mon nom de baptême, dame du Sud, l'interrompit-il. Nous n'aimons pas les formalités, ici.

— Caleb, alors. J'ai chaud.

Le coin de sa bouche se courba en un quasi-sourire.

— Profitez-en, Willow. Ça ne durera pas.

Il fit avancer son cheval hors de l'écurie dans la nuit battue par la pluie. Son cheval de bât le suivit immédiatement même s'il n'était pas relié à sa selle par une corde. Après une brève hésitation, les juments le suivirent. Ishmael hennit doucement, affligé d'être séparé de ses juments.

— Ça va, lui dit Willow d'une voix encourageante. Ça va, garçon.

Pourtant, elle entraîna lentement le cheval vers la porte de l'écurie. Ishmael n'avait pas une telle réticence. Il sortit en trottant dans l'obscurité orageuse, reniflant en éprouvant la froideur de la pluie battante.

Il faut que ça aille bien, se dit Willow, le souffle coupé tandis que la pluie glaciale lui battait les joues. *Parce que si ça ne va pas, je viens de commettre la pire erreur de ma vie.*

Chapitre 3

Après avoir franchi seulement quelques kilomètres, la jupe et les jupons de Willow étaient complètement trempés, et le tissu frottait contre ses jambes avec chaque mouvement que faisait Ishmael. Caleb avait adopté une cadence rapide dans la tempête afin de s'éloigner le plus possible de Denver avant que la pluie cesse d'effacer les traces de sept chevaux se dirigeant vers le sud sur la piste dure et dépourvue d'arbres qui courait le long des immenses remparts des Rocheuses. Progressant tour à tour au trot et au petit galop et marchant seulement quand le terrain devenait trop inégal sous les sabots, Caleb conduisit Willow à travers la nuit et les pluies glaciales intermittentes du début de juin. Au bout de quelques heures, il ne regardait plus incessamment par-dessus son épaule. Les juments arabes suivaient le rythme de ses chevaux élevés dans les montagnes, ce qui signifiait qu'Ishmael n'était pas loin derrière elles. Comme l'avait cru Caleb, l'étalon aurait suivi ses juments jusqu'aux portes de l'enfer.

Ce qui le surprenait, c'était que Willow réussissait à monter Ishmael avec élégance malgré ses jupes qui battaient

au vent, la selle d'amazone inappropriée dans les circonstances et la tempête. Pourtant, malgré la grâce avec laquelle
Willow chevauchait, Caleb doutait qu'elle soit confortable.
Ce n'était certainement pas son cas. La pluie froide dégoulinait constamment sur son visage et sous son col. Même si
son torse demeurait raisonnablement chaud sous les couches
de laine et de cuir, l'eau s'infiltrait dans ses bottes. Il avait
froid aux jambes, et la situation n'allait pas s'améliorer avant
longtemps.

Caleb ne s'attarda pas sur ses maux. Il avait su avant de
partir que la chevauchée serait longue, difficile et désagréable. En fait, il avait compté là-dessus. Les hors-la-loi
étaient des hommes paresseux, plus intéressés par leurs
propres plaisirs que quoi que ce soit d'autre. Ils ne quitte-
raient que lentement la chaleur de leur lit et les femmes
qu'ils avaient louées avec les chambres.

Tandis qu'ils avançaient dans la nuit, la tempête se calma
progressivement. Il y avait encore des éclairs au loin, mais
les coups de tonnerre qui suivaient étaient éloignés au point
d'être à peine audibles. La pluie tombait toujours, mais elle
était balayée par des rafales. Il n'y aurait bientôt plus de pluie
pour dissoudre les empreintes de sabots qui s'étiraient dans
la nuit comme un ruban sinueux derrière les sept chevaux.

Le terrain s'éleva de nouveau dans un des nombreux
replis qui descendaient du mur de granit des montagnes.
Caleb ne laissait pas son gros hongre se mettre à marcher,
mais l'aiguillonnait plutôt avec les éperons de cavalerie qui
lui étaient restés de sa brève et turbulente période en tant
qu'éclaireur de l'armée dans les campagnes du Nouveau-
Mexique pendant la guerre entre les États. Même pendant
qu'il était encore dans l'armée, Caleb avait limé les molettes

aiguisées des éperons réglementaires au grand déplaisir de son officier supérieur. Ce n'était qu'une des nombreuses façons dont il avait défié les règlements qui n'avaient aucun sens à ses yeux. Un cheval piqué par des éperons aiguisés était un cheval nerveux, et un cheval nerveux était inutile dans une bataille, un fait que Caleb reconnaissait, même s'il n'en était pas ainsi du lieutenant inexpérimenté qui les commandait.

— Allez, Deuce[2]. Plus vite, grogna Caleb tandis qu'une rafale de vent et de pluie lui fouettait le visage.

Le cheval accéléra le pas de bonne grâce jusqu'à adopter un trot rapide. C'était l'allure la plus inconfortable pour le cavalier, mais elle permettait de couvrir le plus de terrain avec le moins d'effort de la part du cheval.

Quand Ishmael accrut sa vitesse pour qu'elle corresponde à celle des juments devant lui, Willow réprima un grognement. Sur sa selle d'amazone, il n'y avait aucun moyen facile de soulever son poids comme c'était le cas en chevauchant à califourchon avec deux étriers. Elle pouvait serrer les jambes autour du pommeau latéral tout en se dressant sur l'unique étrier, mais cette posture était peu commode et très difficile à maintenir. L'autre solution consistait à laisser ses fesses frapper contre la selle presque chaque fois que les quatre pattes d'Ishmael frappaient le sol. C'était dur pour elle, mais ça l'était tout autant pour le cheval.

Elle agrippa des deux mains le pommeau de la selle, déplia sa jambe droite et l'abaissa jusqu'à ce qu'elle chevauche à califourchon. Le soulagement ne fut que temporaire. La selle avait été conçue afin de porter le poids à gauche du centre, ce qui signifiait que le pommeau était mal

---

2. N.d.T.: Diable, en français.

placé pour monter à califourchon. Pis encore, il n'y avait qu'un seul étrier sur lequel appuyer le poids de la cavalière. Malgré cela, la posture inconfortable de Willow était moins difficile pour Ishmael au trot que le fait de sentir sa cavalière bondir à chacun de ses pas.

Malheureusement, en raison de la forme particulière de la selle, il n'était pas facile pour Willow de chevaucher à califourchon, et bientôt, ses côtes devinrent douloureuses. Elle oubliait un temps ses difficultés en prenant parfois dans son sac une petite boîte de friandises et en mettant dans sa bouche une puissante menthe poivrée. Sa saveur lui fit songer aux étés passés, chauds et lourds, alors que le soleil représentait une douce bénédiction dans un ciel brumeux et argenté.

Au moment où le vent finit d'éparpiller les nuages d'orage, Willow était certaine que l'aube approchait. Elle en était si certaine que quand elle vit la position de la lune, elle pensa qu'ils avaient, d'une manière ou d'une autre, tourné en rond dans l'obscurité. S'appuyant sur le pommeau rembourré, elle chercha la Grande Ourse. Elle ne se trouvait pas où elle aurait dû être à l'aube. En fait, elle n'en était même pas proche.

Le lever du soleil n'était encore qu'à quatre heures de distance. Peut-être même cinq.

Dieu du ciel, quand Caleb va-t-il laisser les chevaux se reposer ? Même les chevaux de diligence étaient remplacés à intervalles réguliers, et ils n'avaient pas de selle qui les frottait.

Comme s'il avait capté la question silencieuse de Willow, Caleb ralentit le pas de Deuce. Willow laissa échapper un soupir de soulagement et reprit une fois de plus une position normale sur sa selle d'amazone — normale, mais inconfortable. La peau sensible de l'intérieur de ses cuisses était irritée à partir des genoux. Le tissu froid et trempé de son habit de voyage l'irritait plus qu'il ne la protégeait.

Au bout d'un moment, Caleb fit arrêter Deuce et descendit de cheval. Willow n'attendit pas d'y être invitée. Elle se laissa glisser par terre dans un entremêlement de tissus trempés. Ses pieds frappèrent le sol assez durement pour la faire grimacer, mais elle ne perdit pas de temps à se lamenter, car elle ignorait combien de temps durerait la halte.

Elle commença à desseller Ishmael aussi rapidement que ses mains froides le lui permettaient. Quand elle eut terminé, elle déposa la selle sur le sol détrempé, déposa dessus le tapis de selle et commença à frotter Ishmael avec une poignée d'herbe. La chaleur montait en vagues de vapeur du dos de l'étalon où la selle et le tapis avaient été posés, mais à part ça, il n'affichait aucun signe indiquant que la chevauchée ait été difficile. La lueur de la lune ne montra aucun endroit à vif sur son dos, et il ne tressaillit pas quand elle le frotta vigoureusement.

— Je suis heureuse que tous ces kilomètres à partir de la Virginie-Occidentale t'aient renforcé, dit doucement Willow à Ishmael tandis qu'elle le frottait. Je me sentirais tellement mal si ma manière de te monter te causait des douleurs. Dieu sait que ma maladresse *m*'en cause. La diligence a peut-être été désagréable, mais au moins, elle nous gardait en grande partie à l'abri de la pluie.

En soupirant, elle songea au long voyage à partir du Mississippi. Pour la première fois, elle comprenait quel luxe c'était que de pouvoir passer de la diligence au dos d'un cheval puis revenir dans la diligence, selon la température.

Ishmael tourna la tête, hennit doucement et mâchouilla le tissu froid du vêtement de Willow.

— Allez. Mange ce truc inutile, marmonna-t-elle. Je ne peux pas être pire sans lui que je le suis avec.

Après y avoir goûté, l'étalon perdit son intérêt pour le tissu.

— Je ne peux pas te le reprocher, dit Willow laissant échapper un soupir.

— Ne me dites pas que votre selle sophistiquée a creusé un trou dans la peau de cet animal après seulement quelques heures.

Willow hoqueta, surprise. Elle n'avait entendu aucun bruit à l'approche de Caleb. Après lui avoir jeté un regard oblique, elle recommença à frotter son cheval.

— La peau d'Ishmael va très bien, dit-elle.

— Et la vôtre ? demanda Caleb en regardant le lourd tissu trempé qui collait aux jambes de Willow.

Elle lui dit simplement :

— Excusez-moi, je dois jeter un coup d'œil aux juments.

— Elles vont bien. La petite alezane à deux pattes blanches a une pierre dans son fer, mais elle ne s'y est pas trouvée assez longtemps pour lui causer du tort. Toutefois, je ne la montrais pas pendant une journée ou deux, juste au cas.

— Elle s'appelle Penny, et merci d'avoir vérifié, dit Willow en se frottant inconsciemment la joue avec son bras tandis qu'elle pomponnait l'étalon.

La mèche de cheveux humides qui pendait devant l'œil de Willow s'écarta. Elle frotta de nouveau son visage contre son bras. La mèche bougea et glissa encore devant son œil. Une rafale parcourut l'espace avec un son sifflant. En frissonnant, Willow brossa une dernière fois le dos musclé d'Ishmael avant de se retourner et de prendre le tapis de selle. Elle le secoua vigoureusement avant de replacer le côté sec sur le dos de l'étalon.

Caleb l'observait, impressionné malgré lui par le fait que Willow s'occupait de son cheval avant de prendre soin d'elle-même. Quand elle s'apprêta à prendre la selle, il la saisit brusquement et la plaça sur le dos d'Ishmael. Même si Caleb ne s'était servi que d'une main, le poids de la selle atterrit aussi délicatement qu'une plume sur l'étalon.

— Vous êtes ankylosée, fit Caleb d'un ton brusque. Marchez un peu. Nous reprendrons la route bientôt, et nous n'allons nous arrêter qu'avant l'aube.

— Je vois, répondit Willow en soupirant inconsciemment.

Caleb hésita, puis ajouta :

— Il y a du café dans ma gourde, mais il n'y a pas de tasse.

Elle entendit le subtil ton de défi dans la voix de Caleb et sut à quoi il pensait. Jamais une *dame du Sud* n'aurait partagé une gourde avec un étranger. Sa bouche se tordit en un sourire amer tandis qu'elle se demandait ce que Caleb penserait d'elle s'il savait qu'elle avait passé plus d'une nuit pendant la guerre, sur les mains et les genoux dans un potager ravagé, cherchant le peu que les soldats auraient pu omettre, tellement affamée qu'elle mangeait des carottes sans même les laver, frottant seulement le terreau contre sa jupe.

— J'en prendrai avec plaisir, dit-elle simplement.

— La gourde est sur ma selle.

Caleb serra d'une main experte les sangles de la selle d'amazone.

— Faites attention aux pattes arrière de Deuce. Il n'est pas méchant, mais il n'est pas habitué aux jupes qui volent au vent.

Willow rassembla minutieusement les replis trempés de son vêtement. Les premiers pas qu'elle fit furent douloureux. Progressivement, ses muscles raidis se réchauffèrent, et elle se mit à marcher plus facilement. Les endroits irrités de ses jambes la brûlaient, mais il n'y avait rien à faire pour empêcher cela avant que le vêtement soit sec. Même alors, la peau éraflée lui ferait mal chaque fois que sa jambe frotterait contre la selle.

— Salut, Deuce, dit-elle d'une voix basse et rassurante en approchant prudemment de l'énorme hongre de Caleb. Je ne suis pas un Indien ou une panthère qui veut te surprendre. Je suis seulement une fille qui te dépècerait avec joie pour pouvoir atteindre le café dans la gourde accrochée à ta selle.

Deuce la regarda, ses oreilles à demi dressées, de toute évidence peu impressionné par une quelconque menace qu'elle aurait pu représenter. Willow continua de parler tandis qu'elle rassemblait le tissu lâche entre ses jambes et qu'elle le serrait de façon à ce que ses mains soient libres pour délier les lanières de cuir qui attachaient la gourde à la selle. Ses gants lui nuisaient plus qu'ils ne l'aidaient. Elle lutta pour les retirer. Le cuir était aussi trempé qu'elle l'était elle-même et presque aussi rébarbatif. Finalement, elle mordit le cuir au bout de ses doigts et tira. Il se détacha avec réticence de ses mains. Elle enfouit les gants dans une poche mouillée de son vêtement de voyage.

Les lanières se révélèrent encore plus têtues que l'avaient été ses gants. Le vent froid et humide rendait ses doigts malhabiles, et elle finit par renoncer à retirer la gourde de la selle. Elle se contenta de dévisser le bouchon, tint la gourde au bout de la lanière et but. Après la menthe poivrée qu'elle venait de terminer, le café était terriblement amer. Toutefois, il y avait une différence, et c'était la seule qui avait de l'importance : le café était presque chaud.

— Ahhhhh, soupira-t-elle en sentant la chaleur du liquide glisser dans sa gorge.

— La plupart des femmes ne l'aiment pas si fort.

Willow sursauta et faillit laisser tomber la gourde.

— Ça fait partie de vos habitudes d'arriver derrière les gens sans prévenir ?

— C'est mieux que le contraire.

Ignorant Caleb, elle prit une autre gorgée, puis une autre encore avant de regarder le colosse qui la dominait de toute sa hauteur.

— Vous en voulez ? demanda-t-elle.

Elle lui tendit la gourde au bout de la lanière toujours attachée à la selle. Il la prit, but, puis lui jeta à la jeune femme un regard pénétrant avant de porter encore la gourde à ses lèvres et de prendre une longue gorgée.

— Buvez-en encore, dit-il en lui remettant la gourde. Il n'est pas chaud, mais c'est mieux que le vent.

Sa voix à la fois sombre et douce effleura les nerfs de Willow comme une caresse. Elle prit la gourde des deux mains et la porta lentement à sa bouche. Poser ses lèvres là où celles de Caleb s'étaient posées lui sembla étonnamment intime. Elle se dit qu'il était impossible de le goûter sur le goulot de métal, mais un étrange frisson de plaisir la traversa quand même.

Presque à contrecœur, elle remit le bouchon sur la gourde. Quand elle s'apprêta à enrouler de nouveau la lanière sur le pommeau de la selle, une rafale souffla, libérant une partie de la jupe entre ses jambes. Le tissu frappa doucement contre la patte avant gauche de Deuce. Le hongre renifla et s'ébroua, lui arrachant la gourde des mains, et elle trébucha. Le reste de sa jupe claqua au vent, et Deuce se secoua encore si violemment que sa tête heurta durement la poitrine de Willow. Elle tomba à genoux et demeura ainsi, luttant pour reprendre son souffle.

La grosse main de Caleb se referma sur la bride de l'animal avant qu'il bronche de nouveau.

— Tranquille, mon garçon, dit-il calmement. Ce ne sont que des chiffons féminins. Rien qui puisse t'effrayer.

Il regarda Willow qui se remettait lentement sur ses pieds, encombrée par son lourd vêtement trempé.

— Ils sont aussi inutiles que des tétines sur un sanglier, grommela-t-il. Je vous avais dit que Deuce n'était pas habitué aux jupons, n'est-ce pas ?

Willow acquiesça, mais ne dit rien. Elle était trop occupée à essayer de reprendre son souffle.

— Ça va ? demanda soudain Caleb.

Les yeux fermés, elle opina à nouveau de la tête, encore incapable de parler.

Tout à coup, elle sentit le sol échapper à ses pieds. Émettant un cri de surprise, elle ouvrit les yeux et s'agrippa à la première chose qu'elle pouvait atteindre — Caleb.

— Doucement ! dit-il en tenant Willow contre sa poitrine avec un bras et en rassemblant ses jupes autour de ses jambes avec l'autre. Je ne fais que vous écarter de Deuce avant que vous l'effrayiez au point qu'il se sauve et me laisse à pied.

Willow ouvrit la bouche, mais aucun son n'en sortit. Être debout ainsi, enlacée par Caleb, était très différent d'être transportée comme une enfant dans ses bras. Alors qu'elle passait instinctivement les bras autour de ses épaules pour garder son équilibre, elle se rendit compte qu'elle était pressée contre le puissant corps de Caleb du cou jusqu'à ses genoux. La sensation était étourdissante, l'empêchant presque de respirer à fond.

— C... Caleb, fit-elle d'une voix rauque, sentant une étrange faiblesse envahir son corps. Ça va. Laissez-moi descendre. Je peux marcher.

L'hésitation nerveuse dans la voix de Willow traversa Caleb comme un éclair à travers un orage, entraînant dans son sillage le sombre tonnerre du désir.

— Vous êtes chanceuse de pouvoir tenir debout dans ce fichu vêtement chic. Il m'en faudrait peu pour...

Caleb ravala les paroles qu'il allait prononcer à propos du fait de déchirer le vêtement sur le corps de Willow et de lui mettre de force sa chemise et ses pantalons de rechange. Il devrait la ficeler comme une dinde pour le four afin de garder ses vêtements sur son corps beaucoup plus petit. Mais au fond, pourquoi s'en soucier? Il voulait la voir nue depuis qu'il avait entrevu ses seins parfaits par-dessus les replis de dentelle fine.

Puis il s'avoua que son désir avait commencé beaucoup plus tôt. Il avait surgi dès l'instant où il avait vu Willow l'observer de ses grands yeux anxieux, son dos dressé avec cette sorte d'orgueil qui ne céderait devant aucun homme.

Ce n'est qu'une maîtresse, se rappela-t-il amèrement en se souvenant de la rougeur qui était montée aux joues de Willow quand elle avait décrit Matthew Moran comme étant son mari. *Une maîtresse à la poursuite de son homme raffiné. Pas meilleure qu'elle n'a besoin de l'être et peut-être foutrement pire.*

Tout en essayant de ne pas penser à l'image de Willow sans le moindre vêtement, Caleb fit quelques pas de plus avant de la soulever et de la déposer sans cérémonie sur le dos d'Ishmael. Quand elle tendit les bras instinctivement pour saisir les rênes, la fine peau de ses mains brilla comme une perle sous la lumière de la lune.

— Qu'est-il arrivé à vos gants? demanda-t-il d'une voix sèche.

Willow enfouit la main dans la poche gauche de son habit de voyage, celle qui ne contenait pas le derringer. Elle ne trouva qu'un gant. Sans un mot, elle retira le cuir trempé et commença à l'enfiler sur sa main. Quand elle eut terminé, elle saisit de nouveau les rênes.

— Où est l'autre gant? demanda Caleb d'un ton impatient.

— Quelque part entre ici et Deuce.

En poussant un juron qui fit grimacer Willow, Caleb recula. Il n'était pas facile de trouver un gant noir dans l'obscurité sur un sol mouillé au milieu de la nuit. Sans cesser de jurer, il prit une petite boîte scellée d'allumettes et en craqua une. Abritant la flamme du vent, il chercha jusqu'à ce qu'elle atteigne ses doigts. Puis il en craqua une autre. Quatre allumettes plus tard, il trouva le gant là où Deuce l'avait piétiné sur le sol. Quand il se rendit soudain compte que ç'aurait tout aussi bien pu être la chair tendre de Willow qui soit piétinée par les sabots de l'énorme hongre, Caleb perdit finalement patience. Il saisit le gant déchiré, le frappa contre sa cuisse pour le débarrasser de la boue et revint à grands pas vers Willow.

— Merci, dit-elle d'une voix basse.

— Restez éloignée de Deuce, aboya Caleb. C'est un cheval d'homme.

Willow opina de la tête et tritura son gant boueux, espérant que Caleb ne remarquerait pas le tremblement de ses mains. Elle se dit qu'elle avait simplement froid, qu'elle était fatiguée et qu'elle avait faim. Et qu'elle était un peu fâchée aussi. En tout cas, le manque de manières de Caleb ne la blessait certainement pas.

Sans ajouter un mot, Caleb se tourna et s'éloigna à grands pas jusqu'à Deuce. Il monta en selle avec la grâce nonchalante et puissante d'un couguar et frôla les flancs du hongre avec ses éperons. Le cheval se mit à galoper. Caleb maintint la cadence pendant une demi-heure, puis ralentit au pas de marche. Dix minutes plus tard, il força l'énorme hongre à trotter lentement, puis plus vite. Il poursuivit ainsi pendant les longues heures glaciales sous la lune : petit galop, marche, trot, marche, petit galop — et aucun véritable repos. Willow fit ce qu'elle pouvait pour épargner Ishmael, mais il n'y avait rien qu'elle puisse faire pour elle-même. Au début, elle vérifia la position de la Grande Ourse chaque fois que les chevaux passaient à la marche, puis moins souvent. C'était simplement trop décourageant. Les étoiles se déplaçaient à peine à travers le ciel nocturne. Parfois, elle aurait juré qu'elles reculaient.

Après quelques heures, Willow cessa de regarder les étoiles. Elle ne remarquait plus de différence entre la marche et le petit galop. Le trot était de plus en plus douloureux. Avec détermination, elle tenta de soulager le fardeau d'Ishmael, mais ses muscles raides et froids manquaient de leur résilience et de leur coordination habituelles. Quand

Ishmael s'arrêta soudain, elle faillit tomber de la selle. Elle cligna des yeux, vérifia les étoiles et se rendit compte que même les plus longues nuits avaient une fin. Vers l'est, la lumière de l'aube faisait silencieusement disparaître les étoiles du ciel.

D'un air las, Willow écarta de son visage les mèches encore trempées de ses cheveux. Elle constata que Caleb les avait fait dévier de la piste achalandée vers un vallon étroit entre les replis de la terre. Un petit ruisseau à peine plus large de sa main brillait dans la lumière croissante. Les bosquets de saules le long du ruisseau devinrent plus luxuriants, aussi hauts qu'un homme de bonne taille, offrant à la fois abri et cachette. De toute évidence, Caleb s'intéressait davantage à cette dernière qualité. Il commença à mener les chevaux un à un en aval du cap, leur donnant accès à la fois à l'eau et à des plaques d'herbe qui poussaient ici et là entre les buissons.

Ce ne fut qu'au moment où il s'approcha d'elle avec une corde et un pieu dans les mains que Willow se rendit compte qu'elle était toujours assise comme une masse sur Ishmael, trop hébétée pour même descendre de cheval.

— Mettez-vous à l'ouvrage, dame du Sud. Vous avez embauché un guide, et non un esclave. Voyez si vous pourriez trouver quelques branchages, mais n'essayez pas de faire un feu. Vous enverriez certainement un signal qu'on pourrait voir jusqu'à Denver.

Caleb brandit le pouce vers une des selles de bât qu'il avait retirée de Trey, son deuxième cheval.

— Il y a du café, de la viande fumée et de la farine là-bas. Savez-vous cuisiner ?

Willow acquiesça d'un air hébété.

— Alors, mettez-vous à la tâche, dit-il. Quand le soleil atteindra le sommet de cette colline, je vais éteindre le feu de camp. Nous allons devoir manger cru ce qui n'a pas été cuit à ce moment ou nous en passer.

Willow commença à descendre d'Ishmael et découvrit que sa jambe droite refusait de collaborer. Elle était anky-losée. Se servant de ses deux mains, elle souleva la jambe par-dessus le pommeau et serra les dents parce que la dou-leur revenait à mesure que son sang y circulait de nouveau librement.

Caleb l'observait, les yeux plissés. Il avait su que la che-vauchée serait difficile pour Willow, mais n'avait pas su à quel point. Il résista à peine à l'envie de la soulever du cheval et de la transporter jusqu'à un lit à l'intérieur du bosquet près du ruisseau. Mais il lui avait fallu plus de temps que prévu pour trouver un endroit sécuritaire où camper. À moins qu'elle ne travaille avec lui, ils n'auraient pour seule nourriture que de la viande fumée froide ou de la galette et même de l'eau plus froide provenant du ruisseau. Il pou-vait survivre indéfiniment ainsi — il l'avait suffisamment fait dans le passé —, mais il doutait que Willow puisse tenir le coup à ce régime. Elle était si fatiguée que sa peau sem-blait transparente. Brusquement, Caleb souleva Willow de sur sa selle. Quand ses pieds touchèrent le sol, il la sentit s'affaisser. Il la rattrapa et la tint contre lui, respirant l'odeur subtile de la lavande et de la pluie qu'elle portait comme un voile invisible. Dans son souvenir, il goûta de nouveau la menthe poivrée, une fraîcheur qui l'avait à la fois surpris et excité quand il avait compris qu'elle provenait de ses lèvres qui avaient touché le goulot de la gourde avant lui.

— Vous ne pouvez même pas vous tenir debout ? demanda-t-il d'un ton sec, presque dur.

Son ton fut comme un coup de fouet pour Willow. Elle s'écarta de lui et commença à défaire les sangles de selle d'Ishmael avec ses doigts engourdis.

— Allez ramasser des brindilles, dame du Sud, dit Caleb en lui repoussant les mains. Je vais prendre soin de votre canasson.

Le surnom lui fit l'effet d'une gifle. Pendant un instant, elle eut envie de répliquer, mais elle n'en avait pas l'énergie. De toute façon, en ce moment, Caleb était plus en mesure qu'elle de s'occuper de son étalon, et le bien-être de son cheval était plus important que son orgueil.

Sans un mot, Willow se détourna de Caleb. Elle se dirigea vers le bosquet le plus dense qu'elle put trouver, y pénétra et continua d'avancer jusqu'à ce qu'elle ne puisse rien voir à part de la verdure en regardant par-dessus son épaule. Ce n'est qu'à ce moment qu'elle commença à délier avec difficulté les attaches compliquées de sa longue jupe. Elle retira sa robe et ses jupons emmêlés et pria pour que Caleb soit suffisamment galant pour ne pas l'avoir suivie.

Quand elle eut fini, elle frissonna et eut du mal à remonter les jupons le long de ses jambes éraflées par le frottement constant contre les vêtements mouillés. Marchant à petits pas pour épargner ses cuisses éraflées, elle commença à rassembler des brindilles et de petites branches mortes. À mesure qu'elle travaillait, son corps se réchauffa lentement, et ses raideurs disparurent en partie.

Elle fit une petite pile de bois, émergea du bosquet et vit que Caleb avait fini d'attacher les chevaux. Il était accroupi sous les branches et taillait avec son couteau des copeaux de bois sec à partir de l'écorce d'un petit peuplier qu'il avait fait tomber. Son couteau de chasse terriblement aiguisé était aussi long que son avant-bras. La lame étincelait comme de l'eau dans la vague lueur de l'aube.

Willow laissa tomber ses deux poignées de fagots sur le sol près de Caleb et se détourna. Avec un grognement réprimé, elle s'assit près d'une des selles de bât. Quelques minutes plus tard, elle avait trouvé ce dont elle avait besoin pour faire des biscuits et du bacon. Quand elle leva les yeux, Caleb venait tout juste de suspendre un petit pot à café sur le trépied de branches. Dessous se trouvait un feu si minuscule qu'il aurait pu le recouvrir de son chapeau. Le peu de fumée qu'il émettait s'élevait puis se dispersait entre les feuilles des saules. À moins que quelqu'un chevauche tout près — et dans le sens du vent —, il n'y aurait aucun moyen de savoir que quelqu'un campait dans un des nombreux vallons qui parsemaient le terrain.

L'emplacement discret du camp rassurait Willow et la mettait en même temps mal à l'aise. Le soin qu'avait mis Caleb à le choisir révélait davantage que toute parole qu'il s'attendait à être suivi. Même s'il ne s'était pas attendu à ça, il pensait de toute évidence qu'une personne rencontrée sur cette terre sauvage pouvait tout aussi bien être un ennemi qu'un ami.

Le message qui découlait du camp dissimulé se reflétait dans le visage de Caleb, éclairé par les petites flammes. Des ombres noires vacillaient sur ses traits durs, ses yeux paraissaient sauvages et sa bouche semblait avoir oublié comment sourire. Il n'émanait de lui aucun réconfort pour une jeune femme fatiguée au point de ne pouvoir garder les yeux ouverts et qui avait trop froid pour respirer sans frissonner.

J'ai survécu à pire, se rappela-t-elle silencieusement. *De plus, je n'ai pas embauché Caleb pour le confort ; je l'ai fait pour qu'il me mène à Matt. Je n'ai rien à redire à ce sujet. Nous avons dû parcourir plus de 50 kilomètres la nuit dernière. « Plus tôt on commence, plus tôt on finit », comme avait l'habitude de le dire papa.*

Willow mélangea la pâte dans la poêle à frire en fonte jusqu'à ce qu'elle soit suffisamment consistante pour en nettoyer la surface noire. Puis elle se redressa avec raideur et transporta la viande, la pâte et la poêle jusqu'au minuscule feu.

— Puis-je me servir de votre couteau ? demanda-t-elle.

Caleb releva brusquement la tête. La voix de Willow était rauque, soit parce qu'elle avait peu parlé, soit à cause de l'humidité de la longue nuit.

— La viande fumée, expliqua-t-elle sans comprendre l'intensité du regard de Caleb.

— Assoyez-vous, dit-il d'une voix rude en lui prenant la poêle des mains. Je vais m'en occuper.

Soulagée, Willow s'assit sur le sol et s'étira, se souciant peu du fait que la terre sous elle soit humide et froide. Le sol était merveilleusement immobile et la supportait sans qu'elle doive faire le moindre effort.

Elle s'endormit immédiatement.

Quand Caleb cessa de couper la viande et la regarda, il pensa qu'elle s'était évanouie. Il se leva brusquement puis vint s'agenouiller près d'elle. La peau de sa gorge parut froide sous ses doigts, mais son pouls était régulier, à l'instar de sa respiration. Il secoua la tête, déchiré entre l'agacement et l'approbation réticente devant l'opiniâtreté de la jeune femme.

— Raffinée ou non, vous ne baissez pas les bras.

Il continua de découper la viande dans la poêle en la regardant de temps en temps. Aussitôt que l'eau commença à bouillir, il y mit les grains de café et déposa le tout sur le feu. Une fois le café terminé, il fit cuire la viande, la plaça sur un morceau d'écorce et agita la pâte de galette dans la poêle.

Pendant que les galettes cuisaient, il commença à découper systématiquement des branches de saule aussi épaisses que son pouce. Il enleva l'écorce, versa le café dans sa gourde, remplit à nouveau la cafetière d'eau et la déposa sur le feu. Quand l'eau se mit à bouillir, il ajouta une poignée d'écorce déchiquetée et mit la cafetière de côté.

— Réveillez-vous, Willow.

Caleb avait parlé d'une voix basse, mais claire. Elle ne réagit pas. Il se pencha et la secoua doucement. Aucune réaction. Le tissu sous sa main était froid et humide. Il leva les yeux vers le ciel en se demandant s'ils auraient le temps de faire sécher sa jupe au-dessus du feu, mais il comprit immédiatement qu'il ne pouvait prendre ce risque. Le soleil était déjà levé, ce qui signifiait que des gens s'étaient levés et lancés sur leur piste. Il n'y avait aucun village dans cette partie de la chaîne de montagnes. Tout signe de fumée indiquerait clairement l'emplacement de leur campement. Willow allait devoir dormir trempée.

Caleb éteignit le feu avant de se tourner de nouveau vers Willow.

— Réveillez-vous, ma chère, dit-il en la secouant un peu moins doucement.

Willow ouvrit lentement les yeux, mais elle n'était pas vraiment réveillée. Ses yeux hébétés étaient parsemés d'or et de vert, d'argent et de bleu. Ses cils mordorés accentuaient la beauté de ses yeux. Elle ne pouvait discerner dans la lumière étincelante de l'aube que les contours d'un chapeau relevé sur une crinière très noire.

— Matt? murmura-t-elle en tendant la main vers lui. C'est vraiment toi? Ça fait si longtemps, et je me suis sentie tellement seule…

L'expression de Caleb se durcit quand il entendit Willow parler à son amant absent.

— Réveillez-vous, dame du Sud, dit-il froidement. J'ai cuisiné un petit déjeuner pour vous, mais je ne vais certainement pas vous nourrir à la cuillère.

Avec impatience, il redressa Willow et lui mit la gourde de café dans les mains.

— Buvez.

Willow obéit immédiatement au ton de commande dans la voix de Caleb. Le café était presque brûlant. Elle prit une gorgée, refoula ses larmes et but encore, avide de goûter la saveur forte et la chaleur vivifiante. En avalant, elle sentit la chaleur descendre jusque dans son ventre. Frissonnant de plaisir, elle but encore.

— Maintenant, mangez, dit Caleb en lui enlevant la gourde.

Willow prit le bacon et la galette, qu'il lui mit brusquement dans les mains, et elle regarda le tout d'un air désintéressé. Elle était trop fatiguée pour même mâcher. Elle soupira puis commença à s'étendre de nouveau.

— Ne faites pas ça, dit Caleb en la redressant. Mangez, car sinon, vous serez si faible ce soir que je devrai vous attacher sur votre cheval. Et c'est exactement ce que je vais faire si nécessaire, dame du Sud.

D'un coup d'œil, Willow comprit qu'il était sincère. Elle soupira et regarda avec convoitise la gourde qu'il avait placée hors de son atteinte.

— Encore du café ? demanda Willow, les yeux brillants d'espoir.

Sa voix était toujours rauque.

— Après que vous ayez mangé.

— Je n'ai pas faim.

— Vous aurez faim quand votre ventre comprendra qu'il y a de la nourriture à votre disposition.

Willow savait que Caleb avait raison, mais la nourriture ne lui semblait pas meilleure pour autant. Les premières bouchées furent les plus dures. Ensuite, son appétit revint jusqu'à ce qu'elle se mette à manger autant que Caleb et à lécher ses doigts avec une avidité délicate, furtive. Il eut un léger sourire et déposa d'autres tranches de bacon et des galettes dans ses mains. Elle murmura des remerciements en même temps que ses dents s'enfonçaient dans le bacon. Le dessous des galettes était comme du pain frit, le gras de bacon dans la poêle l'ayant rendu tendre et croquant. Elle n'avait rien mangé d'aussi délicieux, pas même les tendres carottes qu'elle avait trouvées dans une frénésie d'appétit dans un jardin ravagé.

Finalement Willow ne put avaler davantage. Avant qu'elle puisse le demander, la gourde de café apparut sous son nez.

— Merci, dit-elle doucement.

Elle ferma les yeux et respira la forte odeur du café dans la gourde débouchée. Le plaisir sensuel qu'elle tirait de l'arôme était aussi évident que l'aube qui se levait sur la terre. Après avoir bu, elle soupira et sourit. Caleb se raidit contre un douloureux élan de désir brut. La tentation de se pencher et de lécher la fine couche de café sur les lèvres de Willow était si forte qu'il dut détourner les yeux.

— Je suis désolée, dit-elle en lui poussant la gourde dans les mains. Je ne voulais pas être aussi avide.

Caleb prit la gourde, regarda le goulot et songea aux douces lèvres qui venaient de le toucher. Il poussa silencieusement un terrible juron et reboucha la gourde sans boire de café, puis il se leva.

— Je vais jeter un coup d'œil aux alentours.

Willow l'entendit à peine. Elle s'était encore étendue et s'était assoupie entre deux respirations. Caleb grimpa sans bruit le côté du ravin, s'arrêtant juste avant le sommet. Il déposa son chapeau à côté de lui et s'avança lentement jusqu'à ce qu'il puisse voir le terrain devant lui. Rien ne bougeait à part la brillante clarté de l'aube. Il se retira aussi silencieusement qu'il était venu, puis retourna au fond du ravin. Il ne lui fallut que quelques minutes pour couper quelques branches feuillues et les recouvrir d'une des bâches qui gardaient les provisions au sec.

Willow ne se réveilla pas quand Caleb la souleva et la déposa sur le lit improvisé, et elle ne se réveilla pas non plus quand il s'étendit près d'elle et les couvrit tous les deux avec une autre couverture et une bâche. Elle soupira simplement et se recroquevilla un peu plus près de la chaleur qui irradiait de son grand corps.

Avec mauvaise humeur, Caleb se souvint du moment où Willow avait tendu une main vers lui et prononcé le nom d'un autre homme. Mais quand il regarda son visage blafard et l'or terni de ses cheveux dépassant de sous son cache-col de laine, il se souvint de ce qu'elle avait dit à propos de la guerre et du fait de vivre sur une propriété ravagée par les deux armées — sans homme pour l'aider et avec une mère souffrante dont elle devait s'occuper. Dans de pareilles circonstances, Caleb se demanda s'il pouvait reprocher à Willow d'être devenue une maîtresse dans le but de survivre. D'autres femmes louaient leur corps pour des raisons bien moindres que la survie.

Et des filles stupides, comme sa sœur, donnaient leur vertu et leur vie pour une poignée de mensonges tendrement prononcés à propos de l'amour.

— Vous avez été plus chanceuse que Rebecca, dit-il à voix basse en regardant Willow. Vous avez survécu. Mais quand vous vous êtes vendue au séducteur de ma sœur; vous vous êtes vendue à un homme mort.

Il se sentit satisfait à l'idée que Willow ne se réveillerait plus jamais dans le lit de Matthew Moran en prononçant tendrement son nom.

Chapitre 4

Caleb s'éveilla aux premiers roulements de tonnerre. Des nuages semblables à de grands voiliers traversaient le ciel au-dessus du ravin. Grise à sa base, blanche à son sommet et luisante d'éclairs occasionnels, la ligne d'averse était poussée par le vent.

— J'ai bien fait de ne pas essayer de faire sécher cette jupe, marmonna Caleb en bâillant. Nous nous ferons assurément tremper à nouveau.

Willow ne répondit pas, mais elle émit un petit bruit de protestation quand la chaleur de Caleb fut remplacée par une rafale de vent froid au moment où il sortit du lit.

— En route, chic dame, dit-il en enfonçant ses pieds dans les bottes raides et froides. Cet orage nous maintiendra hors de danger sur la piste pendant quelques heures.

Toujours endormie, Willow serra la couverture autour d'elle en essayant de préserver les vestiges de chaleur. Une des grandes mains de Caleb agrippa la laine épaisse, et d'un geste sec, il tira la couverture et la bâche.

— Levez-vous, Willow.

Tout en parlant, Caleb s'éloigna du lit qu'il venait de partager avec elle. Il doutait de la réaction qu'il aurait si elle se tournait vers lui, ensommeillée, et prononçait encore une fois le nom d'un autre homme.

En quoi ça te concerne si la femme de Reno n'arrive pas à se souvenir avec lequel de ses compagnons de lit elle est couchée ?

Caleb n'avait aucune réponse à cette question. Il savait seulement que, sagement ou stupidement, il s'en souciait. Il désirait Willow. Tout ce qui l'empêchait d'essayer de la courtiser, c'était la possibilité — bien que faible en ce qui le concernait — qu'elle soit réellement mariée à Matthew Moran. Mais cette légère possibilité suffisait à le retenir. Et c'était une chose que d'attirer un peu de passion de la part de la maîtresse d'un homme, mais l'adultère en était une autre. Peu importait à quel point la femme pouvait être volontaire ou combien d'hommes elle pouvait avoir eus avant lui, Caleb ne commettrait pas davantage l'adultère qu'il ne renierait sa parole.

Le problème consistait à savoir si la fille en question était mariée ou non. La solution à ce problème occupa en partie son esprit tandis qu'il grimpait le versant du ravin et examinait les environs.

Il n'y avait personne qui soit près d'eux. À quelques kilomètres, un cavalier se dirigeait vers le nord sur une piste qui suivait la ligne des Rocheuses. Une charrette se dirigeait également vers le nord, ses mules se déplaçant rapidement dans un effort futile pour éviter le mauvais temps. Apparemment, personne ne se dirigeait vers le sud.

Caleb attendit 10 minutes de plus. Rien d'autre que l'ombre des nuages traversant le paysage n'apparut le long de la piste. Entre les nuages, un faucon volait dans un espace de ciel si bleu que les yeux de Caleb se mouillèrent en le regardant. La lumière du soleil, de la couleur de l'or fondu, se déversait sur la terre. Elle était chaude et pure, fendant l'humidité près du sol comme une épée incandescente.

Dans le ravin, Caleb entendit le hennissement doux d'un étalon appelant ses juments. Il sourit et s'étira, savourant la paix du moment et l'odeur pure de la terre. Tout était si immobile qu'il pouvait entendre le son des chevaux qui broutaient. Puis une rafale parcourut la terre, faisant ployer les saules aussi bien que l'herbe, murmurant comme une rivière invisible tandis qu'elle caressait tout entre les nuages et la terre.

Le murmure du vent réveilla Willow. Pendant un instant, elle se crut de retour en Virginie-Occidentale, une enfant endormie dans le pré pendant que les chevaux de sa famille broutaient tout autour d'elle. Puis elle se souvint que le pré avait disparu, que les fermes s'étaient évanouies et qu'elle n'était plus une enfant. Elle reprit brusquement ses esprits et se redressa dans l'ombre tachetée du bosquet. Elle ne se souvenait pas de s'être endormie et certainement pas de s'être couchée sur un matelas de branches recouvert d'une bâche.

— Caleb? appela-t-elle à voix basse.

Personne ne répondit.

Inquiète, elle se leva et sortit du bosquet en ignorant les protestations de son corps raide et de ses jambes irritées. D'un rapide coup d'œil, elle s'assura que les chevaux étaient encore attachés à leur pieu en aval, leur robe étincelant sous le soleil tandis qu'ils s'étiraient le cou pour saisir les derniers brins d'herbe au bout de leur corde. Willow dressa l'oreille, mais n'entendit aucun mouvement qu'aurait pu faire un homme en ramassant des branches mortes ou en recherchant l'intimité d'un buisson épais.

De toute façon, Caleb n'avait jamais fait beaucoup de bruit, quelles qu'aient été les circonstances. Faisant elle aussi le moins de bruit possible, elle chercha le milieu d'un bosquet, en ressortit avec difficulté après avoir remis sa jupe moite, et alla vérifier ses chevaux. Les pur-sang arabes se déplaçaient bien, et aucune pierre n'était coincée entre les fers et les sabots. Le dos d'Ishmael n'était pas sensible, et l'animal n'était pas fatigué. Il avait suffisamment d'énergie pour faire semblant d'être surpris par son arrivée. Il hennit et s'éloigna un peu comme un poulain, puis s'étira le cou et renifla avec un doux hennissement, lui demandant de jouer avec lui.

— Vieux coquin, dit Willow en frottant doucement le museau de l'étalon. Tu savais qui c'était pendant tout ce temps.

Ishmael la repoussa gentiment pour jouer. Willow grimaça. Elle était encore endolorie après le coup de tête de Deuce.

Elle regarda les chevaux de Caleb, mais ne s'approcha pas d'eux. Elle ne voulait pas être l'objet de ses sarcasmes si elle effrayait les hongres avec ses jupes agitées par le vent. Elle caressa une dernière fois le doux museau d'Ishmael puis commença à ramasser des branchages pour le feu qu'elle espérait que Caleb leur permettrait de faire.

Quand Caleb revint de son tour de reconnaissance des environs du ravin, il trouva Willow éveillée et assise près d'une pile de petites branches raisonnablement sèches.

— Peut-on faire un feu sans danger ? demanda-t-elle avec un espoir non dissimulé.

— Un petit.

— De ce côté-ci du Mississippi, y a-t-il une autre sorte de feu possible ? Il n'y a pas d'arbres.

— Attendez que nous atteignions les montagnes. Vous verrez des arbres jusqu'à en devenir malade.

Il observa Willow empiler le bois pour le feu. Quand elle eut terminé, il en enleva la moitié et le mit de côté. Ce n'est qu'à ce moment qu'il craqua une allumette et fit surgir du bois humide une flamme vacillante. Aussitôt que le feu prit, Willow se mit sur pied avec raideur. Elle réprima un grognement en se penchant pour prendre la cafetière.

— Buvez ce qu'il y a à l'intérieur avant de vous en servir, dit Caleb.

Elle souleva le couvercle et regarda à l'intérieur. Le liquide était foncé, mais pas autant que celui que faisait habituellement Caleb.

— Qu'est-ce que c'est ?

— Du thé à l'écorce de saule. C'est bon pour…

— La douleur et la fièvre, l'interrompit-elle en grimaçant. Le goût est terrible.

Un demi-sourire se dessina sur les lèvres de Caleb.

— Buvez, ma chère. Vous vous sentirez mieux.

— Je ne veux pas vous en priver, dit-elle en le regardant d'un air suppliant. Quelle partie du thé est pour vous ?

— Aucune. Je ne suis pas une fragile dame du Sud.

— Moi non plus.

Le sourire de Caleb s'élargit quand il entendit le ton irrité de Willow.

— C'est vrai. Vous êtes une dame du Nord raffinée.

— Je ne suis pas une dame raffinée non plus, rétorqua-t-elle. Du Sud ou du Nord.

Le regard froid de Caleb parcourut le corps de Willow, englobant ses cheveux peignés avec les doigts et ses vêtements froissés et moites.

— Je l'admets, dit-il d'une voix traînante. Je parie que votre amant raffiné serait étonné de vous voir en ce moment.

— Matt n'est pas plus mon amant que vous ne l'êtes.

— Oh, oui. J'ai oublié. C'est votre... mari.

Le dédain avec lequel Caleb avait souligné le dernier mot fit rougir Willow. Elle souhaita en vain pouvoir s'empêcher de rougir chaque fois qu'elle devait mentir à propos du fait d'être mariée, mais la lettre de Matt avait été très claire à ce propos : « Ne laissez pas Willow vous convaincre de venir avec vous, les gars. Je sais qu'elle a toujours tendance à vagabonder, mais ici, une femme célibataire est considérée comme une proie et s'attire les attentions de tous les hommes. Nous avons mieux à faire que de monter la garde auprès de notre jolie petite sœur. »

Caleb remarqua avec un certain plaisir sardonique la rougeur révélatrice sur les joues de Willow. En se demandant si c'était le moment d'insister auprès d'elle, il enfonça son long index dans la poche de montre de son pantalon, mais ce ne fut pas une montre qu'il toucha. C'était le médaillon que Rebecca lui avait donné quand il avait fini par lui faire raconter la vérité à propos de l'identité de l'homme qui l'avait engrossée puis abandonnée pour qu'elle porte son bâtard.

Et pour qu'elle meure en couches avant que meure le bébé lui-même.

Tout ce qu'il restait de la vie de Rebecca, c'était un nom — Matthew « Reno » Moran — et le médaillon contenant les portraits des parents décédés de Reno. Si Willow était la femme de Reno, elle reconnaîtrait sûrement ses parents. Mais si elle avait menti, elle ne reconnaîtrait pas les photos.

— Vous êtes mariée depuis longtemps ? demanda Caleb d'un ton neutre.

Willow essaya nerveusement de décider s'il serait mieux d'avoir été mariée depuis longtemps ou depuis peu.

— Euh… fit-elle en se mordant la lèvre. Non.

— Alors, je suppose que vous ne connaissez pas les parents de votre mari.

Le visage de Willow s'épanouit.

— Bien sûr que je les connais. Je les connais depuis des années.

— Vous étiez voisins ?

Elle hésita puis décida de garder le mensonge aussi près que possible de la vérité.

— Pas vraiment. Les parents de Matt… euh… m'ont prise avec eux quand j'étais jeune. Ce sont les seuls parents dont je me souvienne.

Caleb eut un sourire amer. Willow n'était pas une bonne comédienne, ce qui l'aidait. Il supposa que la plupart des hommes ne regardaient que ses magnifiques seins et sa taille mince sans remarquer la culpabilité qui lui empourprait les joues à chaque mensonge. Les hommes pouvaient être de vrais idiots devant le doux sourire et les courbes d'une femme.

— C'est une bonne chose que vous connaissiez les parents de votre mari, dit Caleb. Ça rend le mariage plus facile pour tout le monde.

Willow émit un son neutre et porta la cafetière couverte de suie à ses lèvres, préférant l'amertume du thé médicinal au goût de mensonges supplémentaires.

Le tonnerre gronda à la suite d'un éclair rendu invisible par la clarté du jour. Willow déposa la cafetière en frissonnant.

— Il y en a encore, dit Caleb sans lever les yeux du feu.

— Comment le savez-vous ?

— Il reste toujours plus de remède amer que ce qu'une dame du monde est prête à avaler.

Si ce n'avait été de ses récents mensonges, Willow aurait répliqué au commentaire singulier de Caleb, mais elle se contenta de porter la cafetière à sa bouche et but jusqu'à ce qu'il ne reste plus rien.

Il la regarda du coin de l'œil pendant qu'il ajoutait quelques brindilles sur le feu. Quand elles s'allumèrent, il en mit d'autres jusqu'à ce que le feu brûle de manière forte et régulière tout en demeurant petit.

Ils cuisinèrent et avalèrent leur petit déjeuner en silence. Willow constata progressivement que le thé au goût amer avait fonctionné. Elle se sentait encore raide, mais elle n'avait plus à réprimer des petits cris de douleur quand elle pliait sa jambe droite. Trop vite, le repas fut terminé et le camp, démonté, et Caleb sella son cheval. Cette fois, Deuce prit le rôle de l'animal de bât, et Trey porta le poids de Caleb.

— Est-ce que votre étalon aurait du mal à se voir attaché derrière un hongre ? demanda Caleb.

— Je ne crois pas.

Il grogna.

— Nous le verrons bien assez tôt. Quelle est la plus robuste des juments ?

— L'une ou l'autre des alezanes. Ce sont les filles d'Ishmael. Sellez Dove, celle qui n'a qu'une tache blanche à une patte.

Caleb sella Dove et joignit les mains pour faire monter Willow sur son dos. Même si elle ne dit rien, son visage était visiblement crispé quand elle s'installa sur la selle d'amazone. Caleb savait que le thé l'avait aidée, mais aucun remède n'allait soulager l'inconfort de Willow aujourd'hui, sauf peut-être un coup de whiskey Taos Lightning.

— Vous voulez un peu de whiskey ? demanda Caleb.

Willow cligna des yeux.

— Je vous demande pardon ?

— Du whiskey ? C'est un bon analgésique.

— J'en prends note, dit sèchement Willow, amusée malgré son corps douloureux et la brûlure qu'elle ressentait à l'intérieur de ses cuisses chaque fois que ses vêtements mouillés frottaient sa chair déjà à vif. Pour le moment, je pense que je vais me contenter du thé à l'écorce de saule.

— Comme vous voulez.

Le tonnerre résonna encore tandis que les nuages se rassemblaient au-dessus d'eux et cachaient le soleil. La pluie commença à tomber quand Caleb monta sur Trey et prit la tête de la procession. Deuce se mit à trotter docilement, entraînant les quatre pur-sang arabes. Ishmael hennit et s'agita pendant les quelques premiers kilomètres, puis se résolut au déshonneur de se faire mener par un hongre dans une pluie battante.

À l'exception de la lumière grisâtre de la fin de l'après-midi, la chevauchée représenta une répétition du concours d'endurance de la nuit précédente. Trot, petit galop, marche, trot, puis encore un trot pour faire bonne mesure. Willow remarqua à peine le moment où la grisaille du jour fit place à l'obscurité du soir. Sur l'ordre de Caleb, elle mangea du bacon froid et des galettes, but du café froid, descendit de cheval et marcha pour épargner la jument et rétablir sa propre circulation, puis elle remonta en selle et reprit la torture.

Au fil des heures, le corps de Willow lutta tantôt contre la fatigue, tantôt contre la douleur. Elle croyait ne plus pouvoir souffrir davantage quand un vent froid s'éleva et qu'elle commença à frissonner. Le vent glacial hurlait en descendant des contreforts montagneux qu'elle n'avait aperçus qu'une fois en partant de Denver, leurs sommets baignés d'orages et leurs flancs s'élevant comme des forteresses qui s'étiraient à l'horizon. Mais même ces remparts étaient invisibles maintenant, dissimulés dans la nuit froide et l'orage.

En frissonnant, Willow se pencha sur le pommeau de la selle et s'y tint fermement en baissant la tête. Elle était tellement étourdie par le froid et la fatigue qu'elle ne remarqua pas que les chevaux s'étaient arrêtés jusqu'à ce qu'elle se sente soulevée du dos de sa jument. Ses lourdes jupes trempées claquèrent contre le visage de Caleb.

— Caleb ? demanda-t-elle d'une voix rauque. Est-ce l'aube ?

— Nous en sommes loin, mais j'en ai assez de cette foutue idiotie, fit-il sèchement.

Willow ne répondit pas, car ses paroles n'avaient aucun sens pour elle.

Le ravin qu'avait choisi Caleb comme lieu de campement était assez profond pour échapper au vent. Une partie de la paroi formait un surplomb qui offrait un abri contre l'orage. Un immense tronc de peuplier réfléchissait la chaleur du feu qui brûlait vaillamment sous le surplomb, faisant émettre de la vapeur de la terre. Clouée sur place, Willow fixa son regard sur cette chaleur inattendue et la beauté des flammes.

— Levez les bras, dit brusquement Caleb.

Elle obéit et sentit le poids humide du poncho qu'il lui retirait. Elle s'en étonna, car au début, elle ne se souvint pas de l'avoir endossé. Elle oublia son étonnement en se rendant compte que Caleb déboutonnait le corsage de son vêtement de voyage trempé. Instinctivement, elle lui repoussa les mains. C'était inutile. Elle aurait tout aussi bien pu essayer de repousser les montagnes invisibles.

— Qu'est-ce que v... vous croyez être en train de fai... faire ? demanda-t-elle en claquant des dents.

— Je suis en train de vous éviter une fièvre pulmonaire, dit-il d'un ton sévère en arrachant le vêtement sans se préoccuper des lacets ou des boutons. Mon poncho ne peut vous tenir au chaud dans ce genre d'orage — pas quand vous entreprenez le voyage avec des vêtements trempés trop épais et trop lourds pour qu'ils puissent sécher grâce à la seule chaleur de votre corps. Vous êtes si petite.

Willow regarda le visage éclairé de l'homme qui lui retirait ses vêtements d'une manière aussi impersonnelle qu'il aurait enlevé l'écorce d'un billot. Son visage était humide, sombre en raison de sa barbe naissante, et il avait l'air sévère. Sa chemise de laine et sa veste de cuir étaient noires à cause de la pluie.

— Vous de... devez être ge... gelé aussi, dit-elle.

Caleb se contenta de pousser un grognement de dédain. Il tira son couteau et fit ce qu'il avait désiré faire depuis la première fois où il avait aperçu Willow vêtue de cette façon. La lame découpa le tissu pendant qu'il faisait glisser sur ses jambes la laine mouillée et les jupons inutiles. Quand le bout de la lame frôla du métal, Caleb s'arrêta pour examiner le contenu de la poche de cuir cousue dans la jupe de Willow.

Le derringer paraissait minuscule dans sa main. Il soupesa l'arme, constata qu'elle était chargée et la déposa à portée de main de Willow sur le tronc du peuplier. Puis il continua de manier le long couteau avec une aisance naturelle qui aurait été renversante en d'autres circonstances, mais ni lui ni elle n'avaient de souffle à perdre pour le moment — Willow était trop occupée à frissonner, et Caleb était trop occupé à essayer de ne pas remarquer la transparence que cette humidité donnait à sa longue culotte. Mais il aurait fallu que Caleb soit aveugle et terriblement vertueux pour ne pas remarquer les lignes élégantes des jambes de Willow et la toison dorée entre ses cuisses. Le tissu fin de sa camisole était encore plus transparent, révélant la plénitude de ses seins et leurs mamelons roses raidis à cause du froid. La tentation de retirer ses propres vêtements trempés et de réchauffer Willow contre lui était si grande qu'il s'en trouva secoué. Il serra les mâchoires et enveloppa fermement Willow dans la plus douce de ses lourdes couvertures de laine.

— Restez ici pendant que je m'occupe des chevaux, lui ordonna-t-il.

Willow n'aurait pas discuté même si elle l'avait pu. La chaleur du feu lui brûlait presque le visage, mais c'était le réchauffement de sa peau froide qui faisait mal, et non la flamme elle-même. Même durant l'hiver, quand sa mère et elle s'étaient cachées des soldats dans la cave, Willow n'avait jamais eu froid à ce point. Blottie si près du feu que ses cheveux et le cache-col de laine émettaient de la vapeur, elle était reconnaissante pour chaque flamme.

Quand Caleb revint après avoir attaché les chevaux, Willow avait cessé de frissonner. Elle avait réussi à suspendre son lourd poncho sur une branche morte près du feu. La vapeur montait de la laine en volutes argentées. Elle avait aussi retiré le cache-col mouillé de sa tête et avait étendu la laine sur le peuplier. Les vestiges de son costume de voyage séchaient également.

Caleb lui adressa un regard acéré, mais ne dit rien tandis qu'il laissait tomber une brassée de bois près du feu.

— Les branches sont humides ; ne les mettez dans le feu qu'une à la fois, dit-il.

Il commença à fouiller dans le sac de toile qui contenait la poêle et la nourriture en essayant de ne pas remarquer la lueur soyeuse du bras nu de Willow pendant qu'elle tendait la main vers la pile de branches brisées. Quand la couverture glissa de son bras, il essaya aussi de ne pas remarquer la courbe gracieuse de son cou et de son épaule. Quand la couverture glissa encore davantage, il essaya de ne pas regarder le doux renflement de ses seins et le voile de dentelle transparent qui mettait en valeur la superbe féminité de Willow au lieu de la cacher.

Le feu qui sifflait et consumait le bois n'était pas aussi ardent que les pensées de Caleb. Se servant de son long couteau, il trancha le bacon avec une sorte de rapidité sauvage, souhaitant seulement décamper au plus vite et trouver des vêtements décents pour Willow.

Willow observait avec fascination la lame qui luisait comme l'éclair, laissant derrière des tranches de viande d'une égale épaisseur. Elle n'avait jamais vu un tel talent.

— Vous êtes très doué avec ce couteau.

La bouche de Caleb se tordit en un sourire ironique.

— C'est ce qu'on me dit, ma chère. C'est ce qu'on me dit.

Elle lui rendit son sourire d'un air hésitant.

— Rendez-vous utile, dit-il sans lever les yeux. Voyez si l'eau est assez chaude pour le café.

En entendant la froideur dans la voix de Caleb, Willow se souvint de ses commentaires acerbes à propos du fait de ne pas être son esclave. Déplaçant la couverture pour mieux se mouvoir, elle se mit à genoux et se pencha vers la cafetière. Une mèche de ses longs cheveux pâles glissa tandis qu'elle se penchait. La boucle vint dangereusement près des flammes. Avant qu'elle se rende compte que quelque chose n'allait pas, Willow sentit le bras robuste de Caleb la pousser sur le dos dans un entremêlement de couvertures et de jambes.

— Vous ne comprenez donc pas qu'il ne faut pas vous pencher au-dessus d'un feu avec vos cheveux qui ne sont pas attachés? dit-il d'un ton furieux. Je jure, dame du monde, que vous causez plus de problèmes qu'un renard dans un poulailler.

— Je ne suis pas une dame du monde, mes cheveux sont trop humides pour brûler, et je suis fatiguée que vous me rabaissiez!

Caleb regarda les yeux noisette brillants de colère si près des siens et les douces lèvres qui tremblaient d'indignation. Le reste de Willow tremblait aussi. Elle était furieuse devant son arrogance et ne faisait aucun effort pour le cacher.

— Vous êtes fatiguée, un point c'est tout, dit Caleb en relâchant brusquement Willow. Quant au reste, les cheveux humides brûlent très bien, et j'arrêterai de faire des commentaires à propos de votre inutilité quand vous commencerez à vous montrer utile.

Avec une rapidité troublante, il se leva et marcha jusqu'aux selles de bât. Quelques instants plus tard, il revint avec une chemise de laine d'un bleu si foncé qu'elle paraissait presque noire. La chemise était taillée dans le style de cavalerie, avec une ouverture en pointe sur le devant permettant de la déboutonner d'un côté ou de l'autre. La plupart des chemises semblables qu'avait vues Willow affichaient des boutons de cuivre brillant. Pas celle de Caleb. Des boutons de corne luisaient faiblement à la lumière du feu. Il vint à l'esprit de Willow que Caleb ne possédait rien de brillant ou de luisant. Ni selle, ni rênes, ni vêtements, ni éperons, pas même la ceinture de pistolets qu'il portait — aucun article n'affichait de décorations qu'utilisaient souvent les hommes pour capter l'attention. Elle doutait que ce soit par manque d'argent. Tout ce qu'il possédait était de qualité. Tout cela l'aidait à traverser cette terre sauvage sans attirer davantage l'attention qu'une ombre.

— Je sais que ce n'est pas très chic, dit-il d'une voix traînante en lui tendant la chemise, mais ça vous évitera de faire semblant d'être modeste quand la couverture glisse.

Ne comprenant pas ce que voulait dire Caleb, Willow suivit son regard. La couverture avait glissé de sorte que seulement le bout de son mamelon dressé empêchait le tissu de tomber complètement de sa poitrine. Willow émit un hoquet et agrippa la couverture des deux mains puis tourna le dos au feu. La lumière dorée vacillait et dansait de manière caressante sur sa peau, la faisant ressembler à une sculpture faite d'ambre lumineux. Les doigts de Caleb se resserrèrent autour de sa chemise. Il la laissa tomber sur Willow et retourna préparer le repas en essayant d'oublier la promesse sensuelle de son sein et l'élégante beauté de son dos s'élevant des replis sombres de sa couverture. Mais il n'arrivait pas à oublier. Il ne pouvait que se souvenir et se souvenir encore.

Fâché de ne pouvoir contrôler ses pensées — et encore moins la réaction de son membre —, Caleb fit cuire le bacon dans un silence qui ne se brisa même pas quand Willow commença à préparer les galettes d'une main maladroite. Son autre main était complètement occupée à tenir la couverture pour s'assurer qu'elle continue de lui envelopper la taille et les jambes. La chemise de Caleb lui allait comme un grand manteau, le col s'affaissant pour révéler les lignes délicates de ses clavicules et le creux de sa gorge.

Avec la chemise et la couverture, Willow parvenait très bien à se garder couverte. Les moments où la couverture s'ouvrait et montrait des jambes galbées et des ombres veloutées étaient rares, mais ils frappaient Caleb comme des poignards, lui rappelant la beauté qui gisait dissimulée sous les replis de laine.

Après le repas, Caleb alimenta le feu, jeta une bâche sur le sol, puis se tourna vers Willow. Elle l'observait d'un air inquiet, sentant qu'il était en colère et ignorant pourquoi. Une femme plus expérimentée aurait tout de suite su d'où venait le mauvais caractère de Caleb, mais ce n'était pas le cas de Willow. Tout ce qu'elle comprenait, c'était que Caleb avait du mal à se maîtriser.

— Vous pouvez vous servir d'un fusil de chasse ? demanda-t-il brusquement.

— Oui.

Caleb allongea le bras devant Willow pour prendre sur le rondin son arme à répétition et son fusil à canon court.

À lui seul

Willow tressaillit un instant avant de comprendre qu'il n'allait pas la toucher. Caleb serra la bouche quand elle s'écarta, mais il ne dit rien tandis qu'il prenait le fusil de chasse. Avec les gestes rapides et experts d'un homme qui avait fait quelque chose des milliers de fois auparavant, il tira l'arme de son étui en peau de daim.

— Prenez-le.

Willow prit le fusil de chasse. Malgré son canon court, il était lourd, mais elle s'était attendue à ce poids. Elle se raidit et s'assura que le canon ne visait que le ciel nocturne. Caleb opina de la tête d'un air satisfait. Ses gestes lui apprenaient bien davantage que n'importe quelle parole que Willow s'était déjà servie d'un fusil.

— Il est chargé, dit-il d'un ton brusque.

Elle lui adressa un sourire étrange.

— Ça ne sert pas à grand-chose autrement, n'est-ce pas ?

— Savez-vous comment le recharger ?

— Oui.

Il lui lança une petite boîte.

— Quarante cartouches. S'il en manque quand je reviendrai, il vaudrait mieux que je voie une carcasse ou du sang sur le sol.

— Quand vous reviendrez ? Où allez-vous ?

— Il y a un petit village à quelques kilomètres. Je veux savoir si quelqu'un s'est lancé à nos trousses.

— Comment le pourraient-ils ? Nous n'avons rien fait d'autre que chevaucher dans l'obscurité et la pluie.

Caleb regarda Willow à travers ses yeux plissés.

— Tout le monde à Denver savait que nous nous dirigions vers la région des monts San Juan. N'importe quelle personne le moindrement intelligente sait que les monts San

Elizabeth Lowell

Juan se trouvent au sud-ouest de Denver. Le pays est foutrement vide, mais ça ne signifie pas qu'il est facile de s'y déplacer. Il n'y a qu'une poignée de cols praticables dans les montagnes, et toutes les pistes y mènent.

Il attendit avec impatience, et Willow ne dit rien.

— Il n'y a que deux bonnes façons de se rendre où nous allons, poursuivit-il d'une voix rude. L'une consiste à passer par Canyon City puis à remonter une branche de la rivière Arkansas en passant un col et en redescendant la rivière Gunnison, ce qui nous mène à la limite au nord de la région des monts San Juan. Sinon, on peut suivre les Rocheuses vers le sud sur plus d'une centaine de kilomètres, traverser la chaîne Sangre de Cristo et prendre le Rio Grande del Norte près d'Alamosa, puis aller vers le nord-ouest, ce qui nous mène à la limite sud-est des monts San Juan.

Caleb attendit de nouveau. Willow l'observait intensément, mais ne fit aucun commentaire.

— Est-ce que vous m'écoutez, dame du monde ? demanda-t-il sur un ton impatient.

— Oui.

— Si je sais où nous devons aller, ceux qui nous suivent le savent aussi. Alors, quelle route devrions-nous prendre ? Canyon City ou Alamosa ?

Willow fronça les sourcils en visualisant de nouveau la carte qui lui était parvenue dans une des lettres de Matthew et qui se trouvait maintenant dans la couture de son grand sac de voyage. Il y mentionnait Canyon City, de même qu'Alamosa et d'autres villes. Il n'avait marqué une préférence pour aucune option. Toutes avaient été suggérées en tant que routes possibles selon l'endroit d'où devaient partir les frères Moran. Matt savait que sa lettre devrait probablement être réexpédiée à l'endroit où ses frères étaient allés, alors il avait montré des routes menant à la région des San Juan qui débutaient partout, de la Virginie-Occidentale au Kansas en passant par la Californie et le Canada.

Mais Matt n'avait pas montré où se trouvait sa mine d'or. Il avait simplement marqué cinq sommets de montagnes dans la région des San Juan et fait confiance à ses frères pour le trouver.

— Matt vit à l'ouest de la ligne de partage des eaux, dit lentement Willow. La Gunnison est la principale rivière qui draine la partie du bassin versant où Matt se trouve.

Caleb grogna.

— Cette rivière traverse une bonne partie de la région. Canyon City est plus proche du bassin versant du nord de la Gunnison, mais la route d'Alamosa passe par des cols moins élevés.

— Devrions-nous simplement prendre la route la plus rapide ?

— Excellente idée, dit-il d'un ton sarcastique. Si j'avais une boule de cristal, je saurais exactement quoi faire, mais ce n'est pas le cas, alors je vais me diriger vers le sud pendant un moment et voir si quiconque sait à quoi ressemblent les cols entre ici et là-bas.

Caleb se détourna, parlant tout en marchant.

— Laissons s'éteindre le feu. J'ai attaché Ishmael en haut du ravin et les juments en bas. Si vous entendez quoi que ce soit qui fasse s'agiter les chevaux, vous saisissez ce fusil et vous vous cachez dans le buisson le plus près. Je vais signaler mon arrivée.

— Comment saurai-je que c'est vous ?

Au moment où Caleb se retournait vers elle, sa main droite se porta sur sa poche arrière puis à sa bouche avec une précision rapide à laquelle Willow ne se serait pas attendue de la part d'un homme de sa taille. Tout à coup, un son sinistre se fit entendre dans la nuit — un frémissement harmonique aussi inquiétant que le hurlement d'un loup. L'harmonica disparut à la même vitesse qu'elle était apparue.

Avant que Willow puisse parler, Caleb s'était évanoui dans l'obscurité. Elle entendit les pas de deux chevaux s'éloignant dans le ravin, puis ce fut le silence.

Après quelques minutes, les bruits normaux de la nuit reprirent — des petits animaux qui détalaient et le crissement des insectes. Les craquements du feu semblaient très bruyants, et les flammes, trop brillantes. Willow retira prudemment des branches du feu. Les flammes diminuèrent puis disparurent, à l'exception d'incandescences occasionnelles au-dessus des braises. Finalement, même celles-ci ne devinrent que des lueurs à travers les cendres.

Willow se recroquevilla sur la bâche, le fusil près d'elle, sa tête reposant sur la selle d'amazone. Même si elle hésitait à laisser tomber sa garde, elle s'endormit rapidement, trop fatiguée pour lutter plus longtemps contre les besoins de son corps.

Chapitre 5

Caleb guida son cheval avec prudence à travers le paysage de tempête précédant l'aube en sachant qu'il y avait un village tout près et qu'il pouvait y avoir des hommes alentour. Il était peu probable que quelqu'un se déplace par un temps pareil, mais Caleb ne pouvait se permettre de prendre des risques. Il n'avait aucunement l'intention de se rendre au village le plus proche, mais il devait atteindre la maison de Wolfe sans éveiller l'attention.

Dieu merci, ce Wolfe n'est pas du genre sociable, se dit Caleb tandis qu'il chevauchait le long d'un petit cours d'eau menant à une maison de bois rond. *Je n'aurai pas à m'inquiéter qu'il ait accueilli un hôte bavard pour la nuit.*

Aucune lumière ne brillait dans la fenêtre de la maison. Personne n'était visible autour de l'enclos ou des bâtiments adjacents.

— Vous cherchez quelqu'un?

La voix était froide, saccadée, et elle venait de derrière Caleb.

— Salut, Wolfe, dit Caleb en levant les mains pour qu'elles soient clairement visibles dans la lumière croissante de l'aube. Toujours aussi amical, d'après ce que je vois.

Il entendit le bruit d'un fusil qu'on désarmait.

— Salut, Caleb. Je ne pouvais pas dire si c'était toi, Reno ou un autre homme blanc de haute taille.

Caleb sourit.

— J'aurais pu être un Indien.

— Aucune chance. Les Indiens sont trop intelligents pour sortir par une nuit pareille.

Tout en parlant, Wolfe surgit de derrière un grand peuplier. Il se déplaçait avec le pas léger et silencieux d'un homme habitué à survivre dans une région sauvage.

— Viens te reposer quelques jours, *amigo*. Deuce y gagnerait lui aussi, d'après son allure. Et Trey aussi.

— Moi aussi, mais je ne peux pas le faire.

Wolfe observa silencieusement Caleb avec des yeux aussi noirs que de l'obsidienne. En plein soleil, les yeux de Wolfe étaient indigo, trahissant l'héritage britannique de son père. La nuit, toutefois, il ressemblait bien davantage au fils de sa mère cheyenne. En tout temps, c'était un homme avec lequel les autres hommes agissaient prudemment.

— Tu t'approches de Reno? demanda-t-il finalement sur un ton neutre.

Il avait rencontré séparément Caleb et Reno, et il les aimait bien tous les deux. Il ignorait pourquoi Caleb pourchassait Reno. Caleb ne l'avait jamais dit, et Wolfe ne le lui avait jamais demandé.

— En ce moment, j'ai autre chose à faire. J'ai laissé une femme dans un ravin à quelques kilomètres au nord d'ici. Elle a besoin de vêtements secs.

— Elle ne s'appellerait pas Willow Moran, par hasard? demanda doucement Wolfe.

Caleb laissa échapper un juron.

— Les rumeurs voyagent foutrement vite.

— Beaucoup de gens étaient heureux de voir la déconfiture de Johnny Slater, répondit Wolfe avec un mince sourire. Kid Coyote. Fichu surnom. Il ne s'en remettra jamais. Il est parti à ta recherche.

— S'il est chanceux, il ne me trouvera pas.

— Il va te trouver si tu passes par Canyon City, dit Wolfe. Il t'attend au bout de la piste avec la moitié de la bande des Slater. L'autre moitié chevauche vers le Rio Grande.

— Tu en es sûr ?

— Ils ont laissé un homme au carrefour. Demande-le-lui. Ensuite, demande-lui de te parler de la prime que Jed Slater a mise sur ta tête. 400 dollars yankees pour l'homme qui ramènera ton scalp. Un millier pour l'homme qui te ramènera vivant à Jed Slater.

— Le fils de pute.

— Tu as besoin d'un autre révolver ? demanda Wolfe. Je n'ai rien de mieux à faire depuis que le gardien de Jessi m'a écrit pour me dire que personne ne viendrait cet été.

Pendant un moment, Caleb fut tenté d'accepter. Wolfe était excellent avec n'importe quelle arme, y compris ses poings, et il affichait à la fois la férocité des Écossais et celle des Cheyennes. Mais même si avoir Wolfe pour surveiller ses arrières aurait été rassurant, Caleb ne pouvait prendre ce risque. Si quelqu'un à part lui savait que Reno et Matthew Moran étaient le même homme, ce ne pouvait qu'être que Wolfe Lonetree. Si Willow découvrait que Caleb était à la poursuite de son homme, elle ne le conduirait nulle part près de Matthew Moran.

— J'apprécie ton offre, mais ce n'est pas nécessaire, répondit Caleb. Il y a plus d'une manière de dépecer un chat.

— Un col de montagne n'est pas un chat. Tu pourrais réussir à contourner la bande des Slater sur le Rio Grande del Norte, mais tu n'auras pas une chance au monde de traverser Canyon City.

— Il y a d'autres cols.

Wolfe haussa ses sourcils noirs.

— Peu d'hommes blancs les connaissent.

— Mon père faisait partie d'une patrouille de surveillance militaire dans les années 50. Il y a d'autres cols.

Wolfe haussa les épaules, puis changea de sujet.

— Est-ce que l'étalon de cette femme est à la hauteur de ce qu'on dit de lui ?

— C'est le plus beau cheval que j'aie jamais vu, dit simplement Caleb.

— La beauté n'est pas nécessairement une bonne recommandation pour un cheval ou une femme, dit sèchement Wolfe.

— Cet étalon est beaucoup plus robuste qu'il ne le paraît. Doux et rapide aussi. Il ferait un excellent cheval de randonnée.

— A-t-il de l'endurance ?

— Il garde le rythme. Les juments aussi.

— Laisse les pur-sang arabes avec moi. Ils ne vont que te ralentir, en particulier dans les hautes terres.

— Willow refusait de les laisser à Denver. Je doute qu'elle veuille les laisser ici, mais je vais le lui proposer. Tu ferais mieux de prier pour qu'elle n'accepte pas ton offre. Si tu gardes ces chevaux, la bande de Slater va rappliquer à toute vitesse.

Wolfe sourit.

— Je prendrais ça comme une faveur personnelle.

Caleb secoua la tête en riant. C'était là une des choses qu'il aimait le plus à propos de Wolfe : c'était un combattant jusque dans les moindres fibres de son corps.

— Et la fille ? demanda Wolfe. Est-ce qu'elle tient le coup convenablement ?

— Elle est comme ses chevaux, avoua Caleb. Une petite femme courageuse. Quand je lui aurai procuré des vêtements secs et une selle convenable, elle réussira à passer les cols.

— Alors, c'est vrai ? Elle chevauche vraiment en amazone ?

Caleb grogna.

— C'est vrai.

— Tu parles. Je n'ai pas vu une selle d'amazone depuis l'époque où j'étais en Angleterre, dit Wolfe.

— Si jamais j'en revois une autre, ce sera trop tôt. Pure folie.

Wolfe sourit doucement.

— Peut-être, mais ces dames anglaises ressemblaient à de beaux papillons alors qu'elles étaient perchées sur le dos de leurs énormes chevaux irlandais.

— Merde, si j'avais su que tu pensais ça, je t'aurais amené la selle. Ta cousine éloignée aurait pu s'en servir la prochaine fois qu'elle serait venue te rendre visite.

— Lady Jessica Charteris préfère chevaucher sans selle à toute vitesse, répondit Wolfe sur un ton dépourvu d'amusement. De toute façon, la dernière lettre faisait mention d'un mariage. Je ne pense pas que Jessi viendra en Amérique pour me tourmenter de nouveau.

Wolfe détourna les yeux, évaluant la clarté croissante plutôt que de faire face à l'étonnant sentiment de perte qu'il

avait éprouvé quand la lettre annonçant le mariage imminent de Jessica était arrivée.

— Tu ferais mieux de laisser tes chevaux à l'abri ici, dit
Wolfe. Il se peut que l'homme de Slater ait entendu dire que
tu me rendais visite de temps en temps. Il va chercher les
pistes de sept chevaux et non de deux, mais...

Wolfe haussa les épaules et se tut.

Caleb descendit de son cheval, l'attacha à l'épais
buisson qui bordait le bassin de déversement de Cottonwood
Springs et marcha à côté de Wolfe en direction de la
cabane.

— Quand Jessi chevauchait avec toi, portait-elle quelque
chose de mieux que des jupes qui battaient au vent et plus de
jupons qu'un arbre n'a de feuilles ?

Wolfe sourit de toutes ses dents.

— Que dirais-tu d'une chemise et de pantalons en peau
de daim que ma tante a faits pour elle ? La dernière fois que
Jessi était ici, elle a réussi à me convaincre de lui acheter ces
jeans que portent tous ces chercheurs d'or de 1849 et 1859. J'ai
eu un foutu mal à en trouver une paire assez petite. Même
chose pour la selle.

— Elle t'a convaincu, hein ? J'aimerais rencontrer cette
fille. Est-ce qu'elle est du genre à paniquer si j'empruntais ses
vêtements et sa selle pour laisser une autre fille s'en servir
pendant quelques semaines ?

— J'en doute. De plus, même si elle amenait ici son foutu
aristocrate de mari, elle ne choquerait pas un foutu pair du
royaume en apparaissant en public vêtue de pantalons et
chevauchant à califourchon.

Le mépris dans la voix de Wolfe quand il parlait du futur
mari de Jessi ne surprit pas Caleb. À l'exception de la jeune

Jessica déterminée, Wolfe se fichait de l'aristocratie britannique qui représentait la moitié de son héritage.

— Dans ce cas, dit Caleb, j'aimerais que tu me prêtes ses vêtements.

— Prends-les. Elle ne s'en servira plus jamais. Tu as besoin d'autre chose? Ne te gêne pas. Ce sera beaucoup mieux de les obtenir de moi que d'aller à Canyon City pour faire des provisions et pour que la bande des Slater te tombe dessus comme une averse.

— J'avais prévu acheter des provisions à Canyon City, avoua Caleb.

— Tu n'as qu'à me dire ce dont tu as besoin.

— De la nourriture pour nous et du grain pour les chevaux, si tu peux t'en départir, dit Caleb. L'herbe, c'est bien pendant un temps, mais là où nous allons, les chevaux auront besoin de l'endurance que seuls les grains procurent.

— La nourriture n'est pas un problème. Une cinquantaine de kilos de grains suffira?

Caleb laissa échapper un soupir de soulagement.

— Merci, *compadre*. Tu peux aussi te passer d'une couverture ou deux? À moins que cet orage éclate, ce sera drôlement froid au premier col.

— J'ai quelque chose de mieux que des couvertures : des sacs de couchage.

La seule réponse de Caleb fut un bruit où se mêlaient le dégoût et l'amusement à parts égales.

— Jessi a insisté, poursuivit Wolfe en ignorant son ami. Après la première nuit sur la piste, j'ai arrêté de me plaindre. Peu importe à quel point tu peux bouger dans ces sacs de couchage, l'air froid n'y entre pas.

Caleb jeta un regard oblique en direction de Wolfe.

— Tu te modernises en vieillissant ?

Wolfe sourit, car ils étaient tous deux du même âge. Ils avaient atteint la trentaine à la fin d'avril.

— J'aime mon confort. Je ne suis pas du genre Ancien Testament comme toi.

Pendant un instant, Caleb se souvint des paroles de Willow : «Œil pour œil. Est-ce que c'est votre code de conduite dans l'Ouest ?»

— Je vais me contenter des couvertures à l'ancienne, dit Caleb en prenant une pièce d'or dans sa poche. Si ça ne suffit pas, tu n'as qu'à... commença-t-il.

— Range ça avant que je me fâche, fils de pute arrogant, l'interrompit Wolfe.

Caleb le regarda de côté d'un air tranchant, mais remit la pièce dans sa poche.

Ils marchèrent en silence jusqu'à la porte de la cabane. L'intérieur était sombre, frais et meublé dans un style western. À l'instant où la porte se referma derrière eux, Wolfe se retourna vers Caleb et commença à parler de la seule chose dont ils n'avaient jamais discuté après la première fois où le sujet était venu sur le tapis : un homme appelé Reno.

— Je suis heureux que tu sois trop occupé pour traquer Reno pendant un moment, dit Wolfe tranquillement. Tu n'as jamais dit ce que tu lui voulais, et je ne l'ai jamais demandé. Ça ne me regarde pas. Mais je vais te dire une chose, Cal. Si jamais tu trouves Reno, assure-toi d'avoir une bonne raison pour sortir ton arme contre lui, parce qu'une seconde après que tu l'auras fait, vous serez probablement morts tous les deux.

Caleb ne dit rien. Sous le rebord de son chapeau, son regard était impassible.

Wolfe scruta le visage dur de Caleb.

— Tu m'entends, *amigo*? Reno et toi êtes de la même trempe.

— Je t'entends.

— Et?

— Ainsi soit-il.

Le hennissement d'Ishmael réveilla Willow, son cœur battant à tout rompre. La lumière du soleil éclairait obliquement le ravin, mais elle remarqua à peine sa beauté. Saisissant le fusil dans une main et la couverture dans l'autre, elle courut se mettre à l'abri en faisant le moins de bruit possible. Parvenue au milieu du bosquet dense, elle se retourna et s'accroupit, immobile, cherchant à voir ce qui avait dérangé son étalon.

Un son fantomatique déchira le silence, l'écho du cri sauvage d'un loup.

Une minute plus tard, Caleb apparut, montant Trey. Il fallut un moment à Willow pour comprendre ce qui était différent chez le cheval de bât : Trey avait une selle de chevauchée plutôt que sa selle de bât habituelle. Deux sacs de maïs étaient attachés à la selle, de même qu'un épais tapis de couchage et un blouson en peau de mouton.

— Quelque chose vous a dérangée? demanda Caleb quand Willow émergea du bosquet.

— Seulement une minute, quand Ishmael a senti votre présence.

— C'est pour ça que je suis arrivé dans le sens du vent, pour vous avertir.

Caleb descendit de cheval, s'étira et commença à détacher l'équipement sur le dos de Deuce avec des mouvements rapides et presque colériques de ses mains.

— Il n'y a personne alentour. Pendant que je frotte Deuce, faites du café sur le plus petit feu possible.

Willow se dirigea vers Trey pour aider Caleb, qui semblait fatigué. Elle battit en retraite sur un geste brusque de sa part.

— Occupez-vous du feu, dame du monde. Les flammes se fichent des jupes ou des couvertures qui volent au vent. Ce n'est pas le cas de mes chevaux.

Quand Caleb eut terminé de s'occuper de Deuce, il se rendit auprès de Trey. Lorsqu'il prit les sacs sur la selle, l'odeur du grain flotta dans l'air jusqu'aux quatre juments qui hennirent d'impatience. Il détacha un des sacs de 25 kilos de grains, le souleva facilement, puis passa d'un cheval à l'autre en versant une petite pile de grains pour chacun. Les naseaux délicats et leur appétit rappelèrent à Caleb leur maîtresse goûtant les derniers morceaux de bacon sur ses doigts avec de minuscules et discrets coups de langue.

Cette pensée provoqua chez lui un élan de désir. Il l'écarta impitoyablement et se concentra sur ce qui les attendait : des pistes et des cols, des orages et du soleil, de l'endurance et de l'épuisement, la bande de Slater et l'homme raffiné de Willow.

En grimaçant, Caleb se frotta la nuque et se dirigea vers le feu de camp. Il brûlait vivement, et le café bouillait. Willow était agenouillée tout près, vêtue de sa chemise aux manches enroulées jusqu'à ses coudes et de la couverture qui lui enveloppait les hanches. Elle avait tressé ses cheveux et les avait attachés avec d'étroites lanières de dentelle arrachées à ses jupons. Ainsi vêtue, il y aurait dû ne rien avoir d'attrayant chez elle.

Mais quand elle vint rejoindre Caleb et s'agenouilla près de lui, les mains pleines de nourriture odorante, il lui fallut toute sa volonté pour éviter de la prendre dans ses bras. Il aurait dû être trop fatigué pour éprouver du désir, mais la preuve qu'il en était capable s'étirait fortement contre son pantalon. En émettant un juron, il tendit la main vers sa tasse de café.

— Caleb? demanda Willow d'un air incertain, ne comprenant pas l'intensité dans ses yeux.

— Les cols sont ouverts, tant qu'on ne se fait pas prendre pas un orage. La bande de Slater s'est divisée en deux. Ils nous attendent quelque part le long du Rio Grande et de l'Arkansas, dit-il d'une voix morne.

Il omit de lui dire que Slater avait mis sa tête à prix, offrant assez d'argent pour que chaque hors-la-loi entre le Wyoming et le Mexique s'assoie et se frotte les mains avec cupidité.

— Qu'allez-vous faire?

Le regard doré de Caleb tomba sur la selle d'amazone. D'un geste sec, il la prit et la jeta dans le petit ruisseau qui longeait le camp. Le costume de voyage de Willow suivit le même chemin.

— Caleb! Dieu du ciel, qu'est-ce que…?

— Ils cherchent une fille assez stupide pour chevaucher en amazone dans les Rocheuses, l'interrompit Caleb d'une voix glaciale en fixant les yeux étonnés de Willow. Je ne connais aucune fille qui soit aussi stupide. Et vous?

Willow ouvrit la bouche, mais aucun son n'en sortit.

— Bien, dit Caleb en en opinant brusquement de la tête. Ils cherchent une fille assez stupide pour porter des vêtements chics qui ne sèchent jamais entre deux averses. Je ne connais aucune fille qui soit à ce point stupide. Et vous ?

Willow entrelaça ses doigts et ne dit rien.

Caleb grogna et poursuivit :

— Ils recherchent une fille suffisamment têtue pour essayer de faire passer en douce cinq chevaux de race devant chaque foutu hors-la-loi entre ici et l'enfer. Je ne connais aucune fille aussi têtue. Et vous ?

— Mes chevaux viennent avec moi, dit immédiatement Willow. Ça faisait partie de notre entente, Caleb Black. Allez-vous renier votre parole ?

Dès que les mots quittèrent ses lèvres, Willow souhaita pouvoir les ravaler. Mais il était trop tard. Elle les avait pro-noncés, et maintenant, elle devait faire face à la colère de Caleb.

— Je n'ai jamais renié ma parole envers quiconque, pas même envers une dame du Sud gâtée qui n'est pas meilleure que ce qu'elle doit être, dit Caleb sur un ton glacial.

Sans détourner les yeux de Willow, il défit les liens qui attachaient l'épais tapis de couchage et le déroula d'un coup sec du poignet, laissant voir les vêtements qu'il y avait placés. Il saisit une poignée de peaux de daim, du denim et de la flanelle de coton.

— Commencez par les caleçons longs de flanelle, dit sèchement Caleb, puis mettez les pantalons de peau de daim. Puis les jeans. Pour le haut, mettez…

— Je m'habille depuis des années, l'interrompit Willow. Je peux différencier le haut du bas.

Caleb fourra les vêtements dans ses mains tendues.

— Il y a un chapeau et une veste pour vous dans le blouson de peau de daim de Wolfe. Il n'avait pas d'imper-méable pour Jessi. Désolé.

— Et pour vous?

— Wolfe et moi détestons les imperméables. Ils ne fonctionnent que si vous êtes assis dans une tente.

Finalement, la curiosité de Willow l'emporta sur sa prudence.

— Qui est Wolfe? Jessi est-elle sa femme?

— Il s'appelle Wolfe Lonetree. Jessi est la cousine de sa belle-mère, ou quelque chose du genre.

— Où vit-il? J'aimerais le remercier personnellement.

— Je doute que vous ayez beaucoup d'affinités avec lui.

— Pourquoi pas?

— Son père était un aristocrate anglais, mais sa mère était la fille d'un shaman cheyenne.

— Une guérisseuse? demanda Willow avec empressement.

Caleb la regarda à travers ses yeux plissés. Il n'y vit que de la curiosité plutôt que le mépris qu'affichaient beaucoup de gens envers les métis.

— Je ne le lui ai jamais demandé, dit finalement Caleb. Pourquoi?

— Elle connaîtrait les plantes médicinales de l'Ouest, expliqua Willow. J'en ai reconnu quelques-unes qu'il y avait autour de chez moi, mais pas beaucoup.

— Vous feriez confiance à un Indien à propos de médecine?

— Pourquoi pas? Ils vivent ici depuis plus longtemps que moi.

— Vous êtes la pire dame du Sud que j'aie jamais connue.

— Probablement parce que je ne suis pas une dame du Sud, rétorqua-t-elle.

Caleb sourit légèrement.

— Je ne pourrais pas le dire par l'accent. Vous écouter, c'est comme lécher du miel sur une cuillère.

— Seulement parce que je n'ai pas une voix graveleuse comme le fond d'une rivière…

— Vous pourrez m'insulter une autre fois, dit-il en l'interrompant. Nous avons des choses plus importantes à faire en ce moment.

Avec des gestes vifs, Caleb lança les couvertures que Wolfe lui avait données sur la bâche, posa sa selle comme un oreiller et se glissa dans le lit improvisé.

Willow regarda autour et ne vit pas d'autres couvertures.

— Où est mon lit?

— Au même endroit que la nuit dernière, répondit-il en soulevant les couvertures et en indiquant la moitié vide du lit. Ici.

Elle parut aussi secouée qu'elle l'était réellement.

— J'ai dormi à côté de vous?

— Bien sûr.

— Mais je… je ne m'en souviens pas.

— Vous étiez si fatiguée que vous n'auriez rien remarqué si un bison s'était couché près de vous et avait ronflé à votre oreille, dit Caleb. Maintenant, vous pouvez dormir à côté de moi et rester au chaud ou dormir seule et avoir froid. À vous de choisir, chère dame. Quoi que vous décidiez, éteignez le feu après avoir changé de vêtements.

Avant que Willow puisse songer à une réponse convenable, Caleb abaissa son chapeau sur ses yeux, la faisant taire. En l'espace de quelques instants, sa respiration changea, se faisant plus lente et plus profonde.

Willow l'observa pendant un moment, voyant sa poitrine se soulever et s'abaisser régulièrement à chacune de ses respirations. Même s'il semblait endormi, elle songea à aller dans les buissons pour s'habiller, mais elle hésitait à s'y rendre avec les vêtements merveilleusement secs. De plus, elle aurait froid si elle s'éloignait du feu.

— Caleb? murmura-t-elle.

Il ne répondit pas ni ne bougea.

Willow prit brusquement sa décision. Avec des mouvements lents et silencieux pour éviter de réveiller Caleb, elle retira ses bottes et déposa les vêtements sur la partie de la bâche qu'il avait laissée vide. Tirant les caleçons longs des vêtements entremêlés, elle tourna le dos et laissa s'ouvrir la couverture qu'elle portait. En tâtonnant légèrement, elle dénoua les rubans qui serraient la culotte autour de sa taille. Le mince coton descendit le long de ses jambes et atteignit ses chevilles, qui se trouvaient sous la couverture, puis elle enfila les caleçons longs sans laisser tomber complètement la couverture.

Ce n'était pas facile. La précédente propriétaire du sous-vêtement était plus petite que Willow. Ce qui aurait dû constituer un vêtement lâche la couvrait comme une deuxième peau souple. Le haut à manches longues était aussi serré que le bas. Le résultat n'était pas inconfortable ; seulement inattendu.

Pour Caleb, c'était un spectacle à couper le souffle, surtout quand Willow en eut assez de lutter avec la couverture et la laissa tomber pour enfiler le haut du sous-vêtement. Quand elle eut terminé, elle fit courir ses mains sur la flanelle douce et chaude et laissa échapper un son de plaisir.

Caleb serra les dents. Il aurait beaucoup donné pour faire courir ses mains sur le même tissu et entendre Willow murmurer de plaisir en réaction à ses caresses. À contrecœur, il ferma les yeux et roula sur le côté sans faire de bruit, tournant le dos à Willow. Elle ne remarqua pas son changement de position quand elle se pencha pour éprouver de nouveau les nouveaux vêtements, car la sensation que lui procuraient les pantalons de peau de daim l'enchantait. Ils étaient plus doux que le velours et souples comme le vent.

Laissant de nouveau échapper un murmure de plaisir, Willow passa sa main sur les pantalons avant de les enfiler par-dessus les caleçons longs. Encore une fois, ils étaient serrés sans être inconfortables. Le haut, avec ses franges pour évacuer la pluie et ses dentelles descendant sur ses seins, était aussi doux que les pantalons et lui allait tout aussi bien. Comme les sous-vêtements, les peaux de daim dégageaient l'odeur du sachet de pétales de rose qu'on avait glissé dans leurs replis. Elle fit quelques pas hésitants avec l'impression qu'elle pourrait s'envoler sans le poids habituel de ses jupons trempés. La liberté de mouvement que les pantalons lui donnaient était presque saisissante.

Mère perdrait connaissance si elle me voyait en pantalons, songea Willow avec un mélange d'amusement et de tristesse. *Mais nécessité fait loi.*

De plus, les pantalons sont chauds et me couvrent tout autant qu'une jupe. C'est simplement qu'ils ne me couvrent pas tout à fait de la même façon.

Il ne restait plus que les jeans et la veste de bûcheron en laine avec ses gros carreaux rouges et noirs. Les jeans étaient plus lâches que les autres vêtements, tout comme la veste. Le derringer se plaçait si bien dans une des larges poches du devant de la veste que Willow l'y laissa. La braguette des jeans la surprit pendant un moment, puis ses doigts entreprirent d'attacher les boutons d'acier récalcitrants. Finalement, elle enfouit ses bras dans les manches de la veste. Celle-ci avait été taillée pour un homme plutôt que pour une femme, ce qui signifiait que les boutons étaient du mauvais côté. Les jeans et le blouson avaient tous deux été assez usés pour qu'ils deviennent souples.

Elle prit le chapeau à large bord gris perle qui avait été roulé parmi les vêtements. Avec quelques coups de la main, elle lui rendit sa forme. Elle le posa sur sa tête, attacha les lanières sous son menton et souhaita avoir un miroir.

— Il vaut peut-être mieux que je n'en aie pas, marmonna-t-elle doucement. Mes cheveux doivent ressembler à des herbes dans une rivière.

Willow commença à éprouver la chaleur des vêtements, et elle se rendit compte qu'il y avait longtemps qu'elle n'avait pas été au sec. Elle jeta un coup d'œil presque craintif au ciel. Il n'y avait pas de nuages, mais cela ne garantissait pas qu'il n'allait pas pleuvoir plus tard. À la tombée du jour, les nuages pourraient facilement descendre des sommets et provoquer une averse après l'autre.

Le vent émit un long sifflement solitaire, lui rappelant la nuit glaciale qu'elle avait endurée. Des étincelles jaillirent du feu. Elle écarta rapidement les branches, et le feu s'éteignit. Tandis qu'elle rassemblait les cendres sur les quelques tisons, elle regretta la perte de chaleur. Elle regarda l'étroite bande de bâche qui restait, constatant encore une fois à quel point Caleb Black était un colosse. La pensée était décourageante, mais pas aussi consternante que l'idée de se coucher sur le sol froid et humide dans ses vêtements secs.

Sans bouger plus que nécessaire, elle retira son chapeau, sa veste et ses jeans, s'agenouilla sur la bâche et se glissa sous les couvertures. La sensation du corps de Caleb si près du sien était au départ troublante, mais quand il ne parut pas être conscient de sa présence, Willow se détendit, savourant la chaleur qui irradiait de lui. Avec un long soupir, elle s'endormit.

Il fallut beaucoup plus de temps à Caleb pour ce faire, mais lui aussi tomba finalement endormi. Comme il en avait l'habitude, il se réveilla régulièrement, écoutant les petits bruits autour de lui avant de se rendormir. À un certain moment, quelque part entre la veille et le sommeil, il découvrit qu'il avait passé son bras autour de Willow, la tête de celle-ci blottie contre son épaule et son bras étendu sur sa poitrine. En souriant, il remonta la couverture par-dessus leur tête, créant un monde obscur dont les seuls habitants étaient lui-même et la fille qui dormait de manière si confiante dans ses bras. Tandis qu'il se rendormait, l'odeur des pétales de rose l'envahit, des vestiges de vêtements portés jadis par l'aristocratie britannique.

La dernière fois que Caleb se réveilla, le ravin était rempli de la lumière oblique de la fin de l'après-midi, et Willow était blottie en cuillère contre lui. Tous deux gisaient sur leur côté gauche. Son bras entourait la taille de Willow en la serrant. La lourdeur chaleureuse de ses hanches intimement nichées dans son giron eut un effet prévisible sur son corps. Complètement immobile, sauf en ce qui concernait la course folle de son sang dans ses veines, Caleb se récita toutes les raisons pour lesquelles il serait un parfait idiot en glissant ses mains sous les vêtements de Willow pour découvrir si ses mamelons se raidissaient autant sous les caresses d'un homme que sous la pluie glaciale. Aucune des raisons de maîtriser ses mains ne semblait aussi bonne dans la semi-obscurité intime sous les couvertures qu'elles l'avaient semblé quand il était complètement éveillé.

Du calme, soldat, se conseilla-t-il avec rage. *Elle est peut-être mariée. Et même si elle ne l'est pas, c'est une femme seule sur une terre immense et vide. Je ne vais pas faire en sorte qu'elle puisse dire que j'ai profité d'elle. Si elle me désire, elle devra me regarder droit dans les yeux et me le dire carrément.*

Avant que son corps puisse l'emporter sur son cerveau, Caleb roula hors du nid invitant de couvertures à l'odeur de rose. Willow murmura d'une voix ensommeillée et se tourna, cherchant la chaleur qui avait été si proche un moment auparavant.

— Réveillez-vous, dit Caleb en enfilant ses bottes. Nous ne sommes pas dans un hôtel chic. Si vous voulez votre petit déjeuner, vous devrez travailler pour l'obtenir.

Les yeux noisette s'ouvrirent et l'observèrent de sous de longs cils épais. Willow bâilla, courba la langue comme un chaton, puis soupira. Caleb la regarda de nouveau.

— Je suis sérieux, dame du Sud. Quand je vais revenir après avoir surveillé les environs, il vaudrait mieux qu'il y ait un feu d'allumé et de l'eau fraîche dans la cafetière. Votre étalon profiterait d'un brossage. Si vous n'avez pas d'étrille dans votre gros sac de voyage, vous en trouverez une dans ma sacoche de selle.

— Je vous souhaite le bonjour aussi.

Willow attendit que Caleb se soit éloigné pour rejeter les couvertures, puis elle enfila ses bottes et commença à préparer le feu. La nouvelle liberté de mouvement qu'offrait le pantalon ne cessait de la surprendre.

L'air était chaud, agité seulement de temps en temps par une brise. Des oiseaux chantaient à travers le ravin et ne se turent qu'au moment où Willow se rendit à l'étroit ruisseau. Il y avait des nuages dans le ciel, et certains étaient noirs à leur base.

— Peut-être qu'il ne pleuvra pas ce soir, se dit Willow à haute voix sur un ton mélancolique.

Elle n'entendit pour toute réponse que le bruissement des feuilles soulevées par le vent. Avec un soupir, elle fit son pèlerinage dans un taillis dense où elle découvrit une lacune de ses nouveaux vêtements. Contrairement à la culotte, les caleçons longs étaient cousus à l'entre-jambes. Ça n'aurait causé aucun inconvénient particulier pour un homme souhaitant se soulager, mais pour une femme, ça signifiait se débarrasser de chaque pièce de vêtement. En grognant, Willow exposa ses fesses au vent espiègle.

Quand elle revint au campement, elle grommelait encore à voix basse à propos des vêtements d'homme sur un corps de femme. Elle fut tentée d'allumer le feu, mais se retint. Si Caleb l'avait voulu, il l'aurait dit. Willow, quant à elle, avait vécu dans la peur pendant de trop nombreuses années pour avoir l'imprudence de démarrer des feux qui annonçaient sa présence à quiconque pourrait la voir ou sentir la fumée.

Elle commença à mettre de l'ordre dans le camp, secouant et roulant les couvertures, empilant des brindilles près du feu et allant chercher de l'eau fraîche. Quand cela fut fait, elle trouva l'étrille de Caleb et alla s'occuper des chevaux. Deuce et Trey apprécièrent son attention sans renâcler parce qu'il n'y avait plus maintenant d'amples vêtements pour leur faire peur. Ishmael se comporta en gentilhomme, comme toujours. Willow brossait Penny, une des petites juments alezanes, quand le pur-sang arabe hennit et regarda par-dessus son épaule. Ce n'est qu'à ce moment qu'elle se rendit compte que Caleb était debout à quelques pas, l'observant sans sourciller de ses yeux dorés.

Soudain, Willow se demanda ce qu'il pensait d'elle alors qu'elle était vêtue de peau de daim comme un Indien, ses cheveux lâches lui descendant jusqu'aux hanches. Mais si Caleb avait remarqué le changement de vêtements, il ne dit rien, et il ne fixa pas non plus les jambes qu'elle n'avait jamais auparavant exposées d'une pareille façon devant un homme.

— Est-ce que mes chevaux se sont montrés réticents ? fit-il en se demandant si Willow avait même songé à s'occuper de ses animaux.

Soulagée qu'il semble accepter ses vêtements sans émettre de commentaires, Willow répondit joyeusement :

— Trey et Deuce ont été tout à fait calmes pendant que je les étrillais. Ils ont soulevé chaque patte tour à tour et n'ont pas essayé de s'appuyer sur moi pendant que je nettoyais leurs sabots.

Caleb écarquilla légèrement les yeux en comprenant qu'elle avait réellement pris soin de ses chevaux. C'était presque autant un choc que le moment où il l'avait aperçue pour la première fois dans ses peaux de daim qui s'ajustaient à son corps comme une ombre pâle en révélant chaque courbe féminine. Il commença à penser que le fait qu'elle porte des pantalons avait été une mauvaise idée — pour lui, et non pour elle.

Et le haut qu'elle portait n'était guère mieux. Il soulevait ses seins de manière aussi adorable que les mains d'un homme.

— Un wagon de marchandises se dirige vers le sud à bonne vitesse, dit-il après un moment. Il vente de l'ouest. Si nous gardons le feu petit, personne sur le wagon n'en sentira l'odeur. Et quand la lune se lèvera, avec un vent froid dévalant les montagnes, nous serons heureux d'avoir une gourde de café et du pain froid.

Willow lui adressa un sourire.

— Pouvons-nous avoir du café maintenant aussi?

Le coin de la bouche de Caleb se courba presque involontairement tandis qu'il avouait :

— J'étais moi-même impatient d'en boire.

Quand Willow en eut terminé avec les chevaux, elle prit sa camisole et sa culotte puis les lava dans le petit ruisseau avec un morceau de savon qu'elle prit dans ses bagages. Avec précaution, elle secoua les vêtements et les étendit sur le rondin de peuplier près du feu en sachant que le mince tissu sècherait rapidement.

En silence, Caleb empila du bacon et du pain frit sur des assiettes fabriquées à partir de l'écorce du peuplier. Willow finit de verser le café dans la gourde, s'assit et commença à manger. Quand elle tendit une main vers un morceau de pain frit, Caleb sortit un petit pot de miel, un des nombreux petits luxes que Wolfe avait ajoutés au paquet.

— Merveilleux! s'exclama Willow.

— Ce n'est pas une raison pour prendre des libertés, répondit Caleb de but en blanc.

Quand elle comprit ce qu'il voulait dire, elle rougit et répliqua :

— Caleb Black, vous savez très bien que je parlais de ce qu'il y avait dans ce pot plutôt que de vous.

— Vous me blessez.

— Et moi, je suis Salomé des sept voiles, marmonna-t-elle[3].

Caleb jeta un bref coup d'œil à la camisole presque transparente et à la culotte de coton mince qui étaient étalées sur le rondin de peuplier.

— On dirait plutôt deux voiles, vu d'ici.

Willow se contenta de dire :

— Le miel, s'il vous plaît.

— Comment puis-je résister quand vous le demandez d'une si gentille façon? répondit-il en lui tendant le pot d'argile.

Elle émit un son qui était presque un rire. Le sourire qu'il lui lança la fit se sentir aussi légère que le feu. Pendant un instant frémissant, Willow se sentit de nouveau chez elle, dans la maison qui n'existait plus que dans ses souvenirs et ses rêves — la lueur du feu, ses parents, les taquineries de ses frères et les tours affectueux que jouait Matt à sa jeune sœur, qui le vénérait.

Silencieusement, elle versa un minuscule filet de miel sur le pain. L'épais liquide scintilla comme un rayon de soleil captif pendant qu'il s'infiltrait lentement dans le pain. Elle en lécha quelques gouttes avant d'enfoncer les dents dans ce délice inattendu. La saveur complexe du miel envahit sa bouche entière. Sans en être consciente, elle émit un petit son de plaisir du fond de sa gorge. Il y avait trois ans qu'elle n'avait pas dégusté de miel.

Caleb l'observa du coin de l'œil, se disant qu'elle ne faisait pas cela volontairement : se lécher les lèvres et sortir cette petite langue rapide pour rattraper des gouttes qui

---

3. N.d.T.: Dans le *Nouveau Testament*, Salomé exécute devant Hérode une danse sensuelle et lui demande en retour de lui apporter la tête de Saint-Jean-Baptiste sur un plateau.

tombaient. Elle n'essayait pas de se donner en spectacle à lui. Elle dégustait simplement le miel avec une intensité sensuelle qui l'excitait autant que le fait de la voir dans des sous-vêtements quasi-transparents.

Si Willow avait cherché à l'allumer, Caleb n'aurait eu aucune difficulté à l'ignorer ou à accepter son invitation, selon la façon dont il se sentait sur le moment. Mais elle ne lui transmettait pas d'invitation, ce qui le mettait réellement en désavantage. Il la désirait. Elle ne le désirait pas.

Ou si elle le désirait, elle le cachait mieux que n'importe quelle femme qu'il avait rencontrée.

C'est peut-être vraiment la femme de Reno. Ce ne sont pas tous les hommes qui achètent une alliance à leur femme.

Dans ce cas, pourquoi rougit-elle comme une enfant prise à voler des pommes chaque fois que je mentionne le mot « mari » ?

Il n'y avait pas d'autre réponse que celle qui était évidente : Reno n'était pas le mari de Willow.

Distraitement, Caleb toucha le médaillon qu'il gardait précieusement dans sa poche de montre, puis il regarda l'angle du soleil. Il ne restait que trois heures de jour. Moins si un orage survenait. Mais il ne semblait pas venter dans la bonne direction pour qu'un orage survienne. Il y aurait peut-être quelques averses ici et là, mais ce ne serait rien de comparable à ce qu'ils avaient affronté la nuit dernière ou la nuit précédente.

Avec une réticence qu'il ne comprenait pas, Caleb sortit le médaillon, l'ouvrit et examina les deux images à l'intérieur. D'après ce qu'avait dit Willow, elle connaissait mieux les parents de Reno que ses propres parents. Tout ce qu'il avait à faire, c'était lui montrer le médaillon. Si elle reconnaissait les photographies, elle était la femme de Reno. Sinon, elle ne l'était pas. Tout serait clair.

Montre-les-lui. Vois si elle est libre.

Et si elle ne l'est pas ?

La question le transperça comme un coup de couteau, lui révélant à quel point il désirait cette femme aux cheveux blonds et au rire merveilleux.

Tu ne convoiteras pas la femme de ton voisin.

C'était facile à dire, et c'était assez facile à respecter avant que Caleb rencontre Willow. Maintenant, il n'était plus certain de pouvoir obéir à la lettre — et encore moins à l'esprit — de l'antique loi.

Ce qu'on ignore ne fait pas de mal, n'est-ce pas ?

C'est faux, idiot. Ce que tu ignores peut…

— Qu'est-ce que c'est ? demanda Willow en interrompant le fil de ses pensées.

Il se tourna vers elle avec une soudaineté qui la fit tressaillir.

— Je suis désolée, dit-elle rapidement. Je ne voulais pas vous faire sursauter.

Caleb passa des yeux noisette de Willow aux deux ovales dorés du médaillon ouvert dans sa main. Deux visages rigides le regardaient. Avec une nonchalance difficile à soutenir, il tendit la main pour que Willow puisse voir les images.

— Ce n'est qu'un médaillon, dit-il en l'observant de près.

Willow se pencha et appuya le bout de ses doigts sur la chair à la base du pouce de Caleb. Il réagit à la légère pression en inclinant sa main pour qu'elle puisse mieux voir les images.

L'homme avait un visage ordinaire, des yeux pâles, des cheveux foncés, une moustache et les plus grandes oreilles que Willow ait jamais vues. La femme avait un visage ordinaire, des yeux pâles, des cheveux foncés, aucune moustache et les deuxièmes plus grandes oreilles que Willow ait jamais vues. Elle jeta un regard oblique vers Caleb en se demandant si le couple faisait partie de sa parenté, et elle ne vit aucune ressemblance avec eux dans les traits de son visage, dans la forme de ses yeux ou dans la courbe de sa bouche.

Et surtout, il n'y avait aucune ressemblance au niveau de ses oreilles.

Elle se racla la gorge, ravalant le rire qu'elle retenait à peine et murmura :

— Qui se ressemble…

Caleb souleva un coin de sa bouche d'un air dur.

— Oui, j'ai pensé la même chose quand j'ai vu les images pour la première fois.

— Alors, ces gens ne sont pas des parents à vous ? demanda prudemment Willow.

— J'allais vous demander la même chose.

Willow porta les mains à sa tête, puis écarta son épaisse chevelure de ses oreilles.

— Qu'en pensez-vous ?

Caleb pensa qu'il aurait aimé les mordiller, mais répondit seulement :

— Et votre mari ?

Luttant contre une rougeur coupable, Willow détourna les yeux.

— Les oreilles de Matt sont aussi plates que les miennes.

— Ce ne sont pas ses parents non plus, n'est-ce pas ? dit Caleb d'une voix qu'il voulait légère comme s'il la taquinait.

Willow secoua énergiquement sa tête blonde.

— Non, je n'ai jamais vu ces gens de toute ma vie.

— Vous en êtes certaine ? demanda-t-il en lui adressant un sourire lent, nonchalant.

— Pensez-vous que j'oublierais ces oreilles ?

Il rit doucement, appréciant bien davantage la vie qu'au moment où il s'était réveillé en désirant une femme qui aurait pu appartenir à un autre.

— Non, dame du Sud, je ne le pense pas. Je n'ai jamais vu d'aussi grandes oreilles sauf sur une mule du Missouri.

Willow se questionna sur la satisfaction évidente dans le sourire et la voix de Caleb, mais ne put s'empêcher d'y réagir. Elle rit doucement, ravie d'avoir contourné pendant quelques moments le caractère réservé de Caleb. Ce n'est qu'au moment où la main de Caleb se courba sur les siennes qu'elle se rendit compte que ses doigts reposaient encore sur la chair dure à la base de son pouce.

Willow éprouva soudain un sursaut de conscience qui se manifesta par un frisson de tout son corps. Elle s'écarta d'instinct. Sentant à la fois sa réaction et son inquiétude, Caleb relâcha les doigts de Willow d'un geste caressant qui soulignait sa force et sa retenue. Maintenant qu'il était raisonnablement certain de la situation conjugale de Willow, il était prêt à mener une campagne de séduction prudente, une campagne qui se terminerait au moment où elle afficherait son désir pour lui de manière éclatante.

Cela n'arriverait pas ce jour-là, ni peut-être même le surlendemain, mais cela arriverait. Le chasseur en lui était aussi sûr de sa réussite ultime qu'il l'était de trouver et de tuer l'homme surnommé Reno.

L'homme qui *n'*était *pas* le mari de Willow.

— Vous feriez mieux d'enfiler vos jeans, ma chère, lui dit Caleb en se levant et en mettant Willow sur pied d'un geste gracieux. Une longue et difficile chevauchée nous attend avant que nous soyons débarrassés de Slater et de sa bande.

Chapitre 6

L'obscurité était déjà descendue des sommets invisibles au moment où Willow se tenait près d'Ishmael en regardant d'un air incertain sa nouvelle selle. L'étalon n'avait pas rechigné. En fait, sauf au moment où il avait palpité des narines devant l'odeur qu'il ne connaissait pas, il n'avait pas semblé remarquer la moindre différence.

Mais Willow en remarqua une. Quand elle se pencha pour prendre la selle, elle la trouva si lourde qu'elle la laissa tomber. Caleb s'avança, prit la selle d'une main et la sangla sur le dos d'Ishmael.

— Montez.

Willow leva les yeux des mains que Caleb avait jointes pour lui faire un étrier improvisé. Il l'observait avec une curiosité virile qui l'étonna. Puis il cligna des yeux, éteignant les feux passionnés qu'elle sentait brûler derrière sa maîtrise de soi.

— Ne devrais-je pas apprendre à monter seule ? demanda Willow d'une voix rauque.

Caleb haussa les sourcils, haussa les épaules et s'écarta.

— Comme vous voulez.

Willow tint les rênes et la crinière de sa main gauche, leva très haut son pied gauche jusqu'à l'étrier et attrapa le pommeau de la selle avec sa main droite. À mi-chemin, elle s'arrêta, se souvenant qu'elle devrait passer sa jambe droite par-dessus le dos de l'étalon plutôt que par-dessus la corne de selle. Caleb la poussa heureusement du plat de la main, l'empêchant de pendre de l'étrier comme une décoration.

— Merci, marmonna Willow tandis qu'elle s'installait sur la selle, rougissant au souvenir de sa grande main sur ses fesses.

— Avec plaisir, répondit Caleb d'un ton grave.

Il dissimula son sourire pendant que Willow retirait son pied gauche de l'étrier. S'il l'entendit retenir son souffle quand sa main se referma sur sa cheville pour écarter sa jambe de l'étrier, il ne le montra pas.

— Je ferais mieux de descendre cet étrier de quelques crans. Je n'ai jamais vu Jessi, mais elle doit être encore plus petite que vous.

— Les joues de Willow s'empourprèrent davantage lorsqu'elle pensa au fait que ses deux premières couches de vêtements étaient serrées sur son corps.

— Je ne suis pas petite, maugréa-t-elle.

En souriant, Caleb passa sous le cou d'Ishmael, retira doucement le pied droit de Willow de l'étrier puis fit descendre celui-ci de deux crans, même s'il savait très bien qu'un cran aurait suffi. Quand il eut terminé, il plaça le pied de Willow dans l'étrier avec une attention qui frôlait la caresse.

— Levez-vous un peu, ma chère.

Willow obéit.

Caleb fit glisser sa main le long du cuir sous ses fesses pour vérifier l'espace qui se trouvait entre elle et la selle. Il n'y en avait pas assez pour que sa main se déplace librement, mais elle pouvait bouger.

Devant ce geste intime de Caleb, Willow respira brusquement pendant qu'elle se dressait sur le bout des pieds, ébahie.

— Caleb!

— Oui, je vois, dit-il d'un ton neutre. Je vais devoir remonter les étriers d'un cran. Rassoyez-vous.

Lentement, il retira sa main et se remit à ajuster l'étrier. Willow le regardait d'en haut. Elle ne voyait que le rebord noir de son chapeau. Petit à petit, son cœur se calma, et l'impression de ne plus pouvoir respirer s'évanouit. Elle prit une inspiration inégale et essaya d'oublier le moment étourdissant où elle avait senti la grande main de Caleb glisser sous ses jambes, provoquant des sensations déconcertantes dans tout son corps.

Il était impossible d'oublier.

— Redressez-vous encore.

— Je suis sûre que les étriers sont tout à fait b... bien, dit Willow d'un ton presque désespéré.

Sa voix basse et son air secoué étaient aussi excitants pour Caleb que l'avait été le poids léger de ses fesses contre sa paume. Il aurait voulu la sentir de nouveau, courber sa main contre la chaleur de son corps et la caresser jusqu'à ce qu'elle gémisse.

Mais elle ne lui demandait pas de faire ça. Elle lui demandait de *ne pas* la toucher.

— À votre guise, dit-il en se détournant. Mais ne venez pas vous plaindre si vous avez des marques sur votre joli derrière parce que vos étriers ne sont pas ajustés adéquatement.

Avant que Willow puisse songer à répondre quoi que ce soit, Caleb sauta sur Deuce d'un mouvement rapide, presque sauvage, et fit tourner son gros cheval noir. Ils suivirent le ravin vers l'ouest jusqu'à ce qu'il devienne trop étroit. La nuit était complètement tombée quand ils sortirent du repli de terrain. Une lune brillante éclairait le paysage, alternativement voilée et dévoilée par les nuages poussés par le vent.

Willow pouvait juste assez apercevoir les constellations entre les nuages pour savoir que Caleb se dirigeait vers l'ouest plutôt que vers le sud, comme ils l'avaient fait depuis Denver. Elle se dressa sur ses étriers pour tenter d'apercevoir les contreforts montagneux qu'elle n'avait jamais vraiment vus dans toute leur splendeur. L'obscurité et les nuages l'en empêchèrent.

Ishmael partit au petit galop, suivant les chevaux devant lui alors que Caleb les menait à l'abri des regards dans un autre petit ravin. Willow s'ajusta sans y penser à la nouvelle cadence. Il lui était plus facile de chevaucher à califourchon, surtout quand Ishmael trottait ou montait et descendait des pentes abruptes.

Après quelques heures, elle fut en mesure de garder automatiquement son équilibre, comme si elle avait toujours chevauché à califourchon. Toutefois, Caleb avait eu raison à propos d'une chose : la selle était effectivement plus dure que les fesses de Willow.

Soudain, le cheval de Caleb sortit de l'obscurité devant elle. Quand les deux chevaux se trouvèrent côte à côte, Caleb se pencha jusqu'à ce que ses lèvres se trouvent si près de la joue de Willow qu'elle sentit la chaleur de son souffle.

— Il y a une odeur de feu de camp tout près. Je vais aller jeter un coup d'œil. Tenez Trey jusqu'à ce que je revienne. Et ne laissez pas Ishmael commencer à s'énerver s'il sent d'autres chevaux.

Après lui avoir tendu les rênes du cheval de bât, Caleb disparut dans la pénombre.

Willow attendit avec un malaise croissant en ayant l'impression que les minutes passaient avec la lenteur de la glace fondant par une journée froide de printemps. Au moment même où elle pensait que quelque chose avait mal tourné, Caleb apparut devant elle aussi silencieux que la nuit elle-même. D'un geste, il lui fit signe de le suivre de nouveau dans le ravin, s'éloignant de ce qui se trouvait devant eux. Une centaine de mètres plus loin, Caleb fit tourner son cheval et vint rejoindre Willow.

— Un problème? demanda-t-elle très doucement.

D'un geste rapide, Caleb l'attira vers lui. Il parla d'une voix si basse que sa voix n'aurait pas été audible à trente centimètres.

— Deux hommes avec des vêtements sales, des armes propres et des chevaux rapides. Ils se vantaient de ce qu'ils allaient faire avec tout l'argent qu'ils vont tirer de la vente de vos foutus pur-sang.

L'un d'eux s'était même demandé si Willow vaudrait la peine qu'ils l'habituent à un autre type de selle, mais Caleb se tut à ce sujet. S'il n'avait pas abattu l'homme, c'était seulement parce que le son des coups de feu aurait pu être entendu de loin, et il ne pouvait être sûr qu'il n'y avait pas d'autres poursuivants campés tout près.

— Font-ils partie de la bande des Slater? demanda Willow.

— J'en doute. Ce sont des hommes du Nord. Slater vient autant du Sud que le coton.

Caleb dressa l'oreille pendant un moment, puis ajouta :

— Il y a un autre petit ravin à quelques centaines de mètres. Nous allons devoir descendre de cheval pour être moins visibles. Pouvez-vous marcher dans l'obscurité sans trébucher sur les ombres ? Il n'y a aucun vent pour masquer le bruit que nous faisons.

— Je suis passée en silence tout près de plusieurs soldats, dit Willow. Je me suis fait attraper une fois, et ça ne s'est jamais reproduit.

Caleb songea à ce qui avait pu arriver à une fille capturée par des soldats et sentit une rage froide l'envahir. Il se demanda si c'était pour cette raison que Willow était devenue ainsi ; une fille ne pouvait regagner sa virginité une fois qu'elle était perdue, peu importe la façon dont c'était arrivé. Et après la première fois, aucun homme ne pouvait savoir combien d'autres étaient passés avant lui, alors une fille pouvait tout aussi bien tirer le meilleur parti d'une mauvaise situation. Plus d'une veuve en avait fait autant.

D'un geste vif, Caleb se départit de son fusil de chasse et le déposa sur Willow de façon à ce que le canon pointe vers le bas. D'un simple geste, elle pourrait le mettre en position pour faire feu.

— Il est chargé, dit Caleb d'un ton sévère. Si un homme s'approche de vous, descendez-le sans hésiter. C'est compris ?

Surprise, Willow acquiesça. Elle entendit un faible son quand Caleb détacha la lanière qui retenait son revolver, puis le sortit et le remit dans son étui, s'assurant qu'il pouvait dégainer rapidement. Il dirigea son cheval vers une étroite bande d'ombre qui s'étirait sur la terre éclairée par la lune. Faisant marcher Deuce au pas, il avança avec une main sur sa ceinture de pistolet tandis que ses yeux surveillaient le terrain. Derrière lui, le son de six autres chevaux se fit entendre dans l'obscurité. Une brise légère agita l'air, mais elle était loin d'être suffisante pour couvrir le son de tant de sabots frappant le sol.

C'est comme essayer de faire passer en douce l'aube avant la nuit, pensa Caleb.

Il jeta un coup d'œil morne en direction du ciel. Les nuages ne s'épaississaient pas. La lumière projetée par la lune ne diminuait pas. Et le repli dans lequel ils s'enfonçaient était étroit et à peine creux d'un peu plus d'un mètre.

Pendant qu'il descendait de cheval, Caleb sortit son fusil à répétition de son étui. Portant l'arme dans sa main gauche, il s'avança sans bruit. Deuce le suivit sans se presser. Attachées ensemble comme elles l'étaient, les juments étaient si près l'une de l'autre qu'elles se marchaient presque sur les sabots. Inévitablement, elles faisaient plus de bruit que l'aurait fait un cheval marchant seul.

Il sembla à Willow que la moitié de la nuit s'était écoulée avant que Caleb revienne la soulever et la poser sur le dos d'Ishmael.

— Voulez-vous garder le fusil de chasse ? demanda-t-il à voix basse.

— Oui, s'il vous plaît. Si ça ne vous dérange pas…

— Je vais chercher son étui.

Quelques minutes plus tard, Caleb détourna les chevaux pour qu'ils aillent vers le nord à pas rapides. Quand ils se trouvèrent à bonne distance des deux hommes, il éperonna Deuce. Il maintint un petit trot aussi longtemps que la terre

et la lumière le permirent. Quand la clarté de la lune s'évanouit sous un couvert nuageux de plus en plus épais, il
adopta un trot rapide. Ce n'est qu'au moment où le terrain
devint plus abrupt qu'il se permit de diminuer la cadence.

Il ne laissa pas les chevaux se reposer une seule fois.
Avant que l'aube survienne, il voulait mettre le plus de distance possible entre Willow et les deux hommes qui s'étaient
reposés autour de leur petit feu de camp, écoutant les bruits
de la nuit avec une ouïe aiguisée par des années d'une vie de
hors-la-loi.

Pendant que s'écoulaient les heures d'obscurité, Willow
se tenait d'un air hébété à sa selle, se tenant en équilibre avec
le pommeau et les étriers, essayant de bouger avec Ishmael
plutôt que contre lui. Elle accueillit avec une joie immense le
premier signe de l'aube. Elle observa avec impatience chaque
indice de la transformation de la nuit en jour. Quand Caleb
se détourna de sa route et les conduisit jusqu'à un petit ruisseau, elle faillit pousser un grognement de plaisir à l'idée de
nourriture chaude et de la possibilité de s'étirer de tout son
long sur le sol. Elle descendit de cheval et se tint quelques
moments contre son patient étalon avant de commencer à
marcher lentement vers un bosquet voisin.

Caleb observa la rigidité des mouvements de Willow et
envisagea de s'arrêter un peu plus longtemps qu'il l'avait
prévu, mais il se souvint de la vigueur apparente des chevaux attachés près du feu de camp des deux hommes et sut
qu'il ne pouvait prendre ce risque. Ces chevaux avaient une
forte poitrine et de longues jambes, et ils étaient au sommet
de leur forme, capables de courir toute la journée. Ses propres
chevaux avaient déjà de dures journées derrière eux.

Après que Caleb eut déposé la selle de Willow sur une des juments alezanes, il prit son équipement sur ses propres chevaux et échangea sa selle de chevauchée contre la selle de bât. Quand Willow revint, il était de nouveau prêt à remonter en selle. En constatant qu'ils n'allaient pas camper après cette longue nuit de chevauchée, elle dut se mordre la lèvre pour s'empêcher de protester.

Quand elle essaya de remonter sur Ishmael, elle rata son coup. Avant qu'elle puisse essayer de nouveau, Caleb la souleva et la mit en selle.

— La seule façon que nous avons d'espérer garder une avance sur ces deux hommes, c'est de chevaucher plus longtemps qu'eux, expliqua-t-il en montant sur son propre cheval.

— Pensez-vous vraiment qu'ils nous aient entendus passer ? demanda Willow.

Il regarda ses yeux noisette, essayant d'évaluer sa force. La lumière de l'aube montrait les cernes sombres sous ses yeux qui témoignaient silencieusement de son épuisement.

— Deux chevaux auraient pu passer inaperçus près de ce campement — ou peut-être même trois, dit finalement Caleb. Mais sept ? Aucune chance. Aux premières lueurs du jour, ces hommes se mettront à chercher notre piste. Ça ne devrait pas leur prendre plus de 10 minutes pour la trouver. Le sol est humide, parfait pour retenir les empreintes. Sept chevaux laissent des traces que même un blanc-bec aveugle pourrait suivre. Ces hommes ne sont pas des blancs-becs. Ils sont capables de nous pister en chevauchant au galop.

Willow regarda ses chevaux et sut ce que Caleb omettait de lui dire. Sans les pur-sang arabes, ils auraient de bien meilleures chances d'échapper à toute poursuite. Le fait de mener tant de chevaux ralentissait la cadence tout en laissant un tas d'empreintes sur le sol.

— Notre seule chance de conserver une avance sur toute personne qui nous suit, poursuivit Caleb, c'est de chevaucher sans arrêt et de prier pour qu'un gros orage survienne et efface nos traces.

Il se retourna sur sa selle, glissa une main dans une sacoche et en tira un bandeau noir qu'il avait enroulé autour des restes de leur dernier repas.

— Voici ce qui reste de notre pain et de notre bacon, dit-il en lui lançant le tissu noué. Mangez quand vous en aurez l'occasion. Il y a de l'eau fraîche dans la gourde à votre selle.

— Qu'allez-vous manger?

— La même chose que vous quand vous aurez terminé ça. De la viande séchée.

Avant que Willow puisse ajouter quoi que ce soit, Caleb éperonna son cheval et partit au grand trot.

Le passage de la nuit au jour se fit si lentement que Willow n'était pas certaine de savoir quand la première se termina et l'autre commença. Les nuages s'étaient épaissis au point où la lumière du soleil ne projetait aucune ombre. On ne voyait des montagnes que des crêtes basses légèrement recouvertes de pins et surmontées par des nuages.

Le terrain s'éleva, et les nuages s'abaissèrent jusqu'à ce que quelques centaines de mètres seulement séparent les chevaux du ciel brumeux. La pluie tombait de temps en temps, mais jamais suffisamment pour effacer les signes laissés par le passage de sept chevaux tandis qu'ils grimpaient de plus en plus haut dans les premiers contre-forts des Rocheuses.

Petit à petit, les arbres se firent plus nombreux sur le flanc des collines. Ce n'étaient plus les peupliers que Willow s'était habituée à voir ici et là le long des cours d'eau, mais des conifères qui levaient leurs branches élégantes vers un ciel gris qu'on pouvait presque toucher. Les empreintes que laisseraient les chevaux sous les arbres seraient plus diffi-ciles à suivre. Cette idée la réconforta, mais seulement un peu.

Apparemment, elle ne réconforta pas du tout Caleb, car il garda un rythme rapide, ne laissant les chevaux se reposer qu'à de longs intervalles malgré le chemin escarpé. Les aiguilles de pin qui étaient tombées pendant des siècles atté-nuaient le bruit des sabots sur le sol, provoquant un silence qui était presque étrange pendant le passage des chevaux. À l'exception du craquement des selles et du hennissement occasionnel d'un cheval, le seul bruit que l'on pouvait entendre était un grondement distant et intermittent qui aurait pu être celui du tonnerre ou celui d'une chute dont le son était transporté par un vent imprévisible.

Et à un moment, Willow fut certaine d'avoir entendu des coups de feu.

À mesure qu'ils gagnaient de l'altitude, l'air devenait plus froid et plus agité. Le vent se mit à gémir régulièrement. Willow resserra les lanières de son chapeau sous son menton et se recroquevilla sur sa selle, penchée contre le froid. À travers les arbres, elle aperçut le sol qui devenait de plus en plus abrupt. Les chevaux respiraient plus profondément, à présent, travaillant plus dur même au pas. Finalement, ils atteignirent un sommet dont la partie supérieure était couronnée par des voiles de brume opaque et de la pluie.

Caleb tira d'une de ses sacoches une longue-vue en laiton étincelant et regarda le chemin qu'ils venaient de parcourir. Willow entraîna Ishmael près de Caleb. Elle eut le souffle coupé en constatant jusqu'où ils pouvaient voir le chemin parcouru à partir de cette hauteur. La terre semblait complètement déserte. Aucune fumée ne s'élevait des zones de forêt. Aucune piste de charrette n'était visible à travers les prés, et il n'y avait ni bâtisse, ni champ labouré, ni tronc d'arbre ou souche portant la marque d'une hache.

— Qu'est-ce que c'est? demanda-t-elle finalement en remarquant une ligne foncée dans l'herbe pâle d'un pré, 300 mètres plus bas.

— Sept chevaux qui aplatissent l'herbe, dit Caleb d'un air sombre. Même si ces deux cavaliers sont les plus mauvais pisteurs du monde, ils vont nous retrouver à chaque pré que nous traversons. Nous serons foutrement chanceux si nous réussissons à éviter les Utes[4] aussi. D'habitude, je n'ai aucun problème avec eux, mais d'habitude je ne traîne pas avec moi des chevaux qui valent une fortune.

— Je ne m'étais pas rendu compte… commença Willow, mais elle s'interrompit, consternée.

Rien de ce qu'elle avait vécu jusque-là ne l'avait préparée à une terre si peu fréquentée que des pistes étaient comme des signaux de feu brûlant jusqu'à ce qu'une forte pluie vienne les éteindre.

Caleb abaissa la longue-vue assez longtemps pour pouvoir regarder le visage inquiet de la jeune femme, qui se tenait si près de lui qu'il pouvait entendre sa respiration.

---

4. N.d.T.: Peuplade amérindienne vivant principalement dans l'Utah et le Colorado.

Dans la lumière du matin, ses yeux étaient presque argentés, avec seulement quelques indices des chaudes paillettes d'or et du bleu-vert brillant auquel il en était venu à s'attendre. Ses lèvres étaient d'un rose tendre, de la même teinte qu'avait imprimée le vent sur ses joues, et ses tresses étaient de la couleur du soleil absent. Il se demanda ce qu'il éprouverait en sentant ses cheveux tomber sur sa peau nue. Il réprima un juron devant ses désirs indisciplinés, rangea la longue-vue et éperonna de nouveau son cheval. Le chemin qu'il choisit les mena la plupart du temps à travers la forêt, leur permettant d'éviter les clairières et les prés que Willow trouvait si inattendus dans un paysage aussi sauvage. Autour d'eux, couronné de nuages, le terrain s'élevait de plus en plus à chaque kilomètre parcouru. Des ruisseaux tombaient en chute libre le long des pentes en un bouillonnement blanc.

Après quelque temps, il se mit à pleuvoir avec force. Au début, Willow se réjouit de l'averse en se disant qu'elle effacerait leurs traces, mais elle comprit vite qu'elle rendrait leur passage beaucoup plus lent et difficile. C'était une chose que de chevaucher à travers un orage dans un paysage de douces collines, mais c'en était une autre que de le faire dans un orage à travers un paysage rocailleux aux pentes abruptes.

Le lourd blouson de laine qu'elle portait la garda relativement au sec, mais à la longue, il devint aussi mouillé que ses jeans. L'eau ruisselait du rebord de son chapeau sur sa selle. Les branches basses des conifères ajoutaient à sa misère, créant des ruisseaux au moindre contact. De temps en temps, les troncs fantomatiques et minces de trembles apparaissaient à travers les conifères sombres. Les feuilles des trembles étaient d'un vert pâle sur le dessus et argentées dessous, et elles frémissaient sous chaque goutte de pluie. Souvent, les troncs se rapprochaient tant que Caleb évitait les bosquets chaque fois qu'il le pouvait, sachant que le cheval de bât et les juments auraient du mal à se faufiler dans l'espace restreint entre les arbres.

Un vent froid se mit à descendre la pente en gémissant et en déchirant les nuages. Willow le remarqua à peine, parce que la piste était devenue très escarpée pendant qu'ils contournaient l'épaulement d'une montagne. Il y avait un ruisseau en bas, vers la gauche. Il était invisible sous la pluie, mais Willow était certaine de sa présence. Les trombes d'eau qui dévalaient la montagne l'en assuraient.

Tout à coup, les nuages s'écartèrent devant eux. La lumière du soleil se répandit sur la terre, faisant étinceler les innombrables gouttes de pluie qui s'accrochaient aux arbres de la forêt.

Caleb leva les yeux, mais il était indifférent à la beauté qui l'entourait, parce qu'il savait ce qui allait venir et qu'il savait que Willow s'y opposerait. Mais il n'avait pas le choix. Il avait su que ce moment viendrait depuis qu'elle avait refusé de laisser ses chevaux à Denver et refusé une seconde fois de les laisser la nuit où il avait vu Wolfe Lonetree.

Avec détermination, il poussa son cheval jusqu'à l'orée d'une clairière dans la forêt. Il y avait de nombreux endroits semblables dans les Rocheuses, certains si hauts qu'il y poussait des lichens plutôt que de l'herbe. À l'affût de mouvements le long des pentes, Caleb attendit que Willow le rejoigne. De l'autre côté de la clairière, des cerfs l'observaient. Après l'avoir examiné de leurs grands yeux pendant quelques minutes, les gracieux animaux recommencèrent à brouter. Vert, étincelant de gouttes de pluie et avec un ruban d'eau cristalline traversant son centre luxuriant, le bassin herbeux était si beau que Willow émit un son de plaisir quand elle se rangea près de Caleb. Puis elle leva les yeux vers les sommets montagneux finalement libérés des nuages, et elle figea.

Les montagnes étaient stupéfiantes. Fouettés par la neige, balayés par les vents, nus dans leurs hauteurs de granit, les sommets dominaient le ciel autant que la terre. De toute sa vie, elle n'avait jamais rien vu de pareil.

— C'est comme si on voyait le visage de Dieu, dit-elle d'une voix tremblante.

L'émotion dans les yeux de Willow se reflétait dans ceux de Caleb. Il aimait les montagnes d'une façon toute particulière, et il avait au plus profond de lui-même le sentiment qu'il leur appartenait en même temps qu'elles lui appartenaient. Mais il comprenait les Rocheuses aussi profondément qu'il les aimait. Les montagnes étaient spéciales pour l'homme.

L'homme n'était pas spécial pour les montagnes.

Caleb descendit de cheval et commença aussitôt à attacher les rênes des juments autour de leurs cous, les soulageant de la pression incessante de leurs colliers.

— Est-ce qu'Ishmael a une jument préférée? demanda-t-il.

— Dove. L'alezane que vous conduisiez.

— Descendez. Je vais la seller pour vous, à moins que vous pensiez qu'Ishmael ne nous suive pas s'il n'est pas attaché.

— Je ne comprends pas.

— Je le sais.

Caleb n'aimait pas ce qu'il allait faire, mais cela ne changeait rien. Ce devait être fait.

— Vos pur-sang arabes sont résistants, rapides et bien dressés, poursuivit-il. Maintenant, nous allons découvrir s'ils sont futés. S'ils le sont, ils nous suivront sans être attachés, peu importe à quel point ils peuvent devenir fatigués ou à quel point la piste est difficile. S'ils ne sont pas futés… qu'il en soit ainsi, dit-il en haussant les épaules. Je ne vais pas nous laisser tuer pour des chevaux, aussi raffinés soient-ils.

— L'orage a certainement effacé nos traces, fit Willow d'un ton insistant. Nous serons capables de rester devant quiconque nous suit à moins qu'ils connaissent aussi bien la région que vous.

— Je doute qu'ils la connaissent autant, mais le fait qu'ils connaissent les hauts cols peu utilisés n'a simplement pas d'importance.

— Quoi?

— Ça n'a pas d'importance, répéta catégoriquement Caleb. Nous en avons fini de tirer des chevaux. C'est beaucoup trop dangereux. À partir d'ici, la piste va devenir difficile.

— Elle va *devenir* difficile? fit Willow d'un air renversé.

— C'est vrai, dame du Sud, dit-il en lui jetant un regard de défiance. Ce que nous venons de traverser ne représente que quelques bosses au milieu d'une série de vallées et de clairières. Rien de particulier. Un cheval peut perdre pied, s'affaisser, se blesser légèrement, se relever et poursuivre la route.

Caleb retira son chapeau, se passa la main dans les cheveux et remit le chapeau en place.

— C'est différent où nous allons. Là-bas, perdre pied vous coûtera la vie, et il y a des endroits où vous pourriez hurler longtemps avant d'atteindre le fond.

Willow se détourna et regarda ses chevaux. L'altitude et les journées de dures chevauchées les avaient tous affectés. Ils étaient plus maigres et moins alertes, et ils broutaient avec appétit toute l'herbe rare qu'ils pouvaient atteindre. Les chevaux arabes étaient robustes et pleins de bonne volonté, mais ils étaient accablés. Et Willow l'était aussi, même si elle n'avait pas fait grand-chose à part s'accrocher.

Elle ne dit rien et regarda la clairière ainsi que les magnifiques sommets qui bloquaient le ciel où qu'elle se tourne.

— Y a-t-il vraiment une façon de les traverser? murmura-t-elle.

— Oui. Ça ne saute pas aux yeux de là où nous sommes, mais c'est tout à fait possible. Le problème, ce n'est pas de trouver la route. C'est d'y arriver avant que les deux chasseurs de primes nous aient rejoints.

Willow examina le visage de Caleb de ses yeux noisette.

— Vous ne pensez pas que la pluie a effacé nos traces?

— Peut-être, peut-être pas. Tout dépend de leur talent en tant que pisteurs. Ce n'est pas une chose sur laquelle je parierais votre vie.

Willow ferma les yeux pour éviter de montrer à quel point elle avait du mal à garder sa contenance. Elle aurait pu débattre avec Caleb, mais elle savait que cela n'aurait servi à rien. Elle avait refusé d'abandonner ses chevaux, et maintenant, elle devait vivre avec les conséquences de son refus.

Au moins, il y avait aux alentours de la nourriture naturelle en abondance. Même si les pur-sang ne suivaient pas sans être menés, ils ne mourraient pas de faim. Matt et elle pourraient revenir les chercher.

Willow s'accrocha à cette pensée tandis qu'elle descendait de cheval.

— Je vais chercher Dove.

Caleb observa de dessous le rebord de son chapeau pendant que Willow se déplaçait parmi ses juments, touchant l'une et l'autre, leur parlant à voix basse, caressant leurs flancs chauds et lustrés. Il s'était attendu à ce qu'elle fasse une crise, mais ce n'était pas arrivé. Elle avait regardé les sommets, l'avait regardé, lui, avec des yeux qui l'avaient fait souffrir, puis elle était descendue de son étalon et s'était mise à faire ce qui devait être fait.

Il fallut à Caleb un long moment pour installer la selle sur le dos de Dove. Malgré l'attitude et la difficulté de la piste, la jument avait gardé suffisamment d'énergie pour mâchouiller joyeusement la manche de son manteau. Il sourit et écarta ses naseaux, qui revinrent immédiatement. Pendant qu'il fixait minutieusement la selle, Dove renâcla en sentant l'épaisse pelisse laineuse qui bordait son manteau de laine de mouton.

— Tu ressembles à ta maîtresse, dit Caleb en caressant le museau velouté de la jument. Petite, mais partante.

— Je ne suis pas petite, fit Willow derrière lui.

Il pivota et prit son menton dans la paume de sa main, tournant doucement son visage vers lui.

— Si Ishmael ne veut pas nous suivre, voulez-vous le monter plutôt que Dove?

Willow savait ce que demandait Caleb sans l'exprimer clairement : si les chevaux ne parvenaient pas à les suivre, lequel voudrait-elle épargner?

Elle ferma les yeux. Pendant un moment, ses longs cils battirent contre ses joues alors qu'elle essayait de maîtriser ses pleurs.

— Ou... oui, répondit-elle brusquement en se tournant sans croiser le regard de Caleb. Ishmael.

— Ce serait mieux ainsi, acquiesça-t-il. Il y a des chevaux sauvages alentour. Les juments ne resteront pas seules longtemps. Un étalon fera monter sa horde ici pour brouter pendant l'été. Il prendra soin de vos juments. Ishmael ferait de son mieux, mais il a été élevé dans un enclos. Il ne connaît ni la neige en altitude ni les couguars.

Willow acquiesça de la tête sans mot dire.

Caleb joignit ses mains pour former un étrier.

— Il est temps de partir.

Elle aurait voulu lui dire qu'elle pouvait monter sans son aide, mais cela lui aurait demandé trop d'effort. Elle posa son pied dans ses mains et grimpa rapidement en selle.

La clairière se trouvait loin derrière eux quand Caleb s'arrêta à un petit ruisseau et regarda derrière lui pour voir si les pur-sang suivaient. Il fit une moue quand il s'aperçut que Willow s'était placée au sixième rang pour garder les juments entre elle et le cheval de bât, laissant Ishmael fermer la colonne.

Silencieusement, Caleb s'avoua que les juments suivaient assez bien, mais cela ne faisait pas en sorte qu'il aimait davantage la position de Willow à long terme. La transformation d'Ishmael apaisait quelque peu son inquiétude. L'étalon n'avait pas rechigné en n'étant plus attaché à l'avant. Il marchait comme un cheval sur des ressorts, se tassant d'un côté et de l'autre quand la piste le permettait, humant chaque brise et se conduisant de manière générale comme un étalon sauvage surveillant sa horde. La moindre pensée que pouvait avoir une jument de se traîner les pieds s'évanouissait quand Ishmael penchait les oreilles vers l'arrière et menaçait de mordiller le flanc de la bête.

Quand les juments rattrapèrent Caleb, elles se rangèrent le long de son cheval et burent avidement. Il prit une poignée de viande séchée dans sa sacoche de selle et la tendit à Willow.

— Quand nous allons partir d'ici, chevauchez juste derrière moi, dit Caleb. Les hommes qui nous pistent pourraient nous rattraper n'importe quand d'ici au coucher de soleil.

Willow se mordit les lèvres et regarda ses juments.

— Ne vous inquiétez pas, dit Caleb. Votre étalon s'occupera de ses juments. C'est un cheval extraordinaire. N'importe quel autre cheval d'enclos traînerait derrière maintenant. Pas celui-là. Il a encore des éclairs dans les yeux et du tonnerre dans les sabots. Ce serait intéressant de l'accoupler à une de mes juments du Montana et de voir ce qui en résulterait.

Willow regarda Deuce et Trey, et un petit sourire se dessina sur ses lèvres.

— Euh… je ne sais pas comment vous dire ça, Caleb, mais vos chevaux du Montana sont des hongres, et non des juments.

Caleb lui lança un regard incrédule, puis éclata de rire. Ce sursaut de bonne humeur en elle était aussi inattendu que la résistance des pur-sang. Il se pencha vers l'avant et caressa doucement une de ses tresses dorées.

— Comment connaissez-vous la différence ? demanda Caleb en souriant. Dites-moi, ma chère.

Willow rit et rougit en même temps.

Son rire cristallin se mêla aux murmures du ruisseau et aux soupirs du vent, devenant une partie de la beauté de cette terre sauvage. Quelque chose bougea en lui, quelque chose ressemblant de près à l'émotion qu'il avait éprouvée la première fois qu'il avait vu les lointains sommets des Rocheuses et su qu'il était né pour vivre parmi eux. Lentement, Caleb laissa glisser entre ses doigts la tresse dorée de Willow en se disant qu'il aurait dû retirer ses gants pour pouvoir sentir la texture soyeuse de ses cheveux. Quand il parla à nouveau, sa voix était profonde, presque dure.

— Si vous ralentissez en empêchant vos juments de me suivre, je vais revenir vous chercher. Et alors, vous devrez en payer le prix.

Avant que Willow puisse répondre, Caleb éperonna son grand cheval et traversa le pré au trot.

Le terrain recommença à s'élever abruptement au bout de la clairière, forçant les chevaux à grimper jusqu'à ce que Willow soit certaine que sa tête allait frôler les nuages. Leur cadence ralentit jusqu'au pas. Willow se rendit compte qu'elle regardait sans cesse par-dessus son épaule, s'attendant plus ou moins à voir apparaître des cavaliers sur des chevaux noirs.

Midi vint et passa inaperçu. L'épaulement de terrain qu'ils grimpaient était si abrupt que Caleb devait faire de longs zigzags. Même les chevaux du Montana semblaient essoufflés et avançaient par petits pas, car les pierres détachées et les débris de conifères rendaient l'équilibre précaire. Dans les replis de terrain, il y avait de minuscules ruisseaux rapides, des saules rabougris et des trembles si minces et souples qu'ils ressemblaient à des flammes vertes scintillant sur des mèches blanches.

S'il y avait un col quelque part devant eux, Willow n'en voyait aucun signe. Le sommet dont ils grimpaient les flancs s'étendait de plus en plus haut jusqu'à ce qu'il soit baigné de brume. Des couloirs d'avalanche bordés de buissons bas et sombres et de jeunes plants de peupliers marquaient le flanc de la montagne. Sous le couvert de nuages, d'autres sommets s'alignaient non loin comme des cartes étalées dans les mains d'un parieur. Il n'y avait ni vallées invitantes, ni morcellements entre les projections de pierres, ni fractures visibles dans les remparts rocheux. De plus en plus souvent, la piste que suivait Caleb les menait à travers des étendues de pierres brisées si nues que seules poussaient des mauvaises herbes projetant des reflets vers le ciel sombre. Finalement, il n'y eut que de la pierre — rien d'autre que de la roche brisée et un simple bosquet d'épinettes noires et de peupliers blancs poussant devant eux dans un repli de terrain abrité.

Sous Willow, Dove respirait difficilement. Pour la centième fois, elle réprima l'envie de demander que cesse cette ascension jusqu'à ce que Dove puisse de nouveau respirer facilement.

Caleb n'est pas un homme cruel. Il voit bien comment Dove a du mal à me porter. S'il pensait que nous pourrions nous arrêter sans danger, il le ferait.

Willow se répéta ces paroles pendant l'heure qu'il fallut aux chevaux pour grimper la piste raide jusqu'à un petit groupe d'arbres poussant à travers les rochers. Aussitôt que Caleb atteignit le bosquet, il descendit de cheval, retira ses bottes et enfila de hauts mocassins.

Quand Dove le rattrapa, il avait sorti son fusil à répétition de son étui et en vérifiait le mécanisme de tir pour s'assurer qu'aucune humidité n'y avait pénétré pendant le trajet. Il avait glissé ses gants dans la poche de son manteau, et malgré l'air froid, ses doigts nus étaient rapides et efficaces tandis qu'il s'occupait du fusil. Quand il leva les yeux, il n'y avait pas davantage de réconfort dans ses yeux qu'il y en avait dans le reflet glacial du canon de son arme.

— Comment réagissent vos chevaux aux coups de feu? demanda-t-il.

— Ils s'y sont habitués pendant la guerre. Nous arrêtons-nous finalement?

— Nous n'avons pas le choix. Il nous a fallu une demi-heure pour progresser de quatre kilomètres et nous élever de 200 mètres. Il nous reste encore 300 mètres à grimper. Vos juments n'y parviendront pas sans se reposer.

Willow ne dit rien.

— Je vais surveiller la piste que nous venons de franchir, poursuivit Caleb. Reposez-vous aussi. Vous donnez l'impression qu'une rafale pourrait vous emporter.

Il s'éloigna en se déplaçant sur les rochers sans une hésitation ou un bruit, car les semelles souples de ses mocassins lui permettaient de sentir si l'endroit où il posait le pied était sans danger avant qu'il y appuie tout son poids. Il marcha jusqu'à ce qu'il atteigne une petite pile de rochers qui le dissimulerait et lui donnerait une vue sans obstacle sur les parties visibles de la piste sous lui. Il s'installa derrière les rochers, appuya le canon du fusil entre deux rochers et commença à parcourir des yeux le paysage.

Quinze minutes s'écoulèrent avant qu'il entende la voix douce de Willow.

— Caleb? Où êtes-vous?

— Ici, répliqua-t-il.

Willow le rejoignit au milieu des rochers et découvrit que les larges épaules de Caleb laissaient très peu d'espace dans le nid de pierres.

— Pourquoi ne vous reposez-vous pas ? demanda-t-il.

— J'ai pensé que vous pourriez avoir soif.

Respirant rapidement après la courte marche, elle se glissa près de lui et lui tendit la gourde.

— Vous n'avez pas pris le temps de boire, ajouta-t-elle.

Il déboucha la gourde, la porta à ses lèvres et goûta la saveur alléchante d'un soupçon de menthe poivrée.

— Vous l'avez fait.

— Quoi ? demanda Willow en s'installant rapidement sur le sol rocailleux.

— Vous avez bu. Je peux le sentir sur ma langue.

Elle lui jeta un regard étonné.

— La menthe, dit-il simplement.

Le rouge lui monta aux joues quand elle se rendit compte de ce qu'il voulait dire.

— Je suis désolée, je ne…

Il posa le plat de son pouce contre ses lèvres, mettant fin aux excuses embarrassées.

— J'aime le goût que vous avez, Willow.

Pendant un moment, le silence fut si intense qu'elle crut que Caleb pouvait entendre les battements fous de son cœur. Ce qui aurait pu passer pour un sourire s'afficha aux coins de sa bouche. Il appuya davantage son pouce sur la lèvre inférieure de Willow en une caresse qui était aussi inattendue qu'elle était sensuelle. Puis il retira sa main, laissant la jeune femme désorientée. Il porta son pouce à ses lèvres, le goûta et sourit.

— De la menthe.

Willow prit une inspiration frémissante et s'interrogea sur les sensations qui la traversaient. La courbe blanche des dents de Caleb contre sa barbe noire était terriblement séduisante. L'or de ses yeux était un feu brûlant qui l'observait.

Caleb se détourna et prit la longue-vue dans sa poche de manteau, modifiant l'orientation de ses pensées de la manière la plus efficace à sa disposition. Il se mit à observer méthodiquement chaque partie de la piste qu'ils venaient de franchir. Après quelques moments, il émit un juron à voix basse. Loin en bas, un cavalier grimpait rapidement le même chemin qu'avaient emprunté Caleb et Willow. Même observé à l'aide de la longue-vue, il était si loin que Caleb ne pouvait l'identifier. Il attendit. Un autre homme émergea de la forêt. Lui aussi montait un grand cheval noir élancé. Caleb continua d'observer. Aucune autre silhouette n'apparut dans la lunette. Deux hommes, deux chevaux noirs qui montraient des signes d'avoir parcouru une longue distance. C'étaient les mêmes hommes qu'il avait vus la nuit dernière. Il en était aussi certain qu'il l'était de la présence de la longue-vue dans sa main.

— L'altitude les a un peu ralentis, mais pas suffisamment, dit-il.

— L'altitude?

— Nous sommes à plus de 2500 mètres d'altitude. C'est pourquoi vous êtes à bout de souffle après seulement quelques pas. L'effet est le même chez les chevaux jusqu'à ce qu'ils s'y habituent. Les miens sont des chevaux de montagne. Et les leurs aussi, mais pas les vôtres.

— Qu'allons-nous faire?

Caleb leva son fusil et posa son regard le long du canon. Les hommes étaient encore hors de portée, mais il n'abaissa pas son arme. Il se contenta d'attendre.

Willow vit une immobilité descendre sur Caleb, celle d'un chat qui bande les muscles et se concentre avant de bondir. Bien plus bas et sur la gauche, deux cavaliers traversaient la clairière à bonne vitesse. Caleb fit glisser une cartouche dans la culasse de son fusil et commença à suivre le second cavalier.

— Allez-vous les abattre sans même découvrir qui ils sont? demanda Willow d'une voix tendue.

— Je sais qui ils sont.

— Mais…

— Regardez plus haut sur la montagne, l'interrompit brusquement Caleb. Voyez-vous un quelconque abri, une place où pourrait se cacher une personne et encore sept chevaux si quelqu'un commence à tirer d'en bas?

— Non, répondit tristement Willow.

— Songez-y, dame du Sud. Quand nous quitterons ce bosquet, nous ferons des cibles parfaites.

Willow se prit les mains et essaya de ne pas trembler pendant que Caleb changeait très légèrement de position sans jamais quitter des yeux les hommes en dessous.

— Qu'en pensez-vous? demanda-t-il en observant toujours les deux hommes. Vous êtes prête à parier que ce sont deux enfants de chœur qui ont décidé comme ça de faire une longue chevauchée le long d'un col difficile et peu connu qui ne mène nulle part sauf à une autre longue chevauchée et à un autre col peu connu?

— Non, murmura-t-elle.

Caleb sourit sombrement.

— Ne soyez pas si malheureuse, ma chère. À cette distance, je serai chanceux si je peux simplement les effrayer.

Il orienta le canon vers le deuxième homme, mais ne relâcha pas son doigt sur la détente.

— J'aimerais tellement que Wolfe soit ici, poursuivit-il. Cet homme fait des merveilles avec un fusil.

Une bruine commença à tomber tandis que les deux cavaliers disparaissaient dans la forêt entourant la clairière. S'ils suivaient les pistes, ils allaient émerger de nouveau au bas de la pente dans 20 minutes. Caleb abaissa le fusil et se tourna vers Willow.

— Vous feriez mieux de retourner au bosquet, dit-il. Si l'un d'eux possède un fusil à gros calibre, la situation pourrait devenir mouvementée ici.

— À cette distance?

— J'ai vu des hommes se faire tuer à une distance de 600 mètres avec une pareille arme, et j'ai entendu dire que d'autres avaient été tués à 800 mètres.

— À quelle distance sommes-nous de la clairière? demanda Willow.

— À moins de 300 mètres à la verticale. Là où ils vont émerger des arbres, ils seront peut-être à 600 mètres. Ça ne représenterait pas un problème pour eux, mais je ne suis que moyennement bon avec une arme d'épaule. Allez-y, ma chère.

Willow commença à se remettre sur pied, mais Caleb la saisit immédiatement et la fit se rasseoir.

— Ces foutus imbéciles viennent directement vers nous! Ils doivent avoir peur de nous perdre dans la pluie!

Les deux hommes sortirent du boisé à environ 900 mètres, éperonnant leurs chevaux et grimpant en diagonale le long de l'embouchure d'un couloir d'avalanche. Caleb suivit le deuxième homme avec le fusil, mais ne tira pas. Ils allaient devoir zigzaguer plusieurs fois avant d'atteindre le couvert des arbres où étaient cachés les sept chevaux. En marchant à une allure normale, il leur faudrait une demi-heure pour grimper jusqu'où se trouvaient Caleb et Willow et pourtant ils se trouvaient à moins de 900 mètres à distance de tir, et ils approchaient rapidement.

— Gardez la tête baissée, ordonna Caleb.

Accroupie parmi les pierres froides, Willow regarda la seule chose qu'elle pouvait voir : Caleb Black. Il était à la fois immobile et détendu pendant qu'il tenait l'arme avec aisance en attendant que les deux hommes se rapprochent. Il avait les yeux d'un oiseau de proie, concentrés et clairs. Ni ses mains ni son visage n'affichaient une quelconque tension. Willow se demanda combien de fois il avait attendu ainsi pendant la guerre, complètement immobile, regardant des proies qui étaient aussi des hommes s'approcher un peu plus à chaque instant.

Visant bas afin de contrebalancer la pente abrupte, Caleb plissa les yeux dans le voile mouvant de la pluie et pressa la détente. L'arme bondit dans ses mains. Avant que l'écho se répercute sur le flanc de la montagne, il tira rapidement à répétition, faisant remonter les balles dans la culasse sans cesser de viser sa cible.

Le deuxième homme hurla et agrippa son bras droit. Le premier tira son fusil de son étui de selle, mais dut laisser tomber l'arme et se tenir des deux mains au pommeau de sa selle quand son cheval commença à plonger follement le long de la pente. Les balles sifflaient et ricochaient sur la pierre en envoyant voler des éclats autour des pattes des chevaux et en leur pinçant le ventre. Ils ruaient, glissaient sur leurs jarrets et luttaient avec entêtement contre leurs cavaliers, puis ils essayèrent de s'élancer pour redescendre le flanc de la montagne.

Jurant à voix basse parce qu'il avait raté un des hommes et n'avait pas réussi à blesser gravement l'autre, Caleb continuait de faire feu. Quand une balle siffla près de lui, le cavalier indemne éperonna sauvagement son cheval. Celui-ci paniqua, perdit pied et commença à dévaler la pente en culbutant. Le cavalier ne réussit pas à se dégager à temps des étriers. Quand le cheval regagna son équilibre et s'élança sur le flanc de la montagne, le cavalier resta étendu sur la pente rocheuse. Le deuxième cavalier le regarda, mais continua de monter, abandonnant son compagnon à son sort.

Caleb prit une longue inspiration, visa et pressa très doucement la détente. Le fusil bondit. Le cavalier qui fuyait tomba vers l'avant pendant un instant, puis lutta pour se redresser. Le cheval et son cavalier atteignirent le flanc boisé de la montagne avant que Caleb puisse tirer de nouveau. L'escarmouche avait duré moins d'une minute.

— *Merde !*

Le silence s'installa, semblant presque assourdissant après la fusillade. Willow leva les yeux et secoua la tête, étourdie par le nombre de fois que Caleb avait tiré. Elle avait entendu parler des fusils à répétition, mais elle n'en avait jamais vu un en action. Le nombre de balles qu'un homme pouvait tirer en un court laps de temps était terrifiant.

— Vous êtes une armée à vous seul avec ce fusil, dit-elle faiblement.

— Une sacrée armée, grommela Caleb en parcourant la pente des yeux tandis qu'il rechargeait méthodiquement le fusil. Je n'arriverais pas à atteindre une grange à 600 mètres.

— Dans cette lumière, vous seriez chanceux de *voir* la grange, dit Willow en changeant de position pour regarder au bas de la pente à travers un espace entre les rochers. Apparemment, vous avez atteint l'un d'eux.

— C'est sa stupidité qui l'a abattu ; pas moi. L'idiot a éperonné son cheval quand il était déjà suffisamment effrayé pour bondir par-dessus la lune. Le cheval est tombé et lui aussi.

— Est-il vivant ?

Caleb haussa les épaules et continua de scruter le flanc de la montagne par-dessus le canon de son fusil en essayant de repérer un quelconque mouvement d'un cheval ou celui d'un homme se déplaçant à l'orée de la forêt pour répliquer aux tirs de Caleb.

Le bruit de chevaux en pleine course monta jusqu'à eux, leur paraissant sourd après les détonations sèches et claires des coups de feu.

— Il est temps de partir, dit Caleb.

— Et lui ? demanda Willow en regardant le cavalier tombé.

— Il expie ses péchés. Laissez-le.

Chapitre 7

Caleb les conduisit le long de la pente humide à une cadence presque suicidaire. Même ses gros chevaux respiraient difficilement avant qu'ils dépassent la crête et commencent à descendre de l'autre côté. La forêt croissait plus haut sur ce versant de la montagne, enveloppant presque immédiatement Caleb et Willow. Les épinettes noires et les sapins se mêlèrent de nouveau aux trembles. La pluie diminua jusqu'à ne devenir qu'humidité. Une lueur fantomatique irradiait des troncs des peupliers.

Il y avait plusieurs sentiers possibles pour descendre de la montagne. Caleb ignora les plus évidents tandis qu'il s'empressait de contourner l'épaulement, zigzaguant dans les parties les plus escarpées en descendant toujours. Tout en chevauchant, il sortit le journal de son père et compara les points de repère à ceux que ce dernier avait notés.

Quand il décida finalement de faire un arrêt, Willow regarda le soleil d'un air hébété. Il restait encore plusieurs heures avant le crépuscule de ce qui était devenu la plus longue journée de sa vie. Elle était passée de l'épuisement à une sorte d'indifférence maussade. Il lui avait fallu plusieurs minutes pour se rendre compte du fait que Caleb avait disparu. Elle tira le fusil de chasse de son étui, s'agrippa au pommeau de sa selle et attendit qu'il émerge de l'entremêlement de forêts et de clairières.

La brume pâle et froide des hauteurs avait cédé la place à des nuages dispersés. Un vent incessant gémissait doucement à travers les conifères et faisait frémir les trembles avec un son semblable à une pluie lointaine. Quand le soleil apparut à travers les nuages, il brûlait d'une chaleur intense et pure, et Willow retira sa veste, délaça sa chemise de peau de daim et déboutonna discrètement la flanelle douce dessous pour permettre à la brise de la rafraîchir.

Le son doux et étrange de l'harmonica de Caleb prévint Willow de son retour. Soulagée, elle remit le fusil dans son étui et éperonna Dove. Caleb émergea de la forêt devant elle sur le dos de Trey. Il avait depuis longtemps retiré son blouson de peau de mouton et sa veste de cuir, et il avait aussi entrouvert sa chemise de laine.

— S'il y a quelqu'un dans les environs, il laisse moins de pistes qu'une ombre. Venez. D'après le journal de mon père, il y a un bon site de campement un peu plus loin.

— Allons-nous vraiment camper si tôt? demanda Willow en essayant sans succès de dissimuler l'espoir dans sa voix.

— Les pur-sang sont partants, mais ils ne sont pas habitués à l'altitude. Si nous ne les laissons pas se reposer, vous serez à pied à la même heure demain. Ce serait dommage, parce qu'à la même heure demain, nous allons avoir un terrible orage.

Willow scruta le ciel de ses yeux noisette hébétés. Il avait paru bien pire et n'avait déversé que quelques gouttes de pluie.

— Il va pleuvoir, dame du Sud. Si nous nous trouvions 300 mètres plus haut, il neigerait.

— De la neige ? demanda Willow en agitant inconsciemment sa chemise pour laisser entrer plus d'air frais.

— De la neige, répéta-t-il.

Ce que Caleb évita de dire, c'est qu'ils devraient poursuivre sans repos, car une tempête pouvait facilement fermer un ou plusieurs cols pendant une journée ou une semaine entre eux et la région des San Juan. Mais Willow lui paraissait trop pâle, presque translucide, et elle avait de profonds cernes sous les yeux.

Reno attend ma balle depuis tout ce temps, se dit-il. *Il peut attendre encore un peu. Ce qui est sûr, c'est que ça ne fera aucune différence pour Rebecca.*

Willow aperçut la moue amère sur la bouche de Caleb et ne dit rien de plus à propos de la température. Qu'il fasse soleil, qu'il neige ou qu'il pleuve, ça n'avait pas d'importance à ses yeux. Les chevaux avaient besoin de repos — et elle aussi. Elle ignorait de quoi était fait Caleb — de cuir brut et de granit, fort probablement —, mais même lui devait être fatigué après avoir voyagé constamment et peu dormi.

Une demi-heure plus tard, Caleb conduisit Willow dans le grand pré qu'avait noté son père. Des cerfs s'enfuirent en bondissant quand les cavaliers émergèrent de la forêt. Ce n'est que lorsqu'ils furent à l'autre extrémité de la clairière, dissimulés encore une fois par les arbres, que Caleb descendit de cheval et commença à y prendre son équipement.

Du coin de l'œil, il vit Willow passer péniblement sa jambe par-dessus la selle. Sachant ce qui allait se produire, il s'empressa d'aller la rejoindre. Les jambes de Willow cédèrent ; il tendit rapidement les mains et l'attrapa juste avant qu'elle frappe le sol.

— Doucement, dit Caleb en tenant Willow debout, un bras passé autour de sa taille et son poids appuyé contre sa hanche. Maintenant, essayez de vous redresser.

Lentement, les jambes de Willow acceptèrent son poids.

— Marchez un peu, dit Caleb.

Tout en la soutenant, il l'aida à faire passer les crampes dans ses jambes. Après quelques minutes, elle pouvait marcher seule.

— Ça va ? demanda-t-il en la lâchant à contrecœur.

— Oui, répondit-elle d'une voix rauque. Merci.

Elle prit une profonde inspiration et se dirigea vers Dove. La lumière chaude et dorée qui descendait obliquement entre les nuages faisait briller tout avec une énergie que Willow aurait souhaité pouvoir partager.

— Je vais m'occuper de Dove, dit Caleb. Attachez vos autres juments à l'orée du pré. Laissez l'étalon libre. Il sera meilleur qu'un chien de chasse pour détecter des odeurs, et il n'ira nulle part où ces juments n'iront pas.

Quand Willow eut terminé, Caleb avait débarrassé les autres chevaux de l'équipement et les avait attachés dans l'herbe. Il passa d'un cheval à l'autre et versa près de chacun une quantité de grains. Bientôt, le bruit des fortes dents écrasant les durs épis devint tout autant une partie du pré que le murmure du petit ruisseau qui sinuait à travers l'herbe à une trentaine de mètres.

— Assoyez-vous et reposez-vous pendant que je fais un feu, dit Caleb.

Willow laissa échapper un soupir de soulagement et répondit :

— Je craignais que nous ayons un autre campement sans feu.

Il lui adressa un mince sourire.

— Même si ces chasseurs de primes avaient des amis, aucun homme ne traverserait cette montagne aujourd'hui en se demandant à chaque pas si je ne vais pas lui tomber dessus.

Malgré sa fatigue, Willow attacha ses chevaux et rassembla assez de bois sec pour un feu avant de se permettre de se reposer. Caleb avait déposé les selles sur un tronc d'arbre tombé. Elle se laissa glisser contre la selle la plus proche, soupira et s'endormit immédiatement.

Caleb revint de la forêt, vit que Willow était endormie et posa sur elle une couverture pour lui éviter la froideur provenant du sol. Elle ne se réveilla pas quand il retourna dans la forêt et revint avec une grosse brassée de branches de conifères, et elle ne bougea pas non plus quand il se rendit dans un bosquet voisin de jeunes conifères, prépara un lit de branches et commença à attacher ensemble l'extrémité des jeunes pousses au-dessus de leurs têtes pour former une tente vivante.

Son grand couteau mortellement aiguisé coupa rapidement d'autres branches pour les passer entre celles des conifères vivants, et Caleb boucha les trous jusqu'à en faire une structure étonnamment imperméable. L'ouverture à sa base était petite, odorante et bien protégée. Il étendit une bâche par-dessus l'abri et une autre sur les branches coupées. Il secoua l'unique couverture de coton de flanelle pour en faire un drap et ajouta deux lourdes couvertures de laine par-dessus, puis le lit improvisé fut terminé.

Quand il ressortit de nouveau, Willow était toujours profondément endormie.

— Willow, dit-il en s'accroupissant près d'elle.

Elle ne bougea pas.

Se penchant lentement, Caleb frôla la joue de Willow avec ses lèvres. Il prit une grande inspiration et se demanda comment une femme qui avait passé tant de temps sur des pistes difficiles pouvait encore sentir les pétales de rose.

— Je reviens tout de suite, dit-il en écartant des mèches de cheveux blonds des yeux de Willow.

Elle soupira et se tourna vers les doigts de Caleb, appuyant en toute confiance son visage contre sa main. Lentement, il la prit dans ses bras et se leva. Le poids léger de la jeune femme le transperça, lui rappelant à quel point elle était petite et à quel point il avait été exigeant envers elle sur la piste. Il était aussi fatigué qu'il l'avait été pendant la guerre et pouvait imaginer dans quelle mesure elle devait l'être.

Soucieux de ne pas la réveiller, il la porta dans l'abri odorant qu'il avait construit.

— Dormez un peu, murmura-t-il.

Du revers de la main, il caressa sa joue soyeuse et s'éloigna de l'abri aussi silencieusement que le soleil glissait derrière les pentes montagneuses.

Willow fut réveillée par de merveilleuses odeurs — du pain et des oignons, de la truite, du bacon et du café — mélangées avec celles de la résine de conifères et de la fraîcheur d'une soirée en montagne.

— Je rêve, marmonna-t-elle en se frottant les yeux.

Elle inspira profondément, et les arômes envoûtants refusèrent de disparaître.

— Vous voulez manger ou dormir ? demanda Caleb de l'endroit où il se trouvait, tout près de l'abri.

Le ventre de Willow gronda bruyamment.

Il éclata de rire et retourna au feu.

— Je m'en occupe, ma chère.

Quelques instants plus tard, Willow sortit de l'abri. Là-haut, le ciel était écarlate et doré. Les sommets environnants étaient d'un noir cristallin avec des crêtes suffisamment acérées pour faire couler le sang. Les chevaux broutaient tranquillement à l'orée du pré. Le seul bruit était le craquement du petit feu minutieusement protégé.

Caleb tendit à Willow une assiette de fer-blanc cabossée et une fourchette de fer-blanc avec une dent courbée. Étonnée, elle le regarda.

— Je sais que ce n'est pas très chic pour une dame du Sud, commença-t-il d'un ton froid, mais…

— Oh, taisez-vous! l'interrompit Willow.

Elle prit l'assiette et la fourchette et s'assit près du feu, jambes croisées.

— J'étais seulement surprise de voir une assiette et une fourchette. J'ignorais que vous aviez autre chose qu'un couteau aussi long que mon avant-bras, une poêle à frire et un petit pot ébréché pour le café. Soudain, toutes sortes de choses apparaissent : des fourchettes, des assiettes et des tentes de conifères.

— Ça ne servait à rien de sortir la coutellerie pour du pain et du bacon, répondit Caleb, secrètement amusé.

Il lui offrit poliment une tasse de fer-blanc et ajouta :

— Faites attention au rebord. Il pourrait brûler votre douce petite bouche.

Les yeux noisette de Willow luirent dans la lumière réfléchie du feu tandis qu'elle lui lançait un regard irrité.

— Ce n'est pas la première fois que je bois dans une tasse de fer-blanc.

— Je ne savais pas que vous, les femmes raffinées du Sud, préfériez le fer-blanc.

Willow oublia ce qu'elle allait dire quand elle vit le contenu de la poêle.

— De la truite? dit-elle, à peine capable de croire ce qu'elle voyait. Dieu du ciel, où les avez-vous trouvées?

— Dans un ruisseau à l'autre bout du pré.

— J'ignorais que vous aviez apporté une canne à pêche.

— Je n'en ai pas apporté une.

— Dans ce cas, comment...?

— Ces petits démons ont senti la graisse de bacon et ont simplement bondi dans la poêle.

Willow ouvrit la bouche, la referma et secoua la tête en fixant le succulent poisson d'un brun doré.

— Caleb Black, vous êtes l'homme le plus renversant et le plus *exaspérant* que j'aie connu.

Souriant légèrement, il lui prit l'assiette des mains, se pencha au-dessus de la poêle et se servit habilement de la pointe de son grand couteau de chasse pour faire basculer deux poissons dans son assiette.

— Un peu de verdure? demanda-t-il.

Willow acquiesça sans mot dire, et il empila quelques feuilles de pissenlits près de la truite.

— Que diriez-vous de quelques oignons de montagne et de céleri indien?

— S'il vous plaît, répondit-elle dans un souffle.

Le goût du poisson était encore mieux que son odeur. Willow et Caleb mangèrent rapidement avant que la nuit qui tombait puisse refroidir les aliments. Malgré l'empressement de Willow, il termina avant elle. Il observa son avidité délicate et sourit en sachant qu'il lui avait donné un plaisir inattendu.

— Vous prendrez du miel? lui demanda-t-il quand elle rangea son assiette.

— Quoi?

— Vous voulez du miel sur votre pain? demanda-t-il en souriant de toutes ses dents devant son air ébahi.

— Je pensais que nous l'avions tout mangé.

— J'ai trouvé une ruche sur un arbre. Les abeilles s'étaient déjà endormies pour la nuit, alors ça ne les a pas trop dérangées que je leur vole un rayon de miel.

— Vous êtes-vous fait piquer? demanda immédiate-ment Willow en scrutant le visage de Caleb.

— Une fois ou deux.

Elle émit un petit son et vint s'accroupir près de Caleb.

— Où?

— Ici et là, dit-il en haussant les épaules.

Il sentit les doigts de Willow chercher doucement à tra-vers sa barbe, sur son front et son cou, vérifiant que tout allait bien. L'inquiétude sur le visage de Willow lui coupa le souffle. Il y avait longtemps, très longtemps que quelqu'un s'était inquiété des petites blessures de la vie quotidienne sur sa peau coriace.

— Où? insista-t-elle.

— Le cou et la main, répondit-il d'une voix rauque en regardant ses lèvres.

— Laissez-moi voir.

Docilement, Caleb tendit sa main gauche. Willow la prit entre les siennes et se pencha vers le feu. Il y avait une légère enflure sous les poils noirs du dos de sa main.

— Montrez-moi l'autre piqûre, dit-elle.

Sans un mot, Caleb déboutonna sa chemise et l'ouvrit d'un côté. Le long de son cou, où sa barbe se mêlait aux poils bouclés de sa poitrine, il y avait une autre petite enflure.

— Penchez-vous davantage vers le feu, dit Willow. Vous êtes si grand que je ne peux voir si le dard y est encore.

Caleb se rapprocha. Quand il sentit le souffle chaud de Willow courir sur sa peau, il fut terriblement tenté de l'agripper et de lui montrer la partie de son corps qui éprouvait en ce moment beaucoup plus de souffrances que son cou.

— Ça fait mal ? demanda-t-elle.

Sa bouche se tordit, mais il secoua lentement la tête.

— Je ne vois pas de dard.

Willow leva les yeux, étonnée de constater à quel point elle était proche de Caleb. Ses yeux n'étaient qu'à quelques centimètres et reflétaient les flammes dorées du feu.

— Allez-vous me proposer d'embrasser la blessure pour la soulager ? demanda-t-il en la regardant avec une intensité qui représentait presque une demande.

Les joues de Willow s'empourprèrent.

— Vous êtes un peu vieux pour ça, n'est-ce pas ?

— Le jour où je serai trop vieux pour recevoir le baiser d'une femme, j'espère qu'ils liront les Saintes Écritures au-dessus de ma tombe.

Pendant un instant, Caleb retint Willow par la seule force de son regard. Elle le lui rendit, les yeux écarquillés par ce qui aurait pu être du désir ou de la peur. Caleb attendit l'espace d'une longue respiration avant de la relâcher en détournant la tête. Il lui avait fait une proposition sensuelle, et elle l'avait refusée. En ce qui le concernait, c'était terminé. Maîtresse ou non, elle avait le droit de choisir ses hommes.

— Allez vous coucher, Willow, fit-il d'un ton aussi froid que le vent sur la montagne.

Elle cligna des yeux, surprise par le passage de la chaleur rauque à la froideur impersonnelle de sa voix.

— Bicarbonate de soude, dit-elle.

— Quoi?

— Le bicarbonate de soude va soulager vos piqûres.

— Je préférerais de loin votre petite langue chaude pour lécher mes blessures.

Willow respira bruyamment.

— Allez au lit, dame du Sud. *Maintenant.*

Les reflets du feu donnèrent l'impression que les yeux de Caleb brûlaient d'une couleur plus claire et plus chaude que celle des flammes. Willow le regarda un instant et ne put décider si elle voulait fuir Caleb ou se précipiter contre lui. Le désir qu'elle éprouvait de se fondre dans ses bras était si troublant qu'elle se leva et fit un détour jusqu'à l'abri en l'évitant complètement.

Mais même quand elle se retrouva étendue sur le lit odorant, elle ne réussit pas à trouver le sommeil. Elle entendait sans cesse les paroles de Caleb, voyait encore la passion qui brûlait dans ses yeux, éprouvait encore une passion réciproque qui brûlait profondément dans son propre corps. Gisant tranquillement, écoutant le vent nocturne souffler sa fraîcheur sur la terre, Willow se demanda ce qui serait arrivé si elle avait accepté le défi sensuel dans les yeux de Caleb.

Au moment où elle glissait dans le sommeil, les premières notes douces, obsédantes de l'harmonica s'élevèrent dans le ciel. Elle reconnut immédiatement la chanson, une complainte s'adressant à un jeune homme mort durant la guerre. Les notes transformaient la peine en musique et exprimaient une douceur pénétrante. Les larmes lui montèrent aux yeux alors qu'elle se souvenait des étés passés, quand la maison familiale des Moran résonnait à cause de rires virils et du bonheur de sa mère d'être entourée de son mari, de ses cinq grands fils et d'une fille à la chevelure si dorée qu'elle aurait pu faire pleurer un ange d'envie.

D'autres ballades suivirent *Danny Boy*, de vieilles chansons qu'avaient apportées en Amérique les ancêtres de Caleb, des ballades et des complaintes d'Angleterre et d'Irlande, d'Écosse et du Pays de Galles. Caleb les connaissait toutes. Il les exprimait dans la nuit avec un talent qui figeait Willow, la tenait captive. Elle pouvait le voir par l'ouverture de l'abri de verdure, son visage éclairé d'en dessous par le feu, les ombres le cernant et l'élargissant à chaque mouvement de son corps. Tandis que le sommeil emportait lentement Willow, Caleb prit une apparence surnaturelle et devint un être puissant, un archange dont la voix harmonieuse était aussi pure que son corps était attirant. Mais le plus pur attrait venait de la promesse passionnée qui brûlait en lui, un feu sombre s'offrant à elle, lui promettant à la fois le ciel et l'enfer, deux corps brûlant en une seule flamme étincelante.

L'odeur de la pluie et de la forêt imprégnait tout. L'eau s'abattait sur la bâche que Caleb avait jetée sur les branches de conifères. Il y avait suffisamment d'espace pour s'asseoir sous l'abri, mais la tête de Caleb frôlait les branches les plus basses. De temps en temps, des rafales faisaient gémir la forêt et agitaient le toit flexible de l'abri. Il avait tenu bon jusque-là. Des rigoles de pluie s'écoulaient le long de plusieurs branches de pin et tombaient dans la tasse, l'assiette et la cafetière stratégiquement disposées. Bien que ni Caleb ni Willow ne soient mouillés, ni l'un ni l'autre n'était particulièrement sec.

— Un brelan, dit Caleb en étendant ses cartes en éventail sur sa selle qui servait de table.

Willow fronça les sourcils en regardant ses propres cartes : une reine noire, un valet rouge et trois nombres disparates.

— Rien, dit-elle. Je crois qu'il y a quelque chose que je ne comprends pas à propos de ce jeu.

Caleb jeta un coup d'œil à Willow de sous ses cils noirs pendant qu'il assemblait les cartes humides et les brassait avec des gestes vifs et habiles.

— Tout ce qui vous manque, ce sont de bonnes cartes, dit-il en les distribuant rapidement. Je sais que vous ne me croirez pas, mais d'habitude, les débutants ont toute la chance.

— Alors, ce n'est pas mon cas.

Willow prit ses cartes, les regarda et laissa échapper un petit rire sincère.

— Combien dois-je en garder ?

— Au moins deux.

— Tant que ça ?

Un sourire se dessina aux coins de la bouche de Caleb. Beaucoup de femmes — et encore plus d'hommes — avec qui Caleb avait joué aux cartes auraient été de mauvaise humeur en ayant la malchance de Willow, mais elle ne s'en offusquait pas. Elle acceptait les cartes de la même façon qu'elle avait accepté la dure chevauchée, la mauvaise température et l'abri incertain. En la regardant, il dut faire un effort terrible pour s'empêcher de la prendre, de la soulever par-dessus la selle et de la déposer sur ses genoux. La passion qui n'était jamais loin sous la surface quand elle était tout près était devenue un désir profond ancré en lui, se tordant avec chaque respiration qu'il prenait, secouant tout son être.

Caleb serra les mâchoires contre ce feu qui brûlait dans son sang et prit ses cartes.

— Am, stram, gram… dit doucement Willow.

Caleb éclata de rire malgré le durcissement de son corps. Willow s'était avérée une bonne compagne de route qui ne se plaignait pas et avait un sens de l'humour original qui le prenait sans cesse par surprise. Elle était loin de la maîtresse gâtée à laquelle il s'était attendu.

— Ça ne se fait pas comme ça, ma chère.

— Rien d'autre n'a fonctionné, souligna Willow d'une voix raisonnable en déposant sur la selle trois cartes cachées. Trois autres, s'il vous plaît.

En secouant la tête, Caleb lui distribua les cartes demandées et glissa les autres sous la pile qu'il tenait à la main.

Willow observait ses doigts habiles avec admiration. Sa coordination la surprenait chaque fois, car elle s'attendait à ce qu'un homme si manifestement fort soit quelque peu maladroit. Elle prit ses cartes, y jeta un coup d'œil et essaya de garder le visage impassible qui, lui avait dit Caleb, était nécessaire pour véritablement comprendre le jeu.

— Elles sont mauvaises à ce point? demanda-t-il d'un air de sympathie.

— Ça vous coûtera 15 bonnes aiguilles de pin pour le découvrir.

Caleb sourit en se souvenant du refus net de Willow de jouer pour de l'argent et compta 15 aiguilles dans la petite pile devant lui.

— Je demande à voir, dit-il.

— Sept, six, cinq, quatre et deux, fit Willow en déposant ses cartes.

— J'ai une paire aux valets.

— C'est mieux que ce que j'ai ?

— Ma chère, tout est mieux que ce que vous avez.

Le regard de Caleb passa de sa main gagnante à celle — inutile — de Willow.

— Vous devez être heureuse en amour, parce que vous n'avez aucune chance aux cartes.

— Et vous êtes très bon, dit Willow.

Elle le regarda de sous ses cils en ajoutant sur un ton nonchalant :

— Est-ce que ça signifie que vous êtes malheureux en amour ?

— Ce serait le cas si une telle chose existait. Une autre main ?

Pendant un moment, Willow se trouva trop étonnée pour émettre un son.

— Vous voulez dire que vous ne croyez pas en l'amour ?

— Vous voulez dire que vous y croyez ? rétorqua-t-il sèchement en brassant les cartes à toute vitesse.

— En quoi croyez-vous, alors ?

— Entre un homme et une femme ?

Elle acquiesça d'un signe de tête.

— À la passion, répondit brièvement Caleb pendant qu'il sentait son propre désir le déchirer.

Elizabeth Lowell

Les cartes se pliaient sous ses doigts puis se mélangeaient à toute vitesse, glissant les unes sous les autres pour s'arquer de nouveau et se mêler encore d'une nouvelle façon.

— C'est tout? Seulement la passion? demanda Willow dans un quasi-murmure.

— C'est davantage que ce que la plupart des hommes obtiennent d'une femme, répondit Caleb en haussant les épaules et en commençant à distribuer les cartes. Les femmes veulent qu'un homme prenne soin d'elles. Les hommes veulent une femme pour réchauffer leur lit. Les femmes appellent cet arrangement «amour». Les hommes lui donnent un autre nom.

Il leva les yeux.

— Ne me lancez pas ce regard offusqué, *madame* Moran. Vous savez aussi bien que moi comment se joue le jeu de la sexualité.

Willow détesta la rougeur qui lui était montée aux joues devant l'allusion à sa situation conjugale, mais elle fut incapable d'atténuer la montée de culpabilité. En silence, elle ramassa ses cartes et les ouvrit. Elle fixa les nombres et les visages, mais ne vit rien.

Au-dessus d'eux, la pluie s'arrêta aussi soudainement qu'elle était venue. Le silence était presque renversant. Le vent se leva, secouant l'abri. D'un geste vif, Caleb vida le contenu de la tasse dans la cafetière et la replaça sous la fuite dans le toit.

— Combien? demanda-t-il d'une voix aussi dure que son corps.

Surprise, Willow regarda Caleb comme si elle ne l'avait jamais vu auparavant.

— Je vous demande pardon ?

— Combien de cartes voulez-vous ? demanda-t-il brusquement.

— Aucune, répondit-elle en rangeant ses cartes de côté. Il a cessé de pleuvoir. Allons-nous reprendre la route ?

— Vous êtes impatiente de revoir votre… mari ?

— Oui, murmura Willow en fermant les yeux pour éviter le regard arrogant de Caleb. Oui, j'ai très hâte de voir Matthew.

— Je suppose qu'il comprend tout à propos de l'amour, fit Caleb d'une voix sauvage, accusatrice.

Willow ouvrit les yeux et expira comme si elle avait reçu un coup au ventre.

— Oui. Matthew m'aime.

Caleb la fixa. Ses joues n'avaient pas rougi, et elle ne refusait pas de croiser son regard. L'allusion au mariage pourrait l'avoir fait rougir, mais de toute évidence, elle était certaine d'une chose : Matthew Moran l'aimait.

Cette pensée ne réconforta aucunement Caleb.

— Quand l'avez-vous vu pour la dernière fois ? demanda-t-il.

— Il y a trop longtemps.

— Combien de temps, dame du monde ? insista Caleb. Un mois ? Six mois ? Un an ? Davantage ?

Il se retint à peine de poser la question à laquelle il souhaitait réellement obtenir une réponse : « Où étiez-vous quand Reno séduisait ma sœur innocente, l'engrossait et la laissait mourir en portant son bâtard ? »

Mais si Caleb avait demandé cela, Willow aurait aussi posé des questions, et les réponses auraient fait en sorte qu'elle ne lui aurait jamais dit où se cachait Reno en attendant qu'arrivent sa maîtresse et une fortune en chevaux de race.

D'un air dégoûté, Caleb jeta les cartes qu'il venait de distribuer.

Willow l'observa, mais ne dit rien. Elle ne comprenait pas ce qui le motivait, mais elle sentait très clairement la sauvagerie qui l'habitait.

— Répondez-moi! aboya Caleb.

— Pourquoi la dernière fois où j'ai vu Matthew a-t-elle de l'importance?

Le léger tremblement des mains de Willow démentait l'assurance dans sa voix, mais Caleb ne regardait pas ses mains. Il regardait sa bouche. Ses lèvres étaient douces et pleines, roses comme sa langue. Leurs courbes le fascinaient. Il y avait d'autres courbes qu'il désirait toucher et goûter, pour éprouver la douceur de ses seins, mais il désirait surtout la débarrasser de la peau de daim et de la flanelle puis explorer la toison dorée qui recelait ses secrets féminins. Le souvenir de cet épais triangle pressé contre sa culotte trempée le hantait impitoyablement.

À cet instant, Caleb comprit que s'il restait enfermé une minute de plus avec Willow dans l'espace restreint et intime de l'abri, il allait exiger davantage de ses lèvres douces que des renseignements inutiles. Quelques minutes plus tôt, elle aurait pu lui donner le baiser qu'il souhaitait — et bien davantage. Mais pas maintenant. Maintenant, elle avait presque peur de lui. Maintenant, elle désirait l'homme raffiné qui lui racontait des mensonges à propos de l'amour.

Caleb savait qu'il n'avait que lui-même à blâmer. Il avait laissé le désir qui brûlait en lui éroder sa maîtrise de soi jusqu'à ce qu'il ait du mal à reconnaître son corps comme étant le sien. C'était stupide. Reno n'avait pas séduit ses filles par des paroles rudes ; il avait murmuré des mensonges amoureux pendant qu'il détachait les lacets et envahissait la douce chaleur qui se trouvait dessous. C'était ce qui manquait à Willow : tous les mensonges et les manières encore plus douces d'un gentilhomme.

Si Caleb voulait se glisser dans le corps de Willow, il allait devoir maîtriser sa profonde colère contre son amant. Alors, peut-être que Caleb pourrait contrôler la passion qui le rongeait jusqu'à la moelle de ses os.

Il laissa tomber un juron, saisit son chapeau et son fusil, puis quitta l'abri dans un élan coordonné de puissance. Derrière lui, Willow soupira lentement en se demandant pourquoi le sujet du mariage et de Matthew Moran mettait toujours Caleb en colère.

— Je vais jeter un coup d'œil alentour, dit-il de l'extérieur de l'abri. Je serai parti pendant plusieurs heures. Ne faites pas de feu.

— D'accord, répondit Willow.

Elle attendit, écoutant, osant à peine respirer, se rappelant la sauvagerie dans la voix de Caleb. Elle n'entendit que les rafales dispersant les vestiges de l'orage. Quand elle sortit en hésitant de l'abri, elle était seule, et le soleil déversait sa chaleur dorée sur la terre. Les nuages s'éloignaient de minute en minute, révélant au regard de nouveaux sommets enneigés.

— Caleb avait raison, fit Willow en espérant que le son de sa voix puisse tenir la solitude à distance. Il a neigé. Mais de toute façon, Caleb a toujours raison, n'est-ce pas ? C'est pourquoi je l'ai embauché.

Elle frissonna au souvenir de la sauvagerie de Caleb quand il lui posait des questions à propos de Matthew. C'était comme si le simple fait que son frère existe offensait Caleb d'une façon ou d'une autre.

— Pas mon frère, se corrigea-t-elle vivement. Mon mari. Je ne dois pas oublier ça. Matthew est mon mari, et non mon frère.

Pourtant, ce dont Willow se souvenait, c'était l'intensité dans les yeux de Caleb quand il la regardait lécher le miel au bout de ses doigts et sa voix rauque quand il lui avait demandé si elle allait embrasser ses piqûres pour en soulager la douleur. Elle avait été tentée de le faire, tellement tentée, et il l'avait vu. Il la désirait, elle était attirée par lui, et il la croyait mariée. Elle se sentit rougir des seins jusqu'aux cheveux en se rendant compte qu'il devait au mieux songer à elle comme un flirt et au pire…

Comme une maîtresse.

Elle prit une profonde inspiration pour se stabiliser. Ce ne serait que pour quelques jours encore. Une semaine, peut-être. Puis ils se retrouvaient parmi les cinq sommets, Matthew les trouverait, et ils pourraient tous rire de son déguisement nécessaire en femme mariée. Jusqu'à ce moment, elle avait plus que jamais besoin du déguisement.

Caleb était un feu à la fois sauvage et doux dans son sang.

Chapitre 8

Éprouvant un étrange frisson, Willow se força à songer à l'autre chose qu'à l'homme dont le tempérament incertain et le sourire de travers ne cessaient de la déséquilibrer. Elle se concentra sur la lumière du soleil qui se répandait tout autour d'elle, faisant s'élever des voiles de brume de la terre humide. Même si le sol était froid, l'air se réchauffait rapidement.

Les chevaux étaient sortis du couvert des arbres et broutaient. Ils mangeaient avec appétit, levant les yeux de temps en temps, mais ils étaient autrement détendus. Leur calme indiquait à Willow qu'il n'y avait personne aux alentours. Pendant quelques minutes, elle observa la vapeur s'élever de leurs robes dans l'air qui se réchauffait rapidement, et elle se sentit rassurée par la présence familière de ses pur-sang. Dans moins d'une heure, les chevaux seraient secs, et le pré aussi.

Elle se rendit à l'abri et en sortit en portant le fusil de chasse, une couverture, son savon à la lavande, la chemise de cavalerie de Caleb et une camisole propre, ainsi qu'une culotte. Elle regarda Ishmael pour s'assurer de nouveau qu'elle était seule dans le pré, marcha jusqu'au ruisseau et le suivit en aval à partir du campement jusqu'à ce qu'elle trouve un bosquet de saules poussant près de l'eau. Derrière l'écran végétal, elle se dévêtit jusqu'à ce qu'elle ne porte plus que les longs caleçons de flanelle écarlates.

Quand elle s'agenouilla et mit une main dans l'eau, elle eut du mal à réprimer un cri. Le ruisseau était plus froid que les cours d'eau auxquels elle était habituée en Virginie-Occidentale et bien davantage que les étangs chauffés par le soleil où elle se baignait chaque fois qu'elle pouvait s'évader.

— Le soleil va te réchauffer, se dit-elle d'une voix ferme. Maintenant, fais-le avant que Caleb revienne.

Elle prit son temps, se lavant d'une manière contraire à ses habitudes plutôt que de se déshabiller immédiatement. Toujours vêtue de ses caleçons longs, elle se mouilla les cheveux et les massa. Le savon semblait exploser en de minuscules bulles quand il frappait l'eau. Elle eut vite fait de laver et de rincer ses cheveux deux fois. Accroupie sur ses talons, elle tordit ses cheveux et les secoua sur son dos pour les laisser sécher. Puis elle se débarrassa des caleçons et se lava tout en retenant son souffle et en serrant les dents chaque fois que l'eau froide frappait une zone particulièrement sensible de son corps.

Après s'être séchée autant que possible avec la flanelle, Willow enfila la culotte et la camisole. Elle secoua la grande chemise de Caleb, la passa par-dessus sa tête, en sortit ses cheveux et commença à se réchauffer. Il ne lui fallut que quelques minutes. Elle rassembla tout ce qu'elle avait apporté et sortit du bosquet, cherchant un endroit chaud et ensoleillé le long du ruisseau pour laver ses vêtements.

Une trentaine de mètres plus loin, Ishmael leva brusquement la tête, et ses oreilles se dressèrent lorsqu'il vit Willow émerger de sous les arbres. Il la regarda marcher le long du ruisseau pendant une minute, puis recommença à brouter. Certaine que personne ne pourrait s'approcher d'elle subrepticement — sauf peut-être Caleb —, Willow s'agenouilla près de l'eau, déposa le fusil à portée de main et commença à laver son sous-vêtement de flanelle. Quand elle eut terminé, elle l'étendit sur l'herbe du pré pour le laisser sécher.

La chaleur du soleil la renversait. Déjà, la neige fondait visiblement sur les sommets, reculant avec chaque minute qui passait. L'air était presque brûlant, sec et soyeux, ce qui était vivifiant après les journées de ciel gris et de pluie. Il lui était difficile de croire qu'elle voudrait des vêtements lourds quand le soleil se coucherait. En ce moment, même avec les cheveux mouillés, elle avait suffisamment chaud pour envisager de retirer la chemise de laine de Caleb et de s'étendre sur une couverture au soleil pendant que ses cheveux séchaient. Elle trouva un compromis en détachant une des rangées de boutons et en ouvrant la chemise de cavalerie du côté droit.

Les chevaux continuaient de brouter tranquillement, l'assurant qu'elle était seule dans le pré. Elle secoua la couverture, posa le fusil tout près et commença à démêler ses longs cheveux. C'était un travail fastidieux, mais finalement, les mèches trempées pendirent librement le long de son dos. Avec un soupir de soulagement, elle s'étendit sur le ventre pour laisser le soleil finir de sécher sa chevelure. Ensuite, elle allait s'occuper de sa tignasse avec sa brosse. La brise légère, le bourdonnement des insectes dans le pré, le chant assourdi des oiseaux et le chaud soleil finirent par la détendre complètement. Elle soupira longuement et glissa dans le sommeil.

Quand Ishmael hennit, elle se réveilla en sursaut. Au moment même où elle refermait la main sur le fusil, elle reconnut la démarche souple de Caleb qui approchait. Elle s'assit rapidement et ramena la couverture sur ses jambes. Ses cheveux glissèrent par-dessus ses épaules en une cascade dorée et désordonnée. Frénétiquement, elle fouilla la couverture, mais elle ne put trouver la brosse et le peigne.

— Heureusement qu'il n'y a personne autour, dit Caleb. Avec cet étalon roux et votre sous-vêtement qui sèche dans l'herbe, il faudrait un aveugle pour ne pas nous voir.

— Vous ne m'avez pas dit de garder les chevaux dans la forêt, marmonna Willow pendant qu'elle déplaçait la couverture pour couvrir ses pieds nus.

— Je ne vous ai pas dit non plus de garder vos pantalons.

Il avait prononcé ces paroles d'une voix neutre sans donner une quelconque indication quant à son humeur. Willow le regarda prudemment de sous l'écran de ses cils. Il sourit, et ses dents parurent éclatantes au milieu de sa barbe.

— Ne vous en faites pas, ma chère. Si j'avais voulu que les chevaux restent dans la forêt, je les y aurais attachés moi-même. Quant à vos vêtements, ajouta-t-il en plissant légèrement les yeux, ils ne se démarquent pas autant que cet étalon roux.

Soulagée, Willow lui sourit. La journée était trop chaude et tellement plus belle qu'elle s'y était attendue pour qu'elle perde son temps à discuter. Le sourire de Caleb s'élargit quand il se pencha et ramassa la brosse et le peigne en écailles de tortue qu'il venait d'apercevoir dans l'herbe.

— C'est ce que vous cherchez? demanda-t-il.

— Oui, merci.

Plutôt que de les poser dans la main tendue de Willow, il vint s'agenouiller derrière elle et commença à peigner lentement ses cheveux. Après qu'il ait ignoré sa première réaction de surprise, elle accepta cette inoffensive intimité.

Malgré la taille imposante de Caleb, ses mains étaient étonnamment légères et douces. Patiemment, il finit de démêler la longue chevelure de Willow réchauffée par le soleil. Elle laissa échapper inconsciemment un soupir de plaisir, puis se détendit sous ses mains.

Caleb plissa les yeux en constatant la réaction de Willow à ses soins, mais il s'assura qu'elle ne voie rien de sa propre réaction, car il ne pensait pas pouvoir dissimuler le désir dans ses yeux et son corps. Il passa délicatement le peigne à travers l'or incandescent de ses cheveux, les démêlant complètement avant de déposer le peigne et de passer à la brosse sans interrompre les rythmes lents de ses mains.

— Vous avez du talent pour ça, dit-elle après un moment de silence.

— Je l'ai beaucoup fait quand j'étais garçon. Ma mère avait de la difficulté à porter un enfant. La plupart du temps, elle était si malade qu'elle n'arrivait pas à laver et à peigner ses cheveux.

— Vous le faisiez pour elle?

Caleb réagit par un grognement qui ne signifiait rien au-delà d'un acquiescement.

— Mère n'avait pas de fille et aucun autre enfant vivant jusqu'à la naissance de Rebecca.

— Votre sœur?

— Oui, ma petite sœur. Elle était d'une grande beauté, aussi mince et rapide qu'un vison. Tous les garçons la désiraient, mais elle n'a rien voulu savoir d'eux jusqu'à…

Willow détecta la tristesse et la rage dans la voix de Caleb, et elle sentit que la jeune fille du nom de Rebecca n'avait pas été judicieuse en choisissant son homme.

— Je suis désolée, murmura-t-elle en touchant la main de Caleb où elle reposait sur son épaule. Ce doit être très dur pour vous d'être loin de votre famille.

Caleb n'avait aucun doute sur le fait que Willow pensait chaque mot qu'elle venait de dire. Il n'avait également aucun doute sur le fait qu'elle n'avait établi aucun lien entre elle et une fille appelée Rebecca Black. En y songeant, il se dit que l'ignorance de Willow n'avait rien d'étonnant. Il était peu probable que Reno discute d'une conquête avec une autre.

La colère avait monté en lui, mais en ce moment, elle ne pouvait faire concurrence au désir qui irradiait de chaque centimètre de son énorme corps. Il souleva une poignée de l'épaisse chevelure de Willow et la laissa glisser entre ses doigts en une cascade dorée, soyeuse. L'odeur de la lavande lui monta aux narines. Il savait que les vêtements de la jeune femme dégageraient cette même odeur de lavande. Il inspira profondément, laissant l'arôme se répandre en lui. Pour une quelconque raison, il aimait la lavande encore davantage que le sachet de roses que préférait Jessica Charteris. La lavande ravivait ses sens et les titillait tout à la fois.

— Mon père était arpenteur-géomètre dans l'armée, dit Caleb presque distraitement pendant qu'il regardait les cheveux soyeux de Willow retomber dans son dos. Il était plus souvent parti qu'il était à la maison. Je faisais ce que je pouvais pour prendre soin de ma mère. Ce que j'aimais le plus, c'était lui brosser les cheveux. Ils étaient noirs et raides, comme les miens. La lumière y créait des reflets bleutés. Je pensais que c'était la chose la plus douce et la plus belle du monde, jusqu'à maintenant.

Willow frissonna quand les doigts caressants de Caleb se déplacèrent de son front jusqu'à sa nuque et s'enfouirent dans l'épaisseur de sa chevelure. Il leva la main et laissa les mèches lisses glisser entre ses doigts.

— Doux comme le menton d'un chaton et de la couleur du soleil d'été, dit-il d'une voix rauque. Ma mère avait l'habitude de me lire des contes de fées à propos de princesses qui avaient des cheveux comme les vôtres. Je ne les ai jamais crus jusqu'à ce moment. Toucher vos cheveux, c'est comme toucher un rayon de soleil.

Caleb recommença à brosser l'épaisse chevelure de Willow avec de lents mouvements de sa main. Les mèches d'or bougeaient et chatoyaient sous son toucher. Comme s'ils étaient vivants, des filaments se soulevaient et s'accrochaient à ses mains, demandant silencieusement que les caresses continuent. Les mèches suivaient ses doigts, s'accrochaient à ses épaules et s'étalaient sur sa poitrine en une douce invitation. Il lutta contre la tentation de déboutonner sa chemise pour sentir le contact soyeux contre sa peau nue. Sa chemise demeura attachée, mais il ne put s'empêcher de frotter une poignée de ses cheveux odorants contre sa joue. Il inspira profondément, puis força ses doigts à laisser retomber les mèches.

— Je pense que les n... nœuds sont défaits, dit Willow d'une voix hésitante. Je peux m'habiller, maintenant ?

Le frisson sensuel dans sa voix fit sourire Caleb.

— Il n'y a rien qui presse. Nous n'allons nulle part aujourd'hui. J'avais pensé attraper d'autres truites et ramasser un peu plus de bois avant que le temps se gâte à nouveau.

— Il va encore pleuvoir?

— Probablement.

— Quand?

— Après le coucher du soleil.

Willow soupira.

— On m'avait dit que les plaines étaient sèches.

— Elles le sont. Vous êtes dans les montagnes, maintenant. Mais par rapport à l'endroit d'où vous venez, c'est terriblement sec. C'est pourquoi vous n'arrêtez pas de vous lécher les lèvres.

— Je fais ça?

— Absolument, ma chère. Si vous avez une quelconque huile dans votre gros sac de voyage, vous pourriez vous en enduire les lèvres. La graisse de bacon fonctionne, mais vous vous fatigueriez vite du goût.

Pendant quelques moments, il n'y eut que le doux murmure de la brosse dans les longs cheveux de Willow. Elle ferma les yeux et savoura le luxe inattendu de se faire brosser les cheveux. Puis une pensée surgit dans son esprit.

— Comment allez-vous attraper la truite?

— De la même façon qu'hier soir.

— Et comment vous y êtes-vous pris?

— Avec mes mains.

Willow se retourna et regarda par-dessus son épaule, ses yeux noisette écarquillés.

— Vous me taquinez.

— Peut-être un peu.

Les narines de Caleb palpitèrent tandis qu'il inhalait encore une fois son odeur. *Mais pas autant que je me torture.*

— Fermez les yeux ; vous me distrayez, fit-il.

— Si je ferme les yeux, allez-vous me dire comment vous attrapez réellement les truites ?

— Bien sûr.

Ses longs cils dorés s'abaissèrent jusqu'à ce qu'ils reposent contre la peau veloutée de ses joues. La lumière du soleil tomba sur ses cils épais, provoquant de minuscules éclairs iridescents. Caleb regardait Willow, fasciné, souhaitant pouvoir faire courir le bout de sa langue sur la douce paupière.

— Mes yeux sont fermés, souligna-t-elle devant le silence de Caleb.

— J'ai remarqué. Comment avez-vous fait pour avoir de si longs cils, ma chère ?

— Je les ai volés à un veau.

Il rit doucement en secouant la tête devant sa vivacité d'esprit.

— Caleb, fit-elle d'un ton enjôleur, comment attrapez-vous des truites à mains nues ? Je n'ai jamais entendu dire que quelqu'un faisait ça.

— Pas même Matthew Moran ?

Elle secoua la tête.

— Pas même Matt.

Caleb émit un grondement de satisfaction et recommença à brosser les cheveux de Willow tout en admirant leur éclat et leur douceur. Quand il reprit la parole, il y avait une subtile différence dans son toucher, une manière de s'attarder sur sa nuque, de laisser glisser les mèches qui s'étiraient sur son bras, de les brosser le long de son dos d'une façon qui incitait Willow à arquer le dos contre sa paume comme un chat.

— Premièrement, dit Caleb d'une voix profonde, il faut trouver une truite qui n'a pas été effrayée par une dame du Sud prenant un bain dans son ruisseau.

Willow éclata de rire en posant une main sur sa bouche.

— C'est vrai, dit-il en tirant sur une boucle d'un air espiègle. Les truites sont comme les belles filles, des créatures timides qu'il faut apprivoiser lentement avant qu'on puisse les attraper.

La brosse passa du sommet de la tête de Willow à sa nuque, suivie par la main de Caleb. Ses longs doigts glissèrent sous les lourdes mèches et frôlèrent la courbe de son cou. Elle frissonna en se demandant si la caresse avait été accidentelle. Les doigts de Caleb frôlèrent son cou une fois de plus, traçant la ligne de ses cheveux avec une caresse aussi légère qu'une respiration.

— Alors, un homme qui veut attraper une truite marche doucement jusqu'au bord du ruisseau, poursuivit-il d'une voix aussi douce que la brise. Puis il s'agenouille vraiment lentement et glisse sa main dans l'eau derrière une truite.

Tandis qu'il parlait, sa grosse main ramassa la masse dorée des cheveux de Willow puis la souleva pour pouvoir les brosser du dessous. Quelques mèches glissèrent de ses doigts parce que les cheveux s'étaient accrochés aux boutons de la chemise de cavalerie qu'elle portait. Caleb déposa la brosse par terre et commença à décrocher doucement ses cheveux des boutons. Aussitôt qu'il libérait une mèche, une autre s'échappait de sa poigne, retombait et s'accrochait à un bouton.

— Merde, fit-il doucement avant de se servir de ses deux mains pour rassembler la chevelure de Willow. Ça ne fonctionne pas. Levez vos bras, ma chère. Plus haut. C'est ça.

Il écarta si nonchalamment la chemise du corps de Willow qu'elle ne songea pas à s'y opposer avant qu'il soit trop tard.

— Caleb, je ne…

— Une fois que votre main est dans l'eau, poursuivit-il en enterrant les paroles de Willow, vous restez absolument immobile, comme si vous n'aviez rien d'autre en tête que d'être assise à rêver près d'un ruisseau dans un pré.

La brosse glissa encore à travers la chevelure de Willow, provoquant sur son crâne des frissons de plaisir que ne faisait qu'accroître la main apaisante qui suivait chaque descente de la brosse. Les mèches qui retombaient ne s'accrochaient plus aux boutons, mais s'étalaient en un voile doré sur sa camisole. Les courbes épanouies de ses seins se pressaient contre la fine dentelle.

Pendant que Willow regardait, des mèches s'écartèrent en glissant de ses seins, laissant leur extrémité à peine couverte. Elle se mordit la lèvre en se demandant si ses cheveux dissimulaient suffisamment les contours de son corps pour respecter les règles de la décence.

— Ça va, dit doucement Caleb en sentant la tension chez elle.

Il caressa la chevelure brillante qui s'étalait sur ses épaules.

— Vos cheveux vous couvrent tout autant que le faisait ma chemise, ajouta-t-il. À moins que vous ayez froid ?

Elle secoua la tête tandis que la lumière ondulait à travers ses cheveux.

— Le soleil est presque brûlant.

— Oui, il l'est.

La voix de Caleb était si basse qu'elle ressemblait au ronronnement d'un gros chat, tout aussi senti qu'entendu.

Sans briser la cadence, il continua de brosser les cheveux de Willow avec des mouvements lents et doux jusqu'à ce qu'elle soupire et se détende de nouveau, s'abandonnant à ce plaisir si vif qu'il faisait agréablement frissonner toute sa peau.

— C'est tellement bon, murmura-t-elle finalement.

— Pour moi aussi, dit Caleb en faisant courir légèrement sa main le long de sa chevelure.

Il rit doucement.

— Je pense que vos cheveux m'aiment autant que je les aime.

Willow émit un son interrogateur.

— Regardez, dit-il.

La brosse suivit les épaisses bandes de cheveux qui étaient tombées par-dessus l'épaule droite de Willow et s'étalaient sur son sein.

— Vous voyez ? fit-il en soulevant lentement la brosse tandis que des filaments s'élevaient avec grâce, s'y accrochant ainsi qu'au bord de sa main. Ils me poursuivent.

Pendant un instant, Willow se trouva trop bouleversé pour parler. Les poils doux de la brosse se déplaçant légèrement sur son sein lui avaient donné vie, provoquant un assaut de sensations qui l'affaiblit. Elle ferma les yeux alors qu'une curieuse chaleur irradiait soudain du creux de son ventre. La sensation était à la fois déchirante et douce, différente de tout ce qu'elle avait éprouvé par le passé.

— Voyons un peu si l'autre côté m'aime autant, dit Caleb d'une voix basse.

La brosse frôla doucement le sein gauche de Willow, qui était aussi voilé par la chute de sa chevelure blonde. Quand il leva la main, des filaments de cheveux dorés suivirent, s'accrochant à la brosse et à la main virile qui la tenait.

— Oui, fit-il d'une voix rauque en regardant le sein dont le bout durci écartait le voile de cheveux dorés, je crois que si.

Willow ne trouvait pas ses mots. Elle eut soudain le souffle coupé alors qu'un autre élan de sensations tremblantes la traversait. Quand Caleb entendit Willow cesser de respirer, son propre corps réagit violemment, et son cœur se mit à battre plus rapidement jusqu'à ce qu'il puisse compter chaque pulsation dans la chair rigide entre ses jambes. Il s'était attendu à ce que Willow se lève d'un bond et écarte ses mains ou se tourne vers lui avec colère parce qu'il avait osé la toucher, même avec la brosse.

Il ne s'était pas attendu à ce que ses seins s'épanouissent à un simple toucher, au point où ses mamelons s'érigent en des teintes de rose sous la camisole quasi-transparente. La chaude sensualité de sa réaction était aussi étonnante que sa propre passion envers elle, une passion qui le secoua jusqu'à ce qu'il serre les doigts autour du manche délicat de la brosse ou qu'il s'abandonne à la sauvagerie qui sourdait de son corps.

Incapable de parler, à peine capable de respirer, Caleb se força à prolonger le rythme lent et séducteur de la brosse dans les cheveux de Willow, caressant son crâne, sa nuque, son dos mince. Il aurait fort désiré brosser encore le voile doré sur ses seins, mais il ne se croyait pas en mesure de maintenir le prétexte du brossage et de se retenir de glisser ses mains sous sa camisole jusqu'à ce qu'il puisse sentir ses mamelons durcis contre le milieu de ses paumes. Il le voulait tellement que ses mains en tremblaient.

Mais il savait qu'il était trop tôt. Même la truite la plus confiante ne pouvait être capturée dans un assaut. Willow ne lui faisait pas totalement confiance. Caleb sentait très clairement l'ambivalence en elle. S'il faisait glisser la brosse contre ses seins à ce moment, elle s'enfuirait. La certitude qu'elle était inquiète fut la seule chose qui lui fit garder ses mains où elles étaient, brossant les cheveux dans son dos avec de lents mouvements qui trahissaient l'éclair de passion dans ses yeux plissés.

— Une fois votre main dans l'eau, dit Caleb, vous commencez à l'approcher lentement de la truite. Vous le faites si lentement que le poisson accepte votre présence comme une chose naturelle. Pendant que vous approchez lentement la main, vous devez interpréter l'attitude de la truite. Devient-elle nerveuse ? Est-elle inquiète ?

— Comment pouvez-vous dire ce que la truite ressent ? demanda Willow d'une voix rauque.

— Comme mon père avait l'habitude de le dire, vous devez observer très, très minutieusement la petite bête.

Willow sourit en entendant le léger accent écossais dans la voix de Caleb. Sans un bruit, elle laissa échapper son souffle retenu et se détendit un peu plus à chaque mouvement lent de la brosse.

— Voyez-vous, poursuivit-il de sa voix profonde, la truite doit penser que votre main fait simplement partie du ruisseau et n'est rien d'autre qu'un courant qui coule au-dessus d'elle. Si vous bougez trop rapidement, la truite s'enfuira, puis vous devrez tout recommencer. Il faut surtout de la patience. Ça et le fait que les truites aiment tout naturellement la sensation du courant caressant leur corps élancé.

— Elles aiment vraiment ça? demanda Willow d'une voix inhabituellement rauque.

— Sinon, pourquoi les truites chercheraient-elles les courants les plus rapides et s'y tiendraient-elles figées en se laissant caresser de tous côtés par l'eau?

Willow sentit de nouveau ses cheveux se soulever quand Caleb commença à les brosser par dessous. Il attrapa toutes les mèches soyeuses et tordit lentement le poignet en enveloppant sa chevelure autour. Willow éprouva des frissons de plaisir quand elle sentit la chaleur du soleil sur son cou nu.

— Songez-y, murmura Caleb contre la nuque de Willow tout en frôlant très doucement sa joue contre le cou de la jeune fille. Suspendues dans les rapides…

Au départ, Willow pensa que c'était seulement sa propre brosse qui frôlait si délicatement sa peau. Puis elle sentit le souffle chaud de Caleb et comprit que c'était sa barbe qui la caressait.

— Toute cette peau sensible caressée en même temps… partout, continua Caleb.

Le cœur de Willow se mit à battre si violemment qu'elle était presque persuadée que Caleb pouvait l'entendre. Il répéta la caresse exquise, et elle laissa échapper un petit gémissement.

Le son était comme un couteau passant à travers la maîtrise de soi de Caleb. Le petit gémissement féminin aurait pu exprimer de la passion, et il aurait pu tout aussi bien exprimer de la peur. Caleb n'aurait pu le dire sans la caresser plus intimement, et il était un trop bon chasseur pour faire une telle chose en ce moment. Si c'était la passion qui la faisait trembler, le fait de la séduire davantage ne ferait que la rendre plus avide. Si c'était de la peur, il convenait de la séduire davantage.

Jamais un homme n'avait fait un repas d'une truite qui s'était enfuie.

Quand Caleb laissa retomber les cheveux de Willow et recommença à se servir de la brosse, elle tremblait trop pour le dissimuler.

— Est-ce que les n... nœuds sont défaits? demanda-t-elle en frissonnant.

— Pas tout à fait, ma chère. Il en reste encore quelques-uns. Ensuite, je vais vous les tresser. La femme d'un soldat m'a appris la façon de faire de jolies tresses françaises.

Willow ne souleva aucune autre objection parce qu'elle ne savait trop comment réagir. Caleb n'avait rien fait de déplaisant, et il ne l'avait pas non plus poussée à une plus grande intimité que celle liée au simple fait de brosser ses cheveux. Il y avait aussi un autre problème. Si elle se levait pour partir, elle ferait tomber la couverture et dévoilerait ses jambes.

Et, s'avoua-t-elle, elle perdrait aussi le pur plaisir de sentir les grandes mains douces de Caleb lisser ses cheveux en jouissant des caresses tout autant qu'elle.

Elle soupira puis s'abandonna de nouveau à la douce sensation des doigts de Caleb, qui glissaient à travers ses cheveux et tiraient doucement — presque amoureusement — sur les mèches. Elle ne se sentait plus tendue, car elle était certaine que Caleb arrêterait si elle le lui demandait.

Et sachant cela, elle n'éprouvait pas le besoin de le demander. Le malaise qu'elle avait ressenti s'évanouit, faisant place à une sorte de paix frémissante qui s'étendait à chaque mouvement lent de la main de Caleb dans ses cheveux. Elle ferma les yeux, sourit et se demanda si la truite se sentait aussi bien pendant qu'elle se tenait dans les rapides caressants du ruisseau.

— Alors, après que la truite ait accepté votre main comme faisant partie de l'eau, murmura-t-elle, qu'est-ce qui se passe?

Caleb laissa échapper un soupir silencieux. Le corps détendu de Willow lui apprit que son tremblement avait été suscité autant par l'inquiétude que par la passion, ce qui le calma et accrut l'intensité de son désir en même temps. Elle était inquiète, incertaine, presque effrayée, et pourtant, elle ne pouvait pas davantage refuser ses leurres sensuels que la truite pouvait refuser l'intimité des courants caressants.

— Puis vous caressez lentement la truite, dit Caleb d'une voix profonde en déposant la brosse, jusqu'à ce qu'elle soit déroutée par le plaisir.

— Est-ce possible? murmura Willow. Peut-on éprouver tant de plaisir qu'on en oublie sa peur?

— C'est possible.

Caleb rassembla de nouveau ses cheveux et lui embrassa doucement la nuque.

— Ça ne prend que de la douceur et de la patience, termina-t-il.

Il relâcha ses cheveux, qui retombèrent sur sa propre épaule. Doucement, lentement, comme s'il pouvait s'imprégner d'elle à travers ses paumes, il fit courir ses mains de ses épaules au bout de ses doigts, puis il remonta en caressant cette fois la peau délicate à l'intérieur de ses bras.

— Caleb? murmura Willow en tremblant.

— Tout va bien, petite truite.

Il la souleva, puis la tourna jusqu'à ce qu'elle se retrouve face à lui. Son pouce frôla la lèvre inférieure de Willow puis la pressa sensuellement en une caresse pareille à un baiser.

— Je serai aussi doux avec vous qu'un rayon de soleil.

Willow fixa ses yeux noisette brillants sur lui. Leur beauté le fascinait, leur couleur passant du bleu au vert et au doré — jamais semblables et plus beaux chaque fois qu'il les regardait.

— Avez-vous peur de moi ? demanda-t-il.

Willow hocha la tête en un signe de lente négation qui fit luire ses cheveux et qui accrut le désir dans l'homme qui était agenouillé si près d'elle.

— Certains hommes sont rudes, dit Caleb en abaissant sa bouche jusqu'à celle de Willow, s'arrêtant tout juste avant de la toucher. Je ne suis pas l'un d'eux. Je n'ai jamais forcé une femme qui ne voulait pas de moi. Je ne le ferai jamais. Partagez quelques baisers avec moi, dame du Sud. Si vous décidez que vous ne voulez pas de moi, je vous laisserai tranquille.

Il baissa un peu plus la tête et murmura contre ses lèvres :

— Me croyez-vous ?

La délicate caresse du souffle de Caleb fit frémir Willow.

— Oui, soupira-t-elle.

L'éclat soudain dans ses yeux fut insupportable pour Willow. Elle abaissa ses cils, se protégeant contre cet incendie. Quand les lèvres de Caleb frôlèrent doucement les siennes à répétition, elle trembla. Les rares fois où on l'avait embrassée par le passé n'étaient même pas comparables. Les garçons avaient été aussi impatients que des chiots — et aussi maladroits.

Il n'y avait aucune maladresse dans les baisers de Caleb ni dans ses mains qui tenaient si doucement son visage qu'elle en était à peine consciente. Le contact léger de sa bouche sur la sienne se poursuivit lentement, en cadence, lui enseignant à anticiper la chaude pression suivante de ses lèvres, le prochain frisson de plaisir quand sa moustache frôlerait la peau de plus en plus sensible de sa lèvre supérieure.

Quand le plaisir attendu ne vint pas, Willow ouvrit les yeux et murmura le nom de Caleb.

— Oui? demanda-t-il en s'obligeant à ne pas embrasser la bouche qui tremblait de manière si attirante sous ses lèvres.

— Voudriez-vous... m'embrasser encore?

— Ce n'étaient pas des baisers.

— Non?

— Pas davantage que quelques rayons de soleil font une journée entière. Voulez-vous que je vous embrasse?

Elle acquiesça de la tête, projetant ses cheveux soyeux et odorants sur les mains de Caleb.

En souriant, il se pencha de nouveau vers elle. Ses lèvres frôlèrent encore les siennes en une caresse à laquelle elle devenait vite habituée. Puis Caleb fit glisser le bout de sa langue entre ses lèvres tremblantes. Elle émit un petit son de surprise et se cambra.

— Je pensais que vous vouliez que je vous embrasse, ma chère?

— Je... je le veux.

Caleb chercha le regard de Willow en se demandant ce qui n'allait pas.

— Alors, pourquoi avez-vous reculé?

— Je… je ne suis pas habituée à ça. Ça fait… des années.

Caleb ferma les yeux, mettant fin à son sursaut de passion. En comprenant soudain que Willow avait passé tant de temps sans les caresses d'un homme, il éprouva un sentiment profond de satisfaction. C'était peut-être une maîtresse, mais elle n'accordait pas ses faveurs à n'importe qui.

— Ça va, ma chère. Nous allons y aller lentement, comme si c'était la première fois.

Les longs doigts de Caleb s'enfouirent plus profondément dans la chevelure de Willow, cherchant la chaleur de son crâne, frottant doucement. Elle soupira de plaisir. Il capta sa douce respiration quand il se pencha et commença à frôler doucement sa bouche avec la sienne, accroissant la pression petit à petit jusqu'à ce que les lèvres de Willow se séparent lentement. Cette fois, quand sa langue toucha le sommet de sa bouche, elle ne s'écarta pas. Quand il frôla lentement le rebord délicat de ses lèvres, elle frissonna de plaisir devant la caresse surprenante. Il la frôla de nouveau ainsi avant d'enfoncer sa langue et de parcourir l'intérieur de ses lèvres.

— La menthe, murmura-t-il contre sa bouche en souriant. Faites-la-moi goûter davantage.

Elle hésita, puis murmura :

— Comment?

— Léchez vos lèvres.

Willow obéit automatiquement. Elle ne comprit pas la soudaine intensité des yeux dorés de Caleb pendant qu'il l'observait.

— Encore.

En parlant, il avait baissé la tête jusqu'à ce qu'il puisse suivre l'avancée hésitante de sa langue avec la sienne. Willow trembla, et ses mains agrippèrent les avant-bras musclés de Caleb, mais elle ne les retira pas.

— La menthe, dit-il d'une voix basse tandis que les griffes de la passion s'enfonçaient en lui, provoquant son désir. Dieu du ciel, je ne goûterai plus jamais la menthe sans me souvenir de ce moment. Léchez mes lèvres, douce femme. J'adore le goût que vous avez.

— Caleb, dit-elle dans un souffle.

C'était tout ce qu'elle pouvait dire.

— Vous ne vous souvenez plus comment faire ? murmura-t-il. Ça va. Je me ferai un plaisir de vous montrer.

Il fit courir doucement sa langue sur les lèvres trem-blantes de Willow avant qu'il y pénètre doucement, cares-sant les douces surfaces intérieures de son sourire en une caresse persistante qui apprit à Willow à quel point ses lèvres pouvaient être sensibles. Immobile à l'exception du battement fou de son cœur, elle souhaita que ce moment ne prenne jamais fin.

Et pendant un temps, il ne se termina pas.

— À votre tour, dit finalement Caleb contre la bouche de Willow.

Elle émit un petit soupir de déception qui indiqua à Caleb à quel point elle avait pris plaisir à être caressée par sa langue.

— Quelque chose ne va pas ? la taquina-t-il.

— Je ne voulais pas que ce baiser se termine, avoua dou-cement Willow.

— Ce n'était toujours pas ce que j'appellerais un baiser.

— Non ?

— Non, répondit Caleb tandis qu'il passait rapidement ses lèvres sur celles de Willow et que sa langue en jaillissait pour la goûter. Mais nous y arrivons, ma chère. Nous y arrivons. Maintenant, léchez mes lèvres.

Hésitante, Willow obéit. Au début, elle toucha à peine Caleb. Les caresses rapides auraient pu résulter soit de la timidité soit de la connaissance d'une femme expérimentée sur la façon de titiller un homme assoiffé de sexe. Immobile, Caleb attendit avec la patience d'un chasseur, sachant que le titillement sensuel fonctionnait dans les deux sens avec une fille aussi passionnée que Willow.

Et il n'avait aucun doute quant à sa passion. Les moments brefs où elle l'avait révélée étaient encore plus attirants que ses cheveux blonds et son corps magnifique. Sa passion l'appelait incessamment, comme le chant d'une sirène voulant l'entraîner vers l'extase et le relâchement. Après quelques caresses rapides, Willow se fit plus audacieuse. Sa langue s'attardait, glissant sur le lent sourire de Caleb. Elle découvrit que ses lèvres étaient aussi douces et chaudes que du satin qu'on aurait laissé au soleil. Le bord de sa bouche était aussi sensible que le sien, car elle sentit clairement le frisson qui le parcourut quand elle fit le tour de ses lèvres du bout de sa langue. Prendre conscience du fait qu'elle pouvait avoir un tel effet sur ce corps puissant provoqua au plus profond d'elle un élan d'enthousiasme. Les sensations la transpercèrent tandis que la passion croissait et lui labourait les entrailles de ses griffes.

Sans s'en rendre compte, Willow s'abandonna davantage à la force et à la chaleur séductrice de l'homme qui tenait si doucement son visage entre ses mains. Lentement, elle le caressa encore de sa langue, qu'elle glissa audacieusement entre ses lèvres, retournant sentir la différence intrigante des textures, le goûtant mêlé à elle, la saveur piquante de la menthe mêlée à la chaleur de l'homme.

Quand Willow releva finalement la tête, les yeux de Caleb étaient presque fermés, et elle n'y décela que deux fentes dorées.

— Est-ce que c'était un baiser ? murmura-t-elle.

— Pas tout à fait, dit-il, la voix rauque.

— Est-ce que j'ai raté quelque chose ?

— Ouvrez la bouche, et je vais vous montrer.

— Quoi ?

— C'est ça, dit-il dans un souffle. Exactement comme ça.

Avec un lent mouvement de sa tête, Caleb se pencha et captura la bouche de Willow. Le bout de sa langue frôla les surfaces intérieures de ses lèvres en une caresse qui devint plus excitante chaque fois qu'elle la ressentait. Quand sa langue glissa entre ses dents et la goûta avec une intimité nouvelle, elle se raidit puis laissa échapper un souffle saccadé.

— Nous y sommes presque, dit Caleb contre la bouche de Willow. Ouvrez-la davantage pour moi, ma chère, et laissez-moi goûter votre douce langue attirante.

Pendant un instant, Willow hésita, mais elle était si tentée par la bouche de Caleb qu'elle surmonta sa timidité.

— Un peu plus, fit-il en regardant ses lèvres d'un rose profond avec un appétit qu'il ne pouvait dissimuler. Juste un peu plus… Oui, laissez-moi vous voir, vous goûter…

Les paroles de Caleb se terminèrent en un gémissement quand sa bouche s'appliqua sur les lèvres écartées de Willow. La pénétration veloutée de sa langue fut pour elle à la fois un choc et une révélation. Le lent retrait suivi d'une pénétration encore plus profonde lui arracha un petit cri du fond de la gorge.

Le son fit se bander chaque muscle du grand corps de Caleb. Lentement, efficacement, il continua de séduire la bouche de Willow, titillant et caressant sa langue, l'attirant dans la sienne, lui montrant à quel point un baiser pouvait être excitant. La danse languissante de la séduction et du retrait se poursuivit jusqu'à ce que Willow n'éprouve plus rien d'autre que le battement frénétique de son cœur et ne sente plus que le goût de Caleb qui se répandait à travers elle comme le feu après une vie entière de froid. Elle fit glisser ses mains des avant-bras de Caleb jusqu'à ses épaules, puis elle les plaça autour de son cou, l'attirant vers elle. Les bras de Caleb l'entourèrent également, la serrant contre sa poitrine jusqu'à ce que ses mamelons se pressent contre ses muscles rigides.

Le plaisir se répandit en elle quand ses seins se raidirent immédiatement, la faisant trembler. La pression des mains de Caleb s'accrut, l'attirant de plus en plus entre ses bras, la faisant bouger contre son corps en des mouvements sinueux. Elle émit un autre gémissement de plaisir et ouvrit instinctivement davantage sa bouche, désirant goûter plus de sa chaleur, de la douce friction de sa langue qui la caressait. Sa force représentait un attrait incroyable, car elle s'ajustait parfaitement aux désirs inassouvis de son propre corps.

Le baiser se modifia, s'approfondissant à chaque respiration saccadée de Willow, à chaque mouvement impuissant de son corps. Sa sensualité marquait Caleb au fer rouge, le secouait de tout son être. Il n'avait jamais connu une femme qui réagissait avec tant d'abandon à un baiser, comme un incendie s'élevant en spirale, hors de contrôle. Il n'avait pas non plus su de quelle passion il était lui-même capable tandis qu'une chaleur et un appétit incontrôlables s'emparaient de lui, évacuant l'univers entier de sa conscience.

Il oublia le jeu de séduction et de retraite qu'il jouait jusque-là, oublia la prudence, oublia tout sauf la fille qui se tordait comme une flamme dans ses bras et qui le brûlait vif. Ses mains descendirent du dos de Willow jusqu'à ses hanches, la prenant et la chérissant en de longues caresses. Sa langue s'accoupla à la sienne dans un silence sauvage, et ses doigts cherchèrent le centre torride du corps de Willow.

Les vêtements qu'elle portait n'étaient pas un obstacle à la recherche passionnée de Caleb, car sa culotte ne comportait aucune couture entre les jambes. Avec un bruit de satisfaction, Caleb fit glisser ses doigts entre une couche mince de coton. Il caressa la douce toison au sommet de ses cuisses, puis la chair encore plus douce et plus chaude dessous. Willow se raidit de surprise. Instinctivement elle lutta contre Caleb, serra ses jambes et lui saisit la main en essayant de l'écarter. C'était comme essayer de faire reculer une montagne.

— Non, Caleb, s'il vous plaît, ne faites pas ça !

— Ça va, dit-il d'une voix épaisse. Je ne vais pas vous faire de mal. Vous êtes si douce, si chaude, parfaite pour moi.

Ses doigts se plièrent et s'insérèrent en elle avec une intimité choquante.

— Non, non, vous avez dit seulement des baisers. Mon Dieu, Caleb, s'il vous plaît, *non* !

Pendant un instant Caleb baissa les yeux sur le visage frénétique de Willow, alors que tous deux constataient la futilité de sa lutte contre sa force beaucoup plus grande. Là où il la touchait, elle suffoquait, s'abandonnait, le réclamait passionnément. La tentation de la prendre malgré son refus était si grande qu'il pouvait se sentir céder, se sentir plonger dans le feu soyeux de tout son corps.

Willow sentit la puissance renversante du corps de Caleb, regarda ses yeux sauvages et pria pour qu'il soit un homme de parole.

— Caleb, murmura-t-elle. Vous avez promis. Arrêtez, s'il vous plaît.

Soudain Caleb s'écarta et bondit sur ses pieds. Il était furieux contre Willow parce qu'elle avait refusé ce que son corps voulait de toute évidence et tout aussi furieux contre lui-même parce qu'il l'avait désirée au point d'en perdre la tête. Pendant un long moment lourd de silence, il la regarda.

— Dame du monde, dit-il finalement en serrant les dents. Un jour, vous serez encore à genoux devant moi — *mais vous ne me supplierez pas d'arrêter.*

Caleb tourna les talons et s'éloigna, laissant sa froide promesse se répercuter dans le silence.

Chapitre 9

Comme l'avait prédit Caleb, la pluie s'abattit de nouveau sur les montagnes. Willow se réjouit du bruit, car le silence était devenu oppressant. Quand elle avait finalement rassemblé ses vêtements secs et son courage, elle était retournée au feu. Caleb avait quitté le campement. Les sept chevaux broutaient encore dans le pré, lui indiquant que peu importe où il était allé, il allait revenir. Toutefois, les chevaux ne pouvaient lui dire quand. Elle ramassa des pousses comestibles dans le pré et essaya d'oublier ce que cela avait été d'être embrassée par Caleb Black jusqu'à ce que le monde explose en un feu d'artifice dont il était le centre brûlant.

Il lui était impossible d'oublier. Des bribes de souvenirs et de sensations l'envahissaient à tout moment, la faisant frissonner de plaisir et de désir.

La pluie commença à tomber pendant que la dernière lueur écarlate de la soirée éclairait encore le ciel à l'ouest. Willow rentra à l'abri et enfila ses vêtements de voyage. Elle s'assit devant l'ouverture et surveilla l'arrivée d'une silhouette marchant à grands pas dans la pluie crépusculaire. Personne ne vint. Finalement, elle se pelotonna devant l'entrée et s'endormit.

Elizabeth Lowell

Quand Willow se réveilla, elle se trouvait entre les couvertures, et Caleb aiguisait son couteau pendant que des morceaux de viande rôtissaient au-dessus du feu. Le ciel de l'aube brillait d'un rose grisâtre teinté de pluie. Même si elle ne fit aucun son ou mouvement indiquant à Caleb qu'elle était réveillée, il le savait. Il se tourna et regarda vers l'abri.

— Le café est prêt, dit-il en tournant de nouveau les yeux vers la pierre à aiguiser dans ses mains.

La longue lame de son couteau de chasse lançait des étincelles quand il la frottait sur la pierre.

— Vous avez 15 minutes jusqu'à ce que nous partions, ajouta-t-il. C'est clair ?

Willow s'étonna de la froideur dans sa voix.

— Oui, c'est clair.

Quand elle revint de la forêt, Caleb lui tendit un morceau de viande rôtie au bout d'un bâton. Il ne dit rien, puis se remit à aiguiser son couteau. Inconsciemment, elle mordit dans la viande.

— Du gibier frais, dit-elle, surprise.

Caleb émit un grognement.

— Mais je n'ai entendu aucun coup de feu, insista-t-elle en se demandant à quelle distance Caleb avait marché pour traquer un cerf.

Les coups de feu se répercutaient sur des kilomètres entre les sommets rocheux.

— Je ne me suis pas servi d'un fusil.

— Alors, comment… ? fit-elle en lui jetant un regard de reproche. Caleb Black, vous n'allez pas me dire que vous avez attrapé un cerf de la même façon que vous avez capturé ces stupides truites !

— Pas vraiment, dame du Sud, dit-il tandis que le métal crissait contre la pierre. Je me suis servi du couteau.

— Vous l'avez lancé ?

— Ce serait foutrement idiot de faire une chose pareille, et malgré ce qui s'est passé hier, je ne suis pas un foutu idiot.

Willow rougit et tenta de s'excuser.

— Caleb, je ne voulais pas dire…

— Je l'ai traqué jusqu'à ce que je sois assez près pour lui trancher la gorge, poursuivit Caleb en ignorant Willow.

Ses yeux s'écarquillèrent de surprise.

— Quoi ?

— Vous m'avez bien entendu.

— Mais c'est impossible.

— Continuez de vous dire ça pendant que vous mangez votre gibier. Mais ne prenez pas trop de temps. Nous devons passer un haut col avant qu'il se remette à pleuvoir.

Tranquillement, Caleb essuya le tranchant du couteau sur les poils de son avant-bras. La lame était suffisamment affûtée pour servir de rasoir. Satisfait, il replaça le couteau dans sa gaine, prit le fusil et commença méthodiquement à le démonter et à le nettoyer.

Willow mangea son petit déjeuner pendant qu'elle observait Caleb nettoyer les fusils et le pistolet. De toute évidence, il était à l'aise avec les armes. Il travailla rapidement, mais minutieusement, avec une économie de mouvements qui était fascinante aux yeux de Willow. L'habileté, la précision et la délicatesse de ses grandes mains déclenchèrent en elle des souvenirs qui l'inondèrent de sensations.

— Caleb, commença-t-elle d'une voix rauque.

— Dame du Sud, croyez-vous que vous pourriez remuer vos fesses et vous occuper de vos chevaux ? Les baisers, c'était bien, mais je ne fais toujours pas la queue pour être votre serviteur.

La voix de Caleb lui fit l'effet d'un coup de fouet et la mit en colère contre elle-même et contre lui.

— C'est bien, parce que je ne fais pas la queue pour vos baisers non plus.

Elle laissa tomber dans le feu son gibier à moitié consommé et marcha à grands pas jusqu'au pré.

Elle ne fit aucune tentative pour reparler à Caleb. Ils quittèrent le pré dans un silence qui n'était brisé que par le craquement des selles et le battement rythmé des sabots sur le sol. Une heure plus tard, il s'arrêta au sommet d'une longue montée et laissa souffler les chevaux pendant qu'il surveillait minutieusement la zone devant eux avec sa longue-vue. Puis il sortit son journal et inscrivit des annotations sur la carte qu'il gardait de leur trajet depuis Denver. Quand il eut terminé, Willow ne l'avait pas encore rejoint. À contrecœur, il fit tourner Trey et chevaucha jusqu'à elle.

— Venez voir, dit-il.

Willow poussa Dove jusqu'au sommet de la crête. Le paysage était d'une beauté à couper le souffle. Elle se tut, captivée.

Devant elle, une clairière s'étendait sur des kilomètres entre deux séries de montagnes largement séparées. Des trembles et des conifères poussaient dans les vallons et sur le flanc des montagnes, mais la majeure partie de ce qu'elle voyait était couverte d'herbe et de fleurs sauvages. Une rivière d'un bleu cobalt louvoyait paresseusement à travers la clairière. Des étangs de castors chatoyaient en des teintes d'émeraude et de bleu. Mais de sombres sommets glacés surplombaient ce paysage, dominant même la magnificence du ciel. La neige recouvrait les hauteurs, s'épaississant progres-sivement pour adopter le blanc éclatant des champs de glace permanents.

— Vous voyez ces deux sommets sur la gauche qui res-semblent à un chien à l'oreille déchirée ? demanda Caleb.

— Oui.

— Je veux que vous chevauchiez du côté droit de la clai-rière en vous dirigeant vers le sommet qui semble déchiré. Si vous voyez quoi que ce soit qui vous semble dangereux, galopez vers la forêt. Si quelqu'un vous poursuit, servez-vous du fusil de chasse dès qu'il se trouve à votre portée.

Willow tourna les yeux vers l'homme assis sur son cheval à quelques mètres d'elle, mais même les sommets éloignés lui semblaient plus près.

— Où… ? commença-t-elle.

Elle s'éclaircit la gorge et fit un nouvel essai en s'efforçant de demeurer calme alors que l'idée d'être abandonnée la fai-sait frémir.

— Après le sommet, où dois-je aller ? fit-elle.

La frayeur dans la voix de Willow était trop évidente pour qu'elle puisse la dissimuler complètement. Caleb l'en-tendit et comprit à quoi elle songeait.

— Je ne m'enfuis pas en vous laissant, dit-il froidement. Peut-être que c'est de cette manière que les hommes de votre monde ont agi avec vous, mais je ne fais pas partie de ces hommes, n'est-ce pas ? Quand je donne ma parole, je la respecte.

Willow évita délibérément le regard mordoré et sauvage de Caleb, puis opina de la tête.

— Quand je suis allé chasser, j'ai vu les restes d'un cerf qu'on avait tué, poursuivit-il d'une voix dure. Il datait de la veille, peut-être de plus longtemps. Les loups les avaient rognés, mais je voyais bien que c'était un homme qui l'avait tué.

— Des Indiens?

— Des renégats, répondit Caleb d'une voix neutre. Certains chevaux étaient ferrés et d'autres pas. À ma connaissance, les seuls qui font ça sont les «commerçants» comancheros. Ce sont plutôt des voleurs. Ils ont beaucoup de Taos Lightning avec eux.

— Qu'est-ce que c'est?

— De la gnôle, du jus de tarentule, de l'alcool, expliqua-t-il d'un ton impatient.

— Oh, du whiskey?

Caleb grogna.

— Appelez ça comme vous voulez, mais ils en avaient tellement qu'ils en ont laissé une bouteille à moitié pleine.

Willow fronça les sourcils. Elle avait entendu parler des Comancheros, et ce qu'elle avait entendu ne présageait rien de bon. C'était en effet des renégats de la pire espèce — un mélange de hors-la-loi blancs et mexicains, d'Indiens bannis de leurs tribus et de métis qui ne respectaient ni les lois des hommes blancs ni celles des Indiens.

— Les Comancheros ne restent-ils pas d'habitude plus au sud? demanda-t-elle avec espoir.

— Seulement quand l'armée les y chasse. Il y a beaucoup de choses précieuses à voler dans le désert mexicain et beaucoup de Comancheros qui cherchent à les voler. L'armée a été trop occupée à combattre les rebelles pour perdre son temps à poursuivre les Indiens et les voleurs, mais maintenant que la guerre entre les États est terminée, l'armée est revenue. La situation va devenir vraiment mouvementée avant que les Utes soient rassemblés dans une réserve. Pendant que l'armée est occupée, les Comancheros vont récupérer ce qu'ils peuvent comme les coyotes qu'ils sont.

Willow regarda nerveusement l'espace découvert qui s'ouvrait devant elle, des kilomètres et des kilomètres de superbes prairies qui devaient certainement constituer un point de ralliement naturel pour les gens chevauchant à travers les montagnes à la recherche d'un passage facile.

— C'est beau, n'est-ce pas ? demanda Caleb en observant le paysage avec un petit air de propriétaire. Vous ne pouvez pas le voir d'ici, mais il y a un ruisseau qui descend de cette crête montagneuse et coule à l'année. Un homme pourrait y bâtir une maison et avoir un champ de vision lui permettant de faire feu sur trois côtés alors que du quatrième côté se trouve une terre que seule une chèvre de montagne pourrait traverser. L'eau y est claire et abondante.

Le mélange d'émotion dans la voix de Caleb fit tourner les yeux de Willow du paysage vers lui. Il adorait cette terre. Même quand il en décrivait les dangers, sa voix en embrassait les possibilités.

— Si un homme construisait sa maison au bon endroit, il ne risquerait pas d'être abattu en sortant pour remplir un seau, poursuivit-il. Le bétail pourrait brouter dans les hauteurs pendant l'été, et cet homme pourrait couper le foin dans les basses terres pour l'hiver. Après quelques années de dur labeur, il aurait une aussi belle terre que n'importe quel gentilhomme de Virginie.

Willow regarda encore le paysage, mais cette fois, elle le fit avec les yeux de Caleb. Elle vit des lieux où une embuscade pourrait avoir lieu et où il serait possible de se cacher, des endroits que l'on pourrait défendre et d'autres qui seraient facilement pris.

— Pensez-vous toujours comme ça? demanda-t-elle.

— Je veux élever du bétail depuis 10 ans. Il s'agit seulement de trouver le bon endroit et d'obtenir l'argent pour commencer.

— Non, je me demandais plutôt si vous pensez toujours en termes de bataille.

Caleb lui jeta un regard oblique à la fois amusé et incrédule.

— Dame du Sud, quiconque veut survivre ici pense comme ça. C'est une seconde nature, comme le fait de se souvenir des points de repère devant *et* derrière vous, parce que tout paraît différent dans un sens ou dans l'autre. Mais quoi qu'il en soit, c'est une des plus belles terres que Dieu ait créées, et elle est assez sauvage pour abriter le diable lui-même. Si un homme ne garde pas les yeux ouverts et l'oreille tendue ici, il va se retrouver raide mort.

— Alors, pourquoi vouloir élever du bétail ici?

Caleb lui adressa un sourire qui n'avait rien de rassurant ni de joyeux.

— Dans l'Est et en Californie, d'autres hommes possèdent déjà les bonnes terres. Pas ici. Ici, un homme peut avoir autant de bonnes terres qu'il est prêt à se battre pour en obtenir. Je suis assez doué pour ça, Willow, et aussi pour élever du bétail.

— C'est ce que vous voulez, vous établir ici et devenir propriétaire de ranch?

Caleb acquiesça discrètement, regardant le paysage plutôt que la femme qui l'observait.

— On peut trouver des montagnes et des clairières comme celles-là à quelques jours de cheval au sud de la région des monts San Juan, dit-il. Les pâturages sont excellents, mais il faudrait se battre continuellement contre les Apaches et les Comanches, et le bétail recevrait plus de flèches qu'un porc-épic possède d'épines. Il n'y a là-dedans ni plaisir ni profit.

Pendant un bon moment, Willow regarda le paysage, puis l'homme au visage dur qui surveillait les changements de direction du vent dans la forêt et les herbes, son regard clair examinant chaque mouvement pour repérer celui d'un homme — ou plutôt de plusieurs hommes.

Les Comancheros.

Willow se sentit mal à l'aise. Elle ne s'était pas attendue à ce que l'Ouest soit civilisé, mais elle n'avait pas vraiment compris non plus ce que signifiait dans les faits une telle absence de civilisation. Sous certains aspects, c'était comme être en guerre. Il fallait être en tout temps vigilant, car l'inattention pouvait être fatale. Cela ne la dérangeait pas beaucoup, parce qu'elle avait fini par s'habituer à prendre des risques pendant la guerre. Elle avait acquis un talent pour écouter les sons, pour dormir d'un sommeil léger et pour se glisser dans la forêt avec sa mère au premier indice de danger.

Mais cette terre vaste, sauvage et extraordinaire, n'était pas comme sa ferme. Ici, elle dépendait d'une façon qui l'effrayait de la force de Caleb, de sa capacité à se battre et de ses connaissances.

Il m'a prévenu que ça serait comme ça, se dit Willow. *Il me l'a dit sans détour.*

Elizabeth Lowell

Elle frissonna tandis que le souvenir d'une conversation passée lui revenait à l'esprit :

Où je vous conduis, il n'y a aucune loi… Là-bas, dans ces montagnes, un homme s'occupe de lui-même, parce que personne d'autre ne le fera pour lui.

Et une femme ? Qu'est-ce qu'elle fait ?

Elle trouve un homme suffisamment coriace pour la protéger, ainsi que les enfants qu'elle portera pour lui.

Ce moment où elle avait entendu et ignoré l'avertissement de Caleb, alors qu'elle croyait que ce qui l'attendait dans ces contrées ne pouvait être plus dangereux que la guerre à laquelle elle avait déjà survécu, lui paraissait si loin. Il lui semblait que des années s'étaient écoulées depuis qu'elle avait quitté le confort rudimentaire de Denver pour une terre qui devenait de plus en plus sauvage à chaque pas qu'elle faisait vers l'Ouest.

Pourtant, même en sachant cela, elle n'aurait pas échangé un de ces pas contre la sécurité de l'Est qu'elle avait quittée. Malgré le danger, il y avait quelque chose dans les vastes horizons des Rocheuses qui la rendait optimiste et qui réjouissait son cœur.

Elle ferma les yeux et écouta les petits bruits de la terre autour d'elle. Un des chevaux hennit et piaffa. Une selle crissa quand Caleb déplaça son poids. Un oiseau chanta dans le pré. Il n'y avait aucune odeur de fumée, d'arbres sciés ou de terre retournée. La brise charriait des odeurs que l'homme n'avait pas perverties et devenait une rivière de vie glissant doucement sur Willow en la caressant.

— Merde, Willow, j'ai dit que je reviendrais. Vous ne me croyez pas ?

Surprise, elle ouvrit les yeux.

— Bien sûr que je vous crois.

— Qu'est-ce qui ne va pas, alors ?

— Rien, répondit-elle en souriant presque tristement. Pas comme vous l'entendez. C'est seulement que… je viens de me rendre compte que j'aime cette terre vierge et sauvage, même si elle comporte des dangers.

Elle sourit en réprimant le tremblement de ses lèvres.

— J'ai besoin d'un peu de temps pour me faire à cette idée, termina-t-elle.

Caleb la regarda avec une soudaine intensité farouche, mais dit seulement :

— Si vous vouliez être en sécurité, vous auriez dû rester chez vous.

— Oui, murmura-t-elle. Je le sais. Ne vous inquiétez pas, Caleb. C'est moi qui suis responsable de tout ce qui m'arrivera, et pas vous. Je ne savais peut-être pas dans quoi je m'embarquais, mais je savais ce que je laissais derrière moi.

Caleb attendit.

Willow n'ajouta rien. Elle regarda simplement le paysage et éprouva le plaisir doux-amer d'avoir réalisé une partie de son rêve de trouver un nouveau foyer tout en découvrant qu'il ne serait probablement pas possible pour une femme d'y vivre seule. Ce n'était pas comme la douce terre de son enfance. Et pourtant, cette douce terre avait été ravagée sans qu'elle puisse faire quoi que ce soit pour lui redonner vie.

— À quoi pensez-vous ? demanda tranquillement Caleb.

— J'étais fatiguée de cette terre déchirée, dit lentement Willow. Je voulais voir le Mississippi descendre vers un océan inconnu le long de ses vastes berges. Je voulais voir une plaine dépourvue d'arbres s'étendant d'un horizon à l'autre avec des bisons et un grand fleuve ondulant à travers des herbes à hauteur d'homme. Je voulais voir les Rocheuses jetées comme un magnifique gantelet de pierre à travers les plaines.

Willow se tut en songeant à d'autres choses qu'elle avait voulues : voir un visage qui lui était apparenté ou qui au moins n'était pas ennemi, voir son frère préféré, rire avec lui, se souvenir d'une époque où elle n'était pas seule. Elle voulait… Elle secoua lentement la tête, car elle voulait des choses qui ne pouvaient pas s'exprimer, qui n'étaient qu'un désir aussi profond que son âme et aussi infini que le ciel nocturne.

Lentement, elle laissa échapper un soupir et accepta le fait que quoi qu'il arrive, elle était plus vivante ici qu'elle l'aurait été en Virginie. Rien ne l'avait jamais touchée de la façon dont l'avait fait ce paysage de montagnes, sauf l'homme qui chevauchait à côté d'elle. Comme les montagnes, Caleb était dur, imprévisible, souvent déconcertant. Et comme elles, sa présence offrait des moments de chaleur et de beauté sauvage. Elle se tourna, et lui sourit gentiment.

— Allez faire ce que vous devez, dit-elle doucement. Je vais bien, maintenant.

Caleb hésita avant de tirer de son pantalon une grosse montre de poche qu'il lui tendit.

— Laissez-moi un quart d'heure d'avance, puis partez à un bon trot.

Willow serra les doigts autour de la montre. Le métal était lisse et poli, et la chaleur du corps de Caleb en irradiait dans sa main froide. Les souvenirs affluèrent en elle, celui d'être embrassée par lui, de sa barbe qui se frottait contre sa peau délicate, de son corps puissant pressé contre le sien, de sa main entre ses jambes, l'offusquant et la caressant dans le même instant déchirant. Les sensations l'envahirent, la faisant trembler.

S'être tant approchée de cette terre et de cet homme, puis savoir à quel point elle pourrait perdre les deux… Elle se mordit la lèvre et inclina la tête.

— Ne vous inquiétez pas, dit Caleb, ému malgré lui par la peur de Willow et sa détermination à ne pas y céder. Je ne serai pas loin. Si vous entendez des coups de feu, cachez-vous et attendez que je vous trouve.

— Et si… vous ne me trouvez pas ?

— Je vais vous trouver. Je n'ai pas vécu si longtemps pour être tué par un moins que rien de Comanchero soûl.

Caleb la salua en portant la main à son chapeau puis prit les rênes. Son énorme cheval s'éloigna au petit galop, laissant Willow toute seule. Immobile, elle le regarda chercher des signes de vie le long du flanc gauche de la clairière, allant et venant jusqu'à ce qu'il disparaisse au creux d'une vaste clairière parsemée de vallons. Il réapparut quelques minutes plus tard, puis disparut de nouveau.

Quand les 15 minutes furent écoulées, Willow tira le fusil de chasse de son étui, le posa sur ses genoux et commença à descendre le côté gauche du bassin à un trot rapide. Les chevaux la suivirent, encouragés par Ishmael à garder la cadence.

Deux heures s'écoulèrent avant que Caleb rejoigne Willow et chevauche à ses côtés à travers les hautes herbes à l'orée de la forêt. Le paysage était encore immense, une vaste rivière d'herbe coulant entre de hautes barrières de pierre.

— Vous avez vu quelque chose ? demanda-t-elle.

— Des traces, répondit-il brièvement. Quatre chevaux. L'un d'eux était ferré. Ils pourchassent soit des cerfs, soit nous, soit quelqu'un d'autre.

— Comment pouvez-vous en être sûr ?

— Ils faisaient la même chose que moi : ils cherchaient des signes.

— Où sont-ils maintenant ?

— Ils se sont séparés. Une piste s'est orientée vers la gauche derrière nous, et l'autre mène vers la droite le long d'un embranchement de la rivière. Il y a un bon col au bout de cet embranchement. Si ce n'avait été de ces deux chasseurs de primes, je nous aurais menés dans cette direction. C'est plus proche de là où nous allons. Mais vu les circonstances, nous allons franchir la ligne continentale en quelques jours.

— La grande ligne de partage des eaux des Rocheuses ? demanda Willow dans un souffle.

Caleb sourit devant son enthousiasme.

— Des Comancheros se baladent un peu partout sans que vous vous en fassiez, mais vous vous enthousiasmez pour un col de montagne de plus.

— Pendant toute ma vie, les rivières ont coulé vers l'océan Atlantique. Le fait de voir de l'eau aller vers le Pacifique...

Willow éclata d'un rire ravi.

— Je sais que c'est stupide, mais je n'y peux rien. J'ai grandi en recevant des lettres de mes frères qui parlaient de la Chine où une cité entière est construite sur des boutres attachés ensemble dans une baie, des îles Sandwich où les vagues sont plus hautes que l'était la grange avant que les rebelles la brûlent et de l'Australie, où il y a des récifs plus grands que les 13 colonies rassemblées. Et je n'ai jamais vu autre chose que les levers de soleil de Virginie, des poulets grattant le sol dans le potager et une brume au-dessus des collines.

Caleb sourit, intrigué par l'enthousiasme de Willow.

— Apparemment, l'attrait du voyage est inné dans votre famille. Pas étonnant que vous ayez eu envie de partir à la recherche de votre homme du monde quand il vous a écrit.

— Je serais venue de toute façon, avoua Willow. Je ne pouvais plus supporter l'idée de rester là-bas. Il n'y avait plus que des souvenirs de temps meilleurs.

Ensuite, Willow se tut. Caleb n'essaya pas de reprendre la conversation. C'était mieux ainsi, à la fois pour sa vigilance et pour le fait de garder la distance qu'il savait être nécessaire entre la femme de Reno et lui. Il était beaucoup trop facile d'aimer Willow, d'apprécier son rire et ses silences, de se souvenir de ce qu'il avait éprouvé en sentant son corps s'adoucir comme du miel et devenir chaud entre ses bras.

Ce n'est qu'une maîtresse. Dieu du ciel, pourquoi ne puis-je pas me souvenir de ça quand je la regarde ? Pourquoi l'ai-je dans la peau à ce point ?

La réponse était aussi simple et aussi indélébile que l'instant où sa main s'était glissée entre les épaisseurs de coton et qu'il avait senti la chaleur féminine suffocante au bout de ses doigts. Jamais une femme ne l'avait désiré autant, aussi vite, aussi sensuellement. Ce souvenir affermit son cœur, le laissant douloureusement conscient de l'homme qu'il pourrait devenir avec une femme comme Willow Moran.

Caleb détourna son attention de ce qu'il ne pouvait avoir vers la vaste clairière de montagnes qui s'étendaient au loin sur trois côtés. De temps en temps, il ralentissait la cadence et vérifiait leur position par rapport aux sommets. Une fois, il prit dans ses sacoches de selle un compas, un crayon et le journal de cuir écorné de son père. Après quelques minutes, il sortit son propre journal. Il compara les lectures de compas aux notes qu'il avait rédigées trois ans plus tôt, compara son dessin aux sommets sur sa gauche et opina de la tête. Même s'il n'avait jamais parcouru cette partie des montagnes auparavant, il savait où il était.

— Où nous dirigeons-nous ? demanda Willow en s'approchant.

C'était la première parole que l'un d'eux adressait à l'autre depuis plusieurs heures. Aucun des deux n'avait trouvé le silence embarrassant. Ils étaient habitués à leur propre compagnie.

— À vous de me le dire, fit sèchement Caleb. Les monts San Juan sont au sud et à l'ouest de nous. Nous pourrions nous diriger droit vers le sud entre les chaînes pendant quelques jours et les traverser juste au nord du sommet de San Luis. Ou nous pourrions traverser la ligne continentale à l'ouest d'ici, puis tourner vers le sud. Ou nous pourrions faire un peu des deux.

— Qu'est-ce qui est le plus rapide ?

Il haussa les épaules.

— Aller vers le sud serait probablement plus facile, mais ce serait plus long. Aller vers l'ouest serait facile pendant une journée, puis nous aurions une longue ascension à faire pour franchir la ligne, suivie d'une descente en zigzags de l'autre côté. Tout dépend d'un facteur : si votre homme se trouve vraiment sur l'un des affluents de la Gunnison, ou alors s'il se trouve sur l'un de ceux de l'Animas, de la Dolores, de la San Miguel ou de n'importe laquelle des 10 autres rivières qui valent la peine qu'on les nomme.

Willow hésita.

— Matt n'a mentionné que la Gunnison, mais je ne suis pas certaine qu'il soit près d'un affluent direct. Il a dit qu'il y avait une source d'eau chaude, un ruisseau et une haute et minuscule vallée entourée de sommets montagneux, sauf pour une montée vraiment abrupte à l'entrée.

Caleb fit un son de dégoût.

— Vous venez simplement de décrire toute la foutue région des monts San Juan. Des montagnes et des sources d'eau chaude. Merde, il y en a tout autour de nous en ce moment, et nous ne sommes même pas encore arrivés là-bas.

— Et la vallée?

— On appelle ça une vallée suspendue. Et les Rocheuses en sont pleines.

— Une vallée suspendue? demanda-t-elle en fronçant les sourcils. Qu'est-ce que c'est?

— Vous voyez cette crête sur la droite, vis-à-vis l'étang de castors?

— Oui.

— Levez les yeux directement à partir de là.

Après quelques secondes, Willow dit :

— Tout ce que je vois, c'est une cascade qui dévale la montagne.

— C'est ça. Les vallées suspendues sont cachées, mais les ruisseaux qui en sortent ne le sont pas.

— Je ne comprends pas.

Caleb fronça les sourcils à son tour.

— C'est comme si quelqu'un brisait une vallée en moitiés ou en quarts et plaçait chaque pièce comme une marche sur le flanc de la montagne, puis les reliait par un ruisseau. Puisqu'il n'y a ni entrée ni sortie aux vallées à part une chute ou une cascade et qu'elles dominent la clairière en dessous, on les appelle des vallées suspendues. Ce sont de bons endroits pour faire brouter les bêtes pendant l'été, si vous pouvez trouver une façon d'y amener des vaches. Toutefois, l'hiver y est terrible. La neige arrive tôt, tombe abondamment et reste tard.

Willow songea un moment à ce que Caleb venait de dire puis secoua la tête.

— Ça ne ressemble pas à Matt. Il détestait le froid.

— Est-il fermier ?

— S'il l'était, il serait resté en Virginie, répondit sèchement Willow. Nous — la famille Moran, je veux dire — possédions plusieurs grandes fermes avant la guerre.

— Est-il vacher ?

Elle secoua la tête.

— Trappeur ?

Elle secoua de nouveau la tête.

Caleb poussa un grognement et poursuivit.

— J'ai entendu dire qu'il y avait de l'or dans certains de ces hauts ruisseaux.

Willow tressaillit.

— Bon Dieu, laissa tomber Caleb d'un air dégoûté. J'aurais dû le savoir. Votre homme du monde cherche de l'or.

Willow ne dit rien.

— Eh bien, ça explique tout, marmonna-t-il.

— Quoi ?

— La raison pour laquelle il vous a quittée, répondit brièvement Caleb. Un homme obsédé par le métal jaune se fiche de tout le reste : de sa femme, de ses enfants — de tout sauf de cette salope dorée.

Et il se soucierait encore moins d'une jeune fille innocente qui lui a donné son amour et son corps sans jamais penser à l'avenir, songea amèrement Caleb. *Pauvre petite Rebecca. Elle n'a jamais eu une chance.*

— Matt n'est pas comme ça, dit Willow.

— Dans ce cas, pourquoi vous a-t-il laissée seule pendant si longtemps que vous avez oublié comment embrasser un homme ? Il aurait dû venir vous chercher quand la guerre a commencé, dit Caleb d'un ton neutre. Vous le savez aussi bien que moi.

Il pensait aussi à d'autres choses qu'il n'osait pas exprimer à voix haute. *Si Reno avait été avec Willow pendant la guerre, il ne se serait pas retrouvé au Nouveau-Mexique, séduisant ma sœur. Il aurait eu sa propre maîtresse pour prendre soin de ses désirs.*

Willow vit clairement la condamnation dans le visage de Caleb. Elle rougit, mais ne dit rien. Si elle avait été la femme de Matt, ce que Caleb avait dit aurait été vrai, mais elle n'était que sa sœur. Comme ses frères, Matt était parti pendant plus de 10 ans en ne lui rendant que quelques visites entre deux voyages. Il n'avait aucun lien avec le Nord ou le Sud. Il était possédé par son amour de l'Ouest inhospitalier et par l'or qui brillait comme un rayon de soleil capturé dans les ruisseaux de montagnes sauvages.

Le silence s'installa de nouveau jusqu'à ce que Caleb s'arrête tout à coup, porte la longue-vue à son œil et jure férocement à voix basse. Il balaya du regard la région autour d'eux, mais ne vit pas d'autres hommes. Les deux qu'il avait repérés s'avançaient vers lui au petit galop sans essayer de dissimuler leur présence.

— Qu'est-ce que c'est? demanda Willow au bout d'un moment.

— Des Comancheros. Ils sont deux. Sortez le fusil de chasse. Ne vous énervez pas, mais gardez-le pointé entre les deux hommes. S'ils se séparent, ciblez celui sur la gauche. S'il porte la main à son pistolet, abattez-le immédiatement. C'est clair?

— Oui, dit Willow d'une voix tendue. Mais je... je n'ai jamais abattu un homme.

Caleb lui adressa un sourire cynique.

— Ne vous inquiétez pas, dame du Sud. Ce ne sont pas des hommes. Ce sont des coyotes qui bondissent ici et là sur leurs pattes arrière crochues.

Il tira la carabine de son étui de selle, dégrafa la lanière de son six-coups et attendit. Ils gardèrent le silence pendant qu'ils observaient l'approche des cavaliers. Willow pensa que les Comancheros allaient les dépasser au galop, mais à la dernière seconde, ils tirèrent si brusquement les rênes que leurs poneys s'effondrèrent sur leurs jarrets.

Les poneys étaient petits, non ferrés et minces comme des planches. Malgré cela, ils transpiraient ou respiraient difficilement après leur longue chevauchée à travers le pré. Comme leurs bêtes, les hommes étaient petits, noueux et coriaces et ils étaient de sang mêlé. Les hommes étaient aussi sales, à cran et lourdement armés. Celui sur la droite était un blond aux yeux bleus et celui sur sa gauche était un *mestizo*.

À environ six mètres d'eux, l'homme aux yeux bleus cria :

— *Ola*, Homme de Yuma.

— Je te vois, Nine Fingers, dit Caleb. Tu es loin de l'endroit où nous nous sommes vus la dernière fois.

Le Comanchero sourit, révélant une dent en or parmi ses dents du dessus et un trou noir en dessous. Il regarda Willow. Le désir évident dans ses yeux la fit frémir.

— Combien pour elle ? demanda Nine Fingers.

— Elle n'est pas à vendre.

— Je t'en donnerais un gros sac d'or.

— Non.

Nine Fingers jeta un autre long regard d'appréciation à Willow.

— Alors, qu'est-ce que tu dirais de me la louer pour un moment ?

Caleb bougea légèrement sur sa selle. Quand Nine Fingers écarta les yeux de Willow, il y avait un six-coups dans la main droite de Caleb et une carabine dans sa gauche. À cette distance, le pistolet était la plus dangereuse des deux armes.

— Tu es un peu nerveux, dit Nine Fingers.

— Oui.

Caleb avait répondu d'une voix neutre malgré la rage qui lui serrait les entrailles. Aucune femme, qui qu'elle soit, ne méritait ce qu'il y avait vu dans les yeux bleu pâle de Nine Fingers. Le doigt de Caleb se tendit sur la gâchette du six-coups à l'idée que le Comanchero regarde même Willow et qu'il puisse la toucher de ses mains dégoûtantes.

— Eh bien, je suppose que je serais nerveux aussi si je conduisais une femme superbe et sept chevaux de race.

L'autre Comanchero s'adressa soudain à Caleb.

— Tu veux Reno ? Si je le vois, je te l'amène.

— Non merci. J'ai un autre boulot en ce moment.

Nine Fingers émit un grand rire guttural et dit à son ami quelque chose à propos de l'Homme de Yuma qui conduisait une jument blonde plus rapidement qu'un visage pâle fuyant les Comancheros.

Caleb jeta un rapide coup d'œil à Willow en se demandant si elle comprenait le mélange d'argot espagnol et de mots indiens. Son expression n'avait pas changé.

— Compte tenu du fait que nous sommes des *amigos*, nous pourrions conduire cette jument blonde pour toi, proposa Nine Fingers tout en faisant avancer son cheval. Alors, tu auras le temps de poursuivre Reno.

Le son du revolver qu'on armait était étonnamment clair. Nine Fingers tira sur les rênes. L'autre Comanchero parla rapidement.

— Vous pas vouloir tirer, Homme de Yuma. Méchants tout près. Très méchants. Arriver vite s'ils entendent fusil, c'est sûr.

— Ça ne sera pas votre problème, dit Caleb en regardant les deux hommes. Vous serez morts avant que le premier écho retentisse.

Nine Fingers sourit.

— Short Dog te dit la vérité. Jed Slater te cherche. Il est terriblement fâché à propos du surnom que tu as donné à son petit frère. Kid Coyote.

Il éclata d'un grand rire sincère.

— Le vieux Jed a juré de t'envoyer en enfer.

Caleb haussa les épaules.

— Il n'est pas le premier.

— Il parle d'une grosse prime sur ta tête.

— Les coyotes parlent beaucoup, aussi.

Nine Fingers poursuivit :

— Pas comme ça. Tous les chasseurs de primes qui se trouvent entre ici et les montagnes Sangre de Cristo vont arriver à toute allure en espérant lui ramener ton scalp. 400 dollars yankees pour l'homme qui va te tuer et un millier pour celui qui te ramènera vivant à Jed.

— Ne vous gênez pas pour essayer, dit Caleb.

— Beaucoup d'argent, dit Short Dog.

— Beaucoup de problèmes, rétorqua Caleb. Les hommes morts ne dépensent pas d'argent.

Nine Fingers rit de bon cœur et regarda son compagnon.

— *Es muy hombre, no ?*

Short Dog grogna et regarda le canon du fusil que Willow avait gardé pointé entre les deux Comancheros. Il orienta son cheval de quelques pas vers le côté. Le canon du fusil le suivit.

— Si Short Dog bouge les mains, abattez-le, dit Caleb à Willow sans quitter Nine Fingers des yeux.

Elle ne dit rien. Elle arma simplement le fusil de chasse d'un geste rapide et sûr. Les deux Comancheros échangèrent un regard.

— Ne vous énervez pas, dit Nine Fingers en observant intensément Willow. Nous ne cherchons pas à crever, mais pensez à ça, petite dame. Si vous venez avec nous sans résister, nous serons vraiment gentils avec vous. Si vous attendez jusqu'à ce que votre homme soit tué pour être gentille avec nous, nous n'allons pas écouter vos prières. Nous allons vous prendre, vous arracher vos vêtements, et quand nous serons fatigués de vous, nous allons vous vendre au plus offrant.

Willow ne quitta pas des yeux un instant les mains de Short Dog.

Nine Fingers sourit avec réticence.

— Elle obéit bien, n'est-ce pas ? J'aime ça chez une pute.

— Vous partez ou vous mourez, dit Caleb sur un ton neutre.

— *Adiós.*

Les Comancheros firent tourner leurs poneys et s'éloignèrent en galopant dans la direction d'où ils étaient venus — la même que Caleb et Willow devaient prendre pour traverser la ligne continentale et rejoindre la piste qui menait dans la région des monts San Juan.

Caleb regarda les Comancheros jusqu'à ce qu'ils bifurquent vers le côté droit de la clairière et disparaissent dans un repli de terrain. Au moment où il rengainait son six-coups et remettait la lanière en place, le son de trois coups de feu rapides résonna à travers la clairière. Caleb jura à voix basse et attendit, l'oreille dressée. L'écho distant des trois détonations provenait de la droite. Quelques instants plus tard, le bruit faible d'autres coups de feu se fit entendre derrière eux et sur la droite.

— Ça change tout, dit Caleb. Rangez le fusil et préparez-vous à chevaucher comme si tous les démons de l'enfer étaient à nos trousses, parce qu'ils le seront aussitôt que Nine Fingers rejoindra ses amis.

Chapitre 10

Sur plusieurs kilomètres, Caleb maintint la cadence au grand galop, tirant parti des espaces couverts que procurait le terrain et gardant un œil sur la clairière parsemée de vallons à sa droite. Ils traversèrent plusieurs petits ruisseaux et trois plus larges. Au quatrième, il s'arrêta, regarda le compas et vira vers l'ouest pour remonter le ruisseau vers sa source dans les hautes montagnes.

Malgré le fait qu'ils aient changé de direction, le terrain demeura le même pendant un temps. Il y avait encore des crêtes herbeuses, des bosquets d'épinettes et de trembles ici et là, de même que des sommets enneigés au loin. Il devint peu à peu évident que le cours d'eau qu'avait choisi de suivre Caleb s'enfonçait profondément dans la chaîne de montagnes. Des sommets recouverts de forêts commencèrent à s'approcher d'eux à droite et à gauche. À certains endroits, la clairière se rétrécissait pour faire moins d'un kilomètre. Parfois, la forêt s'étirait en de longues franges qui se rencontraient presque, étouffant les hautes herbes des prés.

Caleb ralentit à un petit galop, une cadence qu'il conserva même après que les robes des chevaux se soient assombries de sueur et que de l'écume ait commencé à apparaître en de minces coulées blanches sur leurs épaules et leurs flancs. Les chevaux du Montana respiraient profondément, mais aisément. Les pur-sang arabes trouvaient le rythme plus difficile à maintenir. Dove commença à respirer bruyamment, par grandes goulées d'air qui faisaient palpiter ses narines aussi larges que des poings, mais elle continuait de courir vaillamment, encouragée seulement par la voix de Willow qui lui parlait doucement à l'oreille en louant son courage.

Après ce qui parut une éternité à Willow, Caleb laissa les chevaux ralentir au pas de marche. Ce n'était pas par gentillesse, mais par nécessité. Les montagnes se rapprochaient encore une fois, et le terrain s'élevait si abruptement sous les sabots des chevaux qu'il aurait été insensé de chevaucher plus vite sauf en cas de danger de mort imminent. Les choses n'en étaient pas encore arrivées là, mais il était sûr qu'elles y viendraient.

— Descendez, dit Caleb en faisant de même. Nous allons changer de chevaux. Allez faire un tour dans les buissons si vous en avez besoin. Vous n'aurez pas d'autres occasions jusqu'à ce que la nuit soit tombée.

Willow s'inquiétait davantage pour sa jument épuisée que pour elle-même. Aussitôt que ses pieds touchèrent la terre, elle défit les sangles et enleva la selle pour que Dove puisse respirer plus facilement.

Caleb leva les yeux, vit que Willow avait pris soin de Dove et marcha jusqu'à Deuce.

— Posez-la sur Ishmael, dit-il quand elle se dirigea vers Penny en portant la lourde selle. La chevauchée qui nous attend sera encore plus difficile.

Willow s'arrêta et regarda Caleb d'un air incrédule.

— Vous ne pensez pas que nous les avons semés ?

— Non. J'ai choisi le col le plus près que je connaissais, mais ils le connaissent sûrement aussi. Je ne peux pas garantir que nous pourrons franchir la ligne continentale avant qu'ils nous rattrapent. Alors, tout ce que nous pouvons faire, c'est de chevaucher sans arrêt. Mais vos chevaux ne sont pas encore habitués à l'altitude. Ceux des Comancheros le sont.

— Depuis quelque temps, nous nous dirigeons vers le sud, n'est-ce pas ?

Caleb acquiesça de la tête.

— Les Comancheros ont chevauché vers le sud, dit-elle.

— C'est sûr.

— Qu'arrivera-t-il si nous les rencontrons avant même que nous ayons bifurqué vers le col ?

— Alors, nous n'aurons plus de chance.

Willow se mordit la lèvre inférieure.

— Mais si nous atteignons la piste du col avant eux, nous serons en sécurité ?

— À moins qu'ils y arrivent les premiers.

— Mais comment pourraient-ils savoir que nous avons pris une piste en particulier, à moins d'avoir refait tout ce chemin pour nous traquer ?

— C'est le seul col aisément franchissable à 100 kilomètres à la ronde, dit Caleb. Même un Comanchero soûl peut deviner où nous allons être. Le long de ce ruisseau, à une douzaine de kilomètres, il y a un endroit où une autre route arrive du sud et rejoint la piste du col. Nous devons arriver avant eux à cette jonction.

Pendant un instant, Willow ferma les yeux. *Douze kilomètres*. Ses chevaux ne pouvaient courir sur 12 autres kilomètres. Les pur-sang avaient plus de mal à avancer que les montures de Caleb, et ce, même si leur fardeau était moindre.

Caleb retira la selle de bât sur le dos de Deuce et y déposa la selle de chevauchée tout en parlant.

— Le problème, c'est que si nous continuons à cette vitesse, nous allons commencer à perdre les juments. Ishmael est plus fort, alors vous allez le monter. Si les juments ne peuvent suivre la cadence, elles seront laissées à elles-mêmes.

Caleb regarda Willow avec toute l'intensité de ses yeux dorés.

— Dites-moi quelque chose maintenant, Willow. S'il n'y a pas d'autre choix, préféreriez-vous mourir ou vous retrouver avec les Comancheros?

Willow se souvint de Nine Fingers qui l'observait de ses yeux bleu pâle, et elle sentit la bile lui monter à la gorge.

— Mourir, dit-elle sans hésiter.

Caleb la fixa pendant un long moment. Elle lui rendit son regard sans broncher.

— Alors, ainsi soit-il, dit Caleb d'une voix basse. Vous seriez morte assez rapidement de toute façon. Les femmes blanches ne durent pas plus de quelques mois avec les Comancheros, en particulier les blondes. Il y a trop d'hommes qui rêvent de cheveux blonds. Mais le choix devait vous revenir.

Willow détourna la tête en silence. Il n'y avait réellement rien qu'elle puisse dire.

Quand elle revint de la forêt, les chevaux étaient sellés. Dove respirait encore difficilement, mais l'écume séchait sur son corps. Caleb se tenait près d'Ishmael, attendant d'aider Willow à monter en selle.

— Ce n'est plus nécessaire, fit-elle. Je peux monter toute seule.

— Je le sais.

Caleb joignit ses mains pour former un étrier. Elle y posa le pied, et il la fit grimper sur la selle. Pendant un bref moment, elle sentit sa main caresser doucement son mollet, mais le contact avait été si rapide et Caleb s'était détourné si vivement qu'elle se demanda si elle avait imaginé tout ça. Son visage avait paru tellement sévère.

— Caleb ?

Il se retourna vers elle.

— Peu importe ce qui arrivera, dit Willow rapidement, ne vous le reprochez pas. À Denver, vous m'avez prévenue du fait que mes pur-sang n'arriveraient pas à soutenir la cadence. Vous aviez raison.

D'une longue enjambée, Caleb rejoignit Willow.

— Venez ici, dit-il d'une voix rauque.

Quand elle se pencha, Caleb prit son visage entre ses longs doigts, la tint ainsi l'espace d'une seconde, puis lui appliqua sur la bouche un baiser farouche et rapide qui se termina avant qu'elle puisse réagir.

— Vos chevaux se sont bien comportés. En fait, ils m'ont beaucoup surpris, dit-il contre les lèvres de Willow. Et vous aussi. Restez juste derrière moi, ma chère. Ce sont des juments extraordinaires, mais elles ne valent pas qu'on meure pour elles.

Avant que Willow puisse dire quoi que ce soit, Caleb la relâcha et sauta en selle. Il leva les rênes, et le gros animal commença aussitôt à galoper. À la grande surprise de Caleb, même sans encouragement de la part d'Ishmael, les juments s'accrochaient aux flancs de l'étalon, courant librement comme des mustangs. Si elles commençaient à tirer de l'arrière, Willow leur parlait, puis elles agitaient les oreilles et accéléraient le pas.

Plusieurs fois pendant qu'ils parcouraient la douzaine de kilomètres, Caleb entendit Willow parler à ses pur-sang et vit les juments réagir en s'efforçant davantage de garder le rythme exténuant. Tandis que les kilomètres défilaient, il se mit à prier pour que les juments ne s'effondrent pas, car il comprenait finalement pourquoi Willow avait refusé de les abandonner. Il y avait un lien qu'il ne pouvait décrire entre elle et ses pur-sang. Ils allaient courir jusqu'à en mourir pour elle sans qu'elle ait à fouetter ou éperonner leurs flancs soyeux.

— Nous y sommes presque, dit-il en se retournant sur sa selle jusqu'à ce qu'il puisse regarder Willow. Vous voyez ces arbres ? Nous n'avons plus qu'à…

Caleb s'interrompit brusquement quand des coups de feu brisèrent le silence de la montagne. Deuce trébucha et s'effondra. Caleb saisit son fusil et se dégagea des étriers. Trois autres coups de feu se firent entendre rapidement, puis on n'entendit plus que le tonnerre des sabots pendant que les pur-sang les dépassaient. Caleb plongeait derrière un arbre tombé quand le quatrième coup de feu retentit.

Willow tira brusquement sur les rênes, faisant tourner Ishmael si rapidement que de gros morceaux de terre volèrent de sous ses sabots. Elle n'avait pas le temps de réfléchir ni le temps de se préparer. Elle savait seulement que Caleb se retrouvait à pied dans un endroit où cela représentait une sentence de mort. Elle se pencha sur le cou écumant d'Ishmael et le poussa le long de la piste vers Caleb, exigeant de l'étalon toute son énergie. Quand le pur-sang passa près de l'arbre, Willow appela Caleb.

— Montez derrière moi !

Le fusil dans sa main droite, Caleb bondit comme un couguar. Alors qu'Ishmael passait à toute vitesse devant lui, il agrippa le pommeau de la selle de sa main libre et sauta derrière Willow. Malgré le fardeau additionnel, l'étalon atteignit sa pleine vitesse en trois longues foulées.

La jeune femme s'attendait à ce que les balles pleuvent autour d'eux, mais elle n'entendit rien d'autre que le roulement de tambour des sabots tandis qu'Ishmael passait à toute vitesse devant les juments désorientées, les entraînant à sa suite. Trey apparut près d'eux, courant lui aussi. Quand Caleb se retourna, Deuce s'était remis sur pied et galopait à la suite de Trey.

Un coup de feu retentit très près, et Willow tressaillit avant de se rendre compte qu'il venait de Caleb.

— Virez à droite ! hurla-t-il.

Elle tira immédiatement l'étalon vers la droite. Aussitôt que le cheval eut changé de direction, des balles sifflèrent près d'eux, soulevant la poussière à l'endroit où se serait trouvé Ishmael s'il n'avait pas tourné.

— Atteignez le sommet de cette crête avant qu'ils puissent recharger leurs armes ! cria Caleb.

Willow se pencha sur le cou d'Ishmael et lui parla. Il réagit en accélérant malgré la raideur de la pente et le poids de deux cavaliers.

— Je vais descendre dans les rochers au sommet, dit Caleb. Menez les chevaux dans les arbres. C'est compris ?

— Oui, répondit-elle d'une voix forte.

— Encore seulement une centaine de mètres, dit Caleb dans un souffle en regardant un tas de rochers qui marquait la fin de la montée.

— Cours, espèce de diable roux.

Les sabots ferrés d'Ishmael s'accrochaient à la pente, arrachant des mottes de terre tandis qu'il s'attaquait aux flancs abrupts de la montagne. Au moment où il atteignit le sommet, il respirait difficilement.

Caleb sauta par terre et commença à courir, le fusil à la main. Il se réfugia parmi les rochers au moment où une balle ricochait sur le granit à un mètre de lui. Trois autres coups de feu se firent entendre, mais aucune balle ne vint suffisamment près pour que Caleb sache où elles avaient frappé.

— Vous êtes trop impatients, les gars, marmonna-t-il. Vous devez prendre votre temps et viser. Surtout quand tout ce que vous avez, ce sont des fusils à un coup.

Suivant son propre conseil, Caleb choisit minutieusement sa cible parmi les sept qui lui étaient offertes. Dès qu'il eut appuyé sur la gâchette, il se réjouit d'entendre un cri de surprise et de douleur en provenance de la pente et vit un Comanchero lever les bras et tomber de son cheval. Les six autres s'éparpillèrent d'un côté et de l'autre, cherchant un abri dans le pré. Caleb se leva et tira coup sur coup en sachant qu'il n'aurait jamais une meilleure occasion de mettre davantage les chances de son côté.

Mais la distance qui les séparait était de 500 mètres et s'élargissait chaque seconde. En fin de compte, il réussit à atteindre seulement deux autres hommes avant de devoir se mettre lui-même à couvert. Pendant qu'il se précipitait derrière les rochers, il compta les balles qui restaient dans le fusil. *Cinq.* Il allait devoir laisser les autres Comancheros s'approcher de très près et les achever avec le pistolet. Au moins, il pouvait recharger cette arme avec les balles à sa ceinture. Et s'il venait à manquer de balles pour le six-coups, il y avait encore son couteau.

Caleb sourit amèrement à ces pensées. Les attaquants étaient cupides et trop empressés, mais ils n'étaient pas complètement stupides. Ils n'allaient pas lui faciliter la tâche. Soit ils allaient attendre l'obscurité et fondre sur lui, soit ils allaient se déployer et arriver de tous les côtés en même temps. Ils pouvaient facilement avoir des renforts en route. Leur nombre, le temps et la géographie jouaient en leur faveur. Il s'était mis à l'abri exactement à l'endroit où passait la route vers le seul col dans les environs. Le hennissement sonore de Deuce retentit le long de la pente, et Trey lui répondit. Comme les pur-sang arabes, les chevaux du Montana avaient été élevés ensemble, et ils allaient se soutenir les uns les autres autant que possible. En galopant avec peine, Deuce lutta pour grimper la pente malgré la blessure qui brillait d'un rouge éclatant sur son poitrail.

Caleb songea aux munitions supplémentaires dans les sacoches de selle que portait Deuce. Il envisagea de faire une tentative pour aller les chercher, mais écarta cette idée. S'il sifflait pour faire venir le cheval, les attaquants devineraient qu'il tentait d'obtenir d'autres munitions ou d'autres armes, et ils tueraient Deuce avant que le cheval s'approche. S'il essayait de se rendre jusqu'à Deuce, il serait abattu. Le cheval se trouvait à une centaine de mètres des rochers, et il n'y avait entre eux que de l'herbe ; il n'y avait aucun endroit où se mettre à couvert.

Il regarda son cheval disparaître entre les arbres, puis tourna de nouveau son attention vers ses ennemis. Rien ne bougeait. Les hommes s'étaient tapis dans les endroits protégés qu'ils avaient pu trouver. Méthodiquement, Caleb commença à parcourir des yeux tout l'espace devant lui, repérant de possibles abris et en évaluant la distance. Quand Deuce rejoignit en boitant son compagnon de piste, Willow parla d'une voix apaisante à l'animal effrayé. Elle savait où Caleb gardait ses munitions supplémentaires, et aussitôt que Deuce se fut calmé, elle détacha les sacoches. Elle voulait desserrer la sangle de selle pour que l'animal puisse mieux respirer, mais elle craignait de le faire. Ils pourraient devoir remonter en selle et partir au galop à tout moment.

Deuce était trop nerveux pour laisser Willow s'approcher de son poitrail, mais ce qu'elle vit lui suffit. La blessure était peu profonde : il s'agissait autant d'une brûlure que d'un trou. C'était l'enflure sur la patte avant gauche du cheval qui l'inquiétait. Elle doutait que Deuce puisse porter un cavalier — et encore moins un de la taille de Caleb.

Les juments ne le pouvaient pas non plus. Pas tout de suite. Elles respiraient encore difficilement et tremblaient. Ishmael était habitué à une vie dure, tout comme Trey, mais c'était ce dernier qui était en meilleure forme entre tous.

Ne pense pas aux chevaux, se dit-elle tristement. *Tu ne peux rien pour eux en ce moment. Ce qui est possible, c'est de trouver un moyen de faire parvenir ces cartouches à Caleb.*

Elle fouilla rapidement dans les lourdes sacoches et trouva cinq boîtes de munitions. Deux contenaient des cartouches de fusil et trois contenaient des balles, mais l'une d'elles avait une taille de munitions différente des deux autres. Elle ignorait laquelle convenait au fusil de Caleb et laquelle convenait à son pistolet. Il y avait aussi la longuevue, un compas et plusieurs autres objets personnels.

Finalement, elle décida de tout prendre, puisqu'elle ne savait pas ce qui pourrait être utile à Caleb. Elle prit les sacoches, les posa avec peine sur ses épaules, ramassa le fusil et marcha prudemment jusqu'à la ligne des arbres. Caleb se trouvait à une trentaine de mètres d'elle, pratiquement à la même hauteur, et ils étaient séparés par un petit canal d'écoulement des eaux. La distance était trop grande pour qu'elle puisse lui lancer une boîte de munitions et encore moins les sacoches, mais si elle rampait assez rapidement, elle ne serait pas visible pour les gens qui se trouvaient en bas pendant plus de quelques secondes.

— Caleb, l'appela-t-elle doucement. J'arrive derrière vous.

Il se tourna vivement, prêt à lui dire de ne pas faire une chose si idiote.

Il était trop tard. Elle était déjà à quatre pattes, rampant vers lui sans autre protection que ce que pouvait fournir le petit fossé.

Rapidement, Caleb commença à faire feu vers les endroits où les attaquants s'étaient mis à l'abri en espérant les empêcher de tirer pendant que Willow se rendait jusqu'à lui. Comprenant ce qu'il faisait, Willow se dressa et courut vers les rochers. Au moment même où elle se jetait par terre à côté de Caleb, les balles commencèrent à siffler autour d'eux.

— Espèce d'idiote! dit rageusement Caleb. Vous auriez pu vous faire tuer!

— Je...

Willow dut s'interrompre pour respirer. Haletant en raison de l'altitude, de l'épuisement et de la peur, elle cherchait de l'oxygène.

Caleb prit le fusil à canon court dans la main de Willow, le pointa le long de la pente et attendit de détecter un mouvement. Quand il en vit un, il fit feu avec les deux canons. Il ne s'attendait pas à tuer quelqu'un à cette distance, mais il était certain de pouvoir leur faire peur avec une double volée de chevrotines. À tout le moins, les Comancheros ne relèveraient pas la tête pendant une minute ou deux.

Il fouilla dans la sacoche et y prit des cartouches de fusil. Il rechargea rapidement, tira, rechargea et tourna la tête pour voir comment allait Willow. Elle avait ouvert deux autres boîtes de munitions prêtes à utiliser et se demandait comment recharger la carabine de Caleb. Même si elle essayait de le lui cacher, ses mains tremblaient quand elle ne s'en servait pas.

— Je vais le faire, dit Caleb. Prenez le fusil et asseyez-vous de dos à moi. Si vous voyez quelqu'un s'approcher en douce, ne perdez pas de temps à me le dire. Tirez.

Willow acquiesça et prit le fusil, soulagée d'avoir quelque chose à faire de ses mains. Elle s'assit en croisant les jambes et regarda d'un côté et de l'autre en espérant ne pas voir un homme essayer de les prendre par surprise.

Ce ne sont pas des hommes. Ce sont des coyotes qui bondissent ici et là sur leurs pattes arrière crochues.

Willow se répéta les tristes paroles rassurantes de Caleb et surveilla les mouvements. Inconsciemment, elle comptait les cartouches que Caleb chargeait dans son fusil à une vitesse qui dénotait une longue habitude.

— Vous êtes *vraiment* une armée à vous seul, dit-elle finalement.

— Ces Comancheros ont été encore plus surpris que vous, dit Caleb avec un sourire féroce. Ils étaient sûrs de m'avoir après que j'aie tiré ce dernier coup, mais ça ne durera pas. Tôt ou tard, ils vont trouver quelqu'un à qui acheter des fusils à répétition. À ce moment-là, les gens civilisés se retrouveront dans une sale situation.

Une fois la carabine de nouveau chargée, Caleb changea de position jusqu'à ce qu'il puisse jeter un coup d'œil entre deux rochers. Les petits poneys maigres et laids des attaquants s'étaient dispersés dans le pré et broutaient avec appétit, indifférents au bruit des armes autour d'eux.

— Comment va Deuce? demanda Caleb.

— Il est brûlé sur le poitrail. Sa patte avant gauche enfle parce qu'il se l'est probablement foulée en tombant. Je ne crois pas qu'il puisse porter un cavalier très loin.

— Vous seriez étonnée, ma chère. Est-ce qu'il saigne beaucoup?

— Non.

— Y a-t-il d'autres chevaux blessés?

— Les juments sont épuisées, répondit Willow en essayant de garder une voix aussi dépourvue d'émotion que celle de Caleb. Elles suivront tant qu'elles le pourront, mais…

Caleb serra doucement l'épaule de Willow de sa grosse main.

— Et Ishmael?

— Il est fatigué, mais il est encore assez fort pour me porter là où je lui dis de me mener.

— C'est tout un étalon, dit Caleb d'un ton admiratif. Je comprends mieux pourquoi Wolfe aime tant les mustangs.

— Que voulez-vous dire?

— Les mustangs descendent des chevaux espagnols, qui sont eux-mêmes issus de chevaux arabes. Ne jugez pas tous les mustangs par rapport à ces poneys là-bas. Ils sont aussi bâtards que leurs cavaliers, mais robustes. Drôlement robustes. Donnez-leur un peu de foin et encore moins d'eau, et ils franchiront une soixantaine de kilomètres par jour pendant des semaines d'affilée.

Tandis qu'il parlait, Caleb glissa une main dans une des sacoches et en sortit sa longue-vue. Avec méthode, il commença à examiner le terrain devant lui d'un bout à l'autre. La lunette fit apparaître chaque brin d'herbe, chaque glissement du soleil à l'ombre, chaque couleur et chaque mouvement suspect. Il marqua mentalement l'endroit où se trouvait chaque attaquant qu'il avait repéré grâce à la longue-vue.

La lunette confirma ce que Caleb soupçonnait déjà. Les Comancheros s'étaient dispersés de telle manière qu'il n'était pratiquement pas possible de se glisser entre eux pour atteindre la piste du col — en particulier avec sept chevaux fatigués.

Il se tourna et commença à examiner le terrain derrière lui à travers la longue-vue en cherchant toute chose qui ressemblait à une issue possible ou à des ennemis s'approchant furtivement. Même après avoir regardé minutieusement à plusieurs reprises, il ne vit rien d'humain bouger. Pourtant, une pensée le tenaillait, quelque chose concernant la forme du terrain lui-même.

— Le journal de Père, murmura-t-il soudain.

— Quoi ?

— Changez de place avec moi.

Willow contourna Caleb.

— Si quelque chose commence à bouger le long de la pente, tirez, dit-il.

Pendant que Willow gardait un œil sur les assaillants, Caleb prit le journal de son père dans une des sacoches et le feuilleta rapidement. Il examina d'abord une page, puis une seconde et revint à la première, passant de l'une à l'autre et regardant les sommets qui s'élevaient derrière les rochers.

— Il y a un autre col, fit-il à voix basse en lisant rapidement. Il est vraiment ardu, faisant au moins 3000 mètres, mais un cheval peut l'escalader.

— Est-ce que les Comancheros le connaissent?

— J'en doute. D'après mon père, personne n'avait utilisé cette route depuis longtemps quand il l'a découverte. Elle date de l'époque où les Indiens n'avaient pas encore de chevaux, quand le fait de bifurquer d'une douzaine de kilomètres pour trouver un col plus facile à traverser avait pour conséquence de perdre beaucoup de temps.

Un coup de feu retentit, et une balle ricocha sur les rochers devant eux. Malgré elle, Willow tressaillit et émit un petit cri.

— Ça va, dit Caleb en rangeant le journal et en posant un œil le long du canon de sa carabine. Ils veulent seulement voir si nous sommes toujours réveillés ici.

La carabine tonna, et Willow tressaillit de nouveau. Avant même que le bruit se répercute, Caleb fit feu encore et encore vers les zones où il avait vu les assaillants à travers la longue-vue. Il glissait des cartouches dans l'arme entre les tirs, remerciant mentalement l'intelligence que Winchester avait eue de fabriquer une arme qu'on pouvait recharger presque aussi vite qu'elle pouvait tirer.

Plusieurs cris étouffés lui indiquèrent qu'il avait atteint au moins une cible. Il continua à tirer jusqu'à ce qu'un des assaillants parte à la course pour trouver un meilleur abri. Caleb visa minutieusement puis fit feu encore. Le coureur fit un pas, puis il tomba face contre terre et ne bougea plus.

Deux coups de feu lui répondirent, mais seulement deux. Les autres Comancheros n'étaient pas pressés de recueillir la prime sur la tête de Caleb. Un bruit sec retentit autour d'eux, et Willow tressaillit avant de se rendre compte qu'il s'agissait de celui du tonnerre dévalant la montagne plutôt que celui d'un coup de feu. Un instant plus tard, la pluie se mit à tomber à verse, annonçant le début des orages de l'après-midi. En l'espace de quelques minutes, il pleuvait si fort qu'elle ne pouvait voir à plus d'une trentaine de mètres dans toutes les directions.

— Prenez le fusil et courez rejoindre les chevaux, dit Caleb pendant qu'il faisait feu une fois de plus le long de la pente en espérant dissuader les Comancheros de la monter à l'abri de la pluie.

— Et vous ?

— *Courez*, ordonna-t-il.

Willow courut.

Les tirs de Caleb tonnèrent derrière elle, mais au moment où elle aperçut les chevaux, il l'avait rattrapée et courait à ses côtés.

— Surveillez les alentours, dit brusquement Caleb.

Pendant que Willow surveillait leurs arrières, Caleb retira rapidement la selle de Deuce, soulageant le cheval blessé de son fardeau. Pendant un moment, il songea à se servir d'une des juments comme animal de bât, mais un seul coup d'œil à leur air fatigué et à l'écume qui se dissolvait sur leur robe sous la pluie battante lui fit comprendre que les juments étaient dans un pire état que Deuce. À toute vitesse, il transféra autant d'équipement qu'il le put dans les sacoches et les tapis de couchage attachés derrière les selles. Quand il eut terminé, Deuce transportait moins d'une douzaine de kilos, dont aucun n'était essentiel à leur survie.

Caleb prit sa veste de laine et hissa Willow sur la selle d'Ishmael.

— Ce sera une escalade longue et difficile, fit-il à voix basse. Ne vous arrêtez pas, même si Deuce et les juments ne suivent pas. Promettez-le-moi, Willow.

Elle se mordit la lèvre inférieure et opina de la tête.

Caleb leva la main et lui caressa la joue du bout des doigts, y laissant un sillon de chaleur dans la pluie froide, puis il sauta sur le dos de Trey.

— Je ne vais pas arrêter avant d'avoir atteint le sommet, dit-il. Il nous faudra chaque minute de clarté pour traverser ce col.

Willow ouvrit la bouche pour dire quelque chose, mais Caleb avait déjà disparu sous la pluie. Les chevaux suivirent en file sous l'averse, Deuce fermant la marche en boitillant. Après la première demi-heure, Willow arrêta de regarder derrière elle pour détecter des Comancheros. Après la première heure, elle arrêta de vérifier si les pur-sang suivaient. Ils maintenaient assez bien la cadence, mais elle ignorait pendant combien de temps encore ils pourraient continuer. Malgré le rythme lent, ils respiraient comme s'ils avaient trotté pendant des heures. La prédiction de Caleb se confirma : Deuce continuait de les suivre malgré sa patte blessée, marchant assez rapidement pour dépasser la plus lente des juments.

Ils grimpèrent sans arrêt jusqu'à ce que Willow ne puisse se souvenir d'un temps où le terrain ne s'élevait pas abruptement devant ses yeux. Elle alternait entre un mal de tête et un vertige qui lui faisaient craindre pour sa santé. Sous le déluge, les silhouettes sombres d'épinettes noires apparurent plus fréquemment parmi les pins et les trembles. À intervalles réguliers, elle regardait où se trouvait Caleb à travers les trombes d'eau, s'accrochant à sa présence en tant que seule certitude dans un monde ayant pris la couleur de la pluie.

Parfois, le tonnerre grondait, mais elle ne sursautait plus. Ils traversèrent un ruisseau et grimpèrent une crête boisée de l'autre côté. Progressivement, la piste s'aplanit quelque peu puis remonta pour déboucher dans une autre clairière herbeuse. Un ruisseau limpide dévalait la pente au centre de la clairière entre des rives couvertes de buissons. Caleb le traversa et se tourna vers l'aval. Le terrain s'élevait encore régulièrement sous les sabots des chevaux et rendait même difficile une marche lente. Quand la pente devint très escarpée, Caleb descendit de cheval. Willow l'imita avant de conduire Ishmael vers les silhouettes enveloppées de pluie devant eux. Après avoir franchi une dizaine de mètres, elle tomba à genoux et oscilla, étourdie.

Caleb surgit de sous la pluie et la redressa en la tenant contre lui.

— Vous devriez rester à cheval, ma chère. Vous n'êtes pas habituée à l'altitude.

— Ça ne me dérangeait pas tant à Denver, haleta-t-elle.

— À Denver, vous vous trouviez à un millier de mètres plus bas. Nous sommes à presque trois kilomètres d'altitude, ici.

Willow regarda Caleb d'un air hébété.

— Pas étonnant que… les chevaux…

— Oui, répondit-il. Mais ils continuent quand même. Tout comme vous.

Pour la première fois, Willow remarqua la contusion sur son front.

— Vous êtes blessé !

— Je vais bien. Vous êtes plus étourdie que moi, et vous n'avez aucune blessure apparente.

Le soulagement dans les yeux noisette de Willow était aussi évident que l'avait été son inquiétude. Caleb la serra encore davantage contre lui, prenant plaisir à son émoi. Il y avait longtemps, très longtemps qu'à l'exception de Willow, quelqu'un s'était inquiété pour lui.

— Merci, dit-il finalement.

— Pourquoi me remerciez-vous ?

— Parce que vous êtes revenue vers moi quand les balles sifflaient alors qu'à votre place, un tas d'hommes se seraient enfuis. Parce que vous avez eu le bon sens de comprendre que j'avais besoin des sacoches et le courage de mes les apporter. Parce que vous avez ri quand d'autres femmes auraient pleuré, se seraient lamentées ou m'auraient engueulé. Parce que vous êtes une foutue bonne compagne de piste.

Willow se sentit encore prise de vertige et écarquilla les yeux avant de les détourner de Caleb. Les flammes dans son regard la réchauffaient comme aucun feu ne l'aurait pu.

— C'est très gentil de votre part, dit-elle d'une voix rauque.

— Je ne suis pas un homme gentil.

— Oui, vous l'êtes. Je sais que je vous ai causé des problèmes. À cause de mon entêtement à propos des pur-sang, vous avez dû risquer votre vie encore et encore.

Willow eut un sourire fatigué et lui jeta un coup d'œil de dessous ses cils avant d'ajouter :

— Alors, quand je veux crier, hurler ou me plaindre, je pense à ce que ce serait sans vous, et je retiens ma langue.

Caleb éclata de rire et serra encore Willow. Il entendait son souffle court, sentait son corps penché contre le sien en toute confiance et essaya de ne pas penser à un homme du nom de Reno.

C'est une femme beaucoup trop bien pour un débauché comme Matthew Moran.

Aussitôt que cette pensée lui fut venue, elle se cristallisa en une promesse dans l'esprit de Caleb. Le potentiel de courage, de loyauté et de passion de Willow méritait mieux qu'un homme qui séduisait et abandonnait les jeunes filles. À tout le moins, sa profonde sensualité méritait mieux qu'un homme qui la laissait seule pendant si longtemps qu'elle en oubliait la manière d'embrasser.

Mais pas celle de réagir à un baiser. Elle n'avait pas oublié ça. Le souvenir de sa passion à peine retenue et de son corps doux et sensuel le torturait en même temps qu'il le rendait fou de désir.

Aucune femme qui aime un autre homme ne pourrait réagir ainsi — de façon si rapide, si profonde. Elle sera mienne avant de revoir son homme du monde. Je vais la séduire si complètement que quand il sera mort, elle se tournera vers moi plutôt que de pleurer cet homme qui ne vaut pas une seule de ses larmes.

Elle ne peut pas l'aimer. Elle ne le peut tout simplement pas.

Caleb se pencha et embrassa Willow, scellant sa promesse silencieuse. Le baiser était différent de tous ceux qu'il avait donnés à une femme, tendre et pourtant si profondément passionné qu'il eut l'impression de se couler en Willow, de s'abreuver à son âme même. Quand il releva la tête, elle tremblait. Il la porta jusqu'à Ishmael et la remit en selle. Le regard qu'il lui adressa était aussi intense que l'avait été son baiser.

— Restez près de moi, dit-il d'un ton presque rude.

Avant qu'elle puisse répondre, Caleb avait fait demi-tour. Il monta sur Trey, tourna le gros cheval vers l'aval du ruisseau et commença à les conduire vers la lointaine et redoutable entaille dans la forteresse montagneuse que son père avait nommée le Col Noir.

Le vent gémissait en provenance des hauteurs invisibles, ébouriffant les longues crinières du cheval. Caleb savait ce qui les attendait de l'autre côté du col, car son père était tombé en amour avec la série de hautes vallées menant à une immense clairière. Les hommes blancs la connaissaient parce qu'elle en était venue à représenter un passage beaucoup plus accessible que le Col Noir entre les hauts sommets et les chaînes de montagnes. Les vallées avoisinantes conduisant au col étaient inconnues de l'homme blanc. Même les Indiens les évitaient parce qu'ils pouvaient trouver du gibier à des endroits beaucoup plus faciles d'accès. Toutefois, d'anciennes tribus s'en étaient servies pour leurs propres raisons que tous ignoraient, mais la piste demeurait toujours, rappelant le souvenir d'hommes depuis longtemps disparus.

Caleb se détourna du ruisseau, car les castors avaient construit plusieurs barrages, et ce faisant, ils avaient abattu les pins et rongé les trembles sur 300 mètres dans toutes les directions, transformant le pré en un lac peu profond. Plusieurs ruisseaux s'y déversaient. À quelques kilomètres plus loin, une autre vallée rejoignait la première et isolait la crête dont ils avaient suivi le flanc afin de rester éloignés du marécage qui bordait l'étang de castors.

Au bout d'une heure, les barrages de castors disparurent derrière les chevaux. Le pré se rétrécit jusqu'à ne faire qu'une cinquantaine de mètres, puis une quarantaine, puis une dizaine. La piste grimpa, s'écartant du ruisseau pour se frayer un chemin à travers le granit en dessous d'eux dans un canyon beaucoup trop abrupt pour un cheval. La forêt s'éclaircit, se transforma en broussailles, puis réapparut tandis qu'ils descendaient l'épaulement de la montagne dans une autre vallée où ils pouvaient de nouveau longer le ruisseau.

Bientôt, la piste recommença à grimper. Les montagnes se rapprochèrent de chaque côté d'eux, et le terrain s'inclina en pente raide sous les sabots des chevaux. La forêt s'épaissit, mais Caleb trouvait toujours un moyen de contourner les bosquets de trembles où les arbres étaient si serrés les uns contre les autres qu'ils n'offraient aucune possibilité de passage à un homme et encore moins à un cheval. Le son du ruisseau devint caverneux, et la piste se fit escarpée.

Caleb vérifiait son compas chaque fois qu'il croisait un ruisseau secondaire, cherchant le petit ruban tumultueux de l'eau qui les mènerait à une autre vallée plus haute. De là, il les mènerait à une autre vallée puis à une autre encore, jusqu'à ce qu'ils atteignent le sommet du défilé et qu'ils traversent la ligne de partage des eaux.

Il n'y avait plus de pins, à présent. Que des épinettes noires, des sapins, des trembles et des saules rabougris qui poussaient dans les couloirs d'avalanche et dans les petits prés marécageux que traversait le ruisseau. Caleb sentait de plus en plus la contrée s'ouvrir autour de lui au fur et à mesure que les plus bas sommets et les crêtes disparaissaient derrière eux et que les chevaux gravissaient l'épine dorsale du continent. Son père avait dit que du sommet, le panorama vous coupait le souffle autant que l'altitude. La pluie tombait régulièrement et dissimulait à la vue tout ce qui se trouvait à plus d'une trentaine de mètres.

Des éclairs dansaient sur les hauteurs d'une cime invisible, envoyant résonner sans cesse des coups de tonnerre le long de la montagne, de violentes canonnades qui retentissaient comme des explosions et des coups de feu mélangés. La tête penchée et les oreilles inclinées, les chevaux avançaient au milieu de l'orage pendant que de grands conifères sombres fouettaient l'air et gémissaient au-dessus d'eux. La forêt environnante protégeait des pires rafales, mais pas de la pluie glaciale qui se transformait progressivement en neige fondue.

Ils grimpaient avec la violence de l'orage tout autour d'eux, le son et la lumière les martelant jusqu'à ce que Willow hurle de peur, mais la tempête noya même son cri, lui laissant l'impression qu'elle était suspendue dans un chaudron de sons tellement accablant qu'il devenait une sorte de silence douloureux. L'air se raréfia jusqu'à ce qu'elle ait du mal à respirer en demeurant seulement assise sur Ishmael et en ne faisant rien d'autre que de s'accrocher avec ses mains transies par l'humidité et le froid.

La piste grimpait toujours. La neige fondue se transforma en gros flocons blancs tourbillonnant dans le vent comme des jupons de dentelle glacés. Les coups de tonnerre se firent moins fréquents et de plus en plus distants pour ne devenir qu'un murmure dans l'air qu'ils sentaient autant qu'ils l'entendaient. La neige tomba jusqu'à la hauteur des chevilles, et le ruisseau prit une teinte sombre, huileuse.

Caleb regarda son compas, fit tourner Trey vers la gauche et entreprit de traverser le flanc de la montagne en une longue diagonale ascendante. Dans la neige nouvellement tombée, l'ancienne piste abandonnée brillait d'une teinte de blanc différente de celle de la neige que le passage de l'homme n'avait jamais perturbée. Caleb regarda la piste vague qui sinuait jusqu'aux nuages bas et se demanda si les chevaux auraient la force de la franchir.

Les trembles disparurent d'abord, puis ce fut au tour des sapins et des épinettes noires, jusqu'à ce que la forêt ne soit plus qu'une frange noire et blanche bordant des ravins abrités qui gisaient à plus de 300 mètres en bas de la montagne. Caleb et Willow étaient suspendus entre le ciel gris et le sol blanc. Des rideaux de neige s'élevaient et ondulaient, dévoilant ici et là le vaste paysage. Tout en bas, le ruisseau formait un ruban noir qui serpentait à travers un ravin profond, étroit et rempli de neige.

Des rafales déchiraient l'écran de neige qui tombait et dévoilaient un couvert nuageux à travers les montagnes aux contours déchiquetés dont les sommets étaient encore dissimulés dans la brume. Pour la première fois, Caleb entrevit de loin la fin de leur ascension. Il y avait encore plus d'un kilomètre à grimper sur une piste à peine visible qui traversait un éparpillement de rochers. La piste monta encore et encore jusqu'à ce qu'ils aient dépassé la dernière crête et que la neige fondue s'écoule vers l'ouest plutôt que vers l'est.

Caleb tira sur les rênes et descendit de cheval. Ishmael et Deuce se trouvaient à environ 70 mètres de lui. Les juments étaient plus dispersées alors qu'elles luttaient pour avancer.

Les deux dernières se trouvaient encore cachées par un voile de neige dont les autres étaient sorties. Caleb attendit, mais aucun autre pur-sang n'apparut. Puis le vent se mit à rugir et écarta d'autres rideaux de neige ; deux juments apparurent, se trouvant un kilomètre plus bas, avançant de peine et de misère le long de la piste.

Ishmael franchit les quelques mètres jusqu'à Trey, et il se tint debout, tête penchée, à bout de souffle, luttant pour chaque respiration dans l'air raréfié. Caleb aida Willow à descendre de cheval, la soutenant d'un bras pendant qu'il relâchait la sangle de selle. Quand le vent cessait, une vapeur montait des chevaux en de grandes volutes, et leur respiration difficile devenait bruyante.

— Je vais… marcher, dit Willow.

— Pas tout de suite.

Caleb la déposa sur Trey et attacha Ishmael à une longue corde qu'il relia à la selle de Trey. Ensuite, il prit les rênes et commença à marcher en montant la piste, menant le gros cheval. Willow regarda par-dessus son épaule, vit Ishmael qui suivait et Deuce qui boitillait un peu plus loin, et elle pria pour que les juments aient la force de continuer.

La piste devint plus escarpée, et la neige se fit plus profonde jusqu'à ce que Caleb s'enfonce jusqu'aux genoux à chaque pas. Il en était de même des chevaux. À chaque trentaine de mètres, Caleb arrêtait et les laissait souffler. Même Trey ressentait maintenant les effets de l'altitude. Il respirait comme un cheval qui avait couru à toute vitesse pendant trop longtemps. Willow ne pouvait supporter de l'écouter. Elle savait que son poids empirait les choses. Malgré son terrible mal de tête et les nausées qui la menaçaient, elle commença à descendre de cheval.

— Ne faites pas ça, dit brusquement Caleb. Trey est beaucoup plus… robuste que vous l'êtes.

Les paroles de Caleb étaient saccadées à cause des respirations profondes qui ne pouvaient toujours pas satisfaire le besoin d'oxygène de son corps. Il était habitué à l'altitude, mais pas à se trouver à plus de 3000 mètres. L'air raréfié et les journées de dure chevauchée l'avaient épuisé tout autant que les chevaux. Quand ils atteignirent le pied de la dernière pente abrupte, Caleb s'arrêtait tous les 10 mètres pour reprendre son souffle, et les chevaux s'étiraient sur des kilomètres, plus bas sur la piste. Les nuages s'éparpillaient en bancs entre les sommets. Au loin, une riche lumière dorée brillait là où la lumière crépusculaire se déversait dans les vallées entre les sommets couverts de nuages.

Trey se tenait la tête penchée, sa respiration bruyante, ses flancs frémissants. Il pourrait peut-être poursuivre la route, mais sans porter un poids même aussi léger que Willow. Caleb desserra la sangle de selle et fit descendre Willow. Il posa les lourdes sacoches et les tapis de couchage sur son épaule gauche, soutint Willow de son bras droit et commença à grimper la piste en marchant. Il ne s'arrêta qu'une fois puis émit un sifflement aigu par-dessus son épaule. Trey leva la tête et recommença à marcher à contrecœur.

Le vent avait soufflé la neige et fait apparaître l'armature rocheuse de la montagne elle-même. Les rochers étaient sombres, presque noirs, fissurés par le poids du temps et de la glace. La piste fantomatique disparut, mais il n'y avait aucun doute quant à leur destination. Caleb fixait son regard sur la crête nue qui bloquait la moitié du ciel devant lui. Il remarqua à peine les nuages qui s'éloignaient et la lumière dorée qui se déversait sur le paysage.

Willow essaya de marcher seule. Elle y parvint pendant une vingtaine de pas, puis une soixantaine, puis une centaine. Elle croyait qu'elle marchait toujours quand elle sentit les bras de Caleb lui enserrer la taille et presque la soulever. Elle comprit vaguement qu'elle serait tombée sans son soutien et essaya de s'excuser.

— Ne parlez pas, fit-il en soufflant. Marchez.

Après plusieurs respirations déchirantes, Willow réussit à faire quelques pas de plus. Caleb restait près d'elle, le souffle court, la soutenant, l'exhortant à avancer. Ensemble, ils grimpèrent avec peine la crête escarpée. Ils n'entendaient rien d'autre que les battements sourds de leurs cœurs et leurs respirations haletantes. À intervalles de quelques minutes, Caleb s'arrêtait assez longtemps pour émettre un sifflement en direction de la piste afin d'appeler Trey et Deuce, qui avaient dépassé les juments.

Il fit passer les sacoches et les tapis sur son autre épaule, rattrapa Willow et recommença à marcher. Il s'arrêtait pour respirer à tous les 30 pas, puis à tous les 20 pas, mais même cela n'était pas suffisant pour Willow. Les longues journées de chevauchée, l'incertitude, le combat avec les Comancheros et l'altitude, tout s'était ligué pour lui enlever ses forces.

Elle luttait amèrement pour avancer en essayant de ne pas s'appuyer sur Caleb. C'était impossible. Sans lui, elle n'aurait pu tenir debout.

— Nous y… sommes presque, dit Caleb.

Willow ne répondit pas, parce que ça lui était impossible. Ses pas étaient courts, et elle trébuchait plus qu'elle marchait.

Caleb leva les yeux sur la piste devant eux et se souvint avec une clarté surnaturelle des mots que son père avait écrits dans son journal pour décrire le Col Noir : « Escarpé, difficile et plus froid que le nichon d'une sorcière. Mais le col est bien là pour qu'un homme courageux puisse le passer. Là-haut, par-dessus la ligne continentale de partage des eaux, en grimpant jusqu'à regarder Dieu dans les yeux, suffisamment haut pour entendre les anges chanter si vous pouvez entendre quoi que ce soit d'autre que votre cœur battant et votre respiration saccadée ».

Tout à coup, Caleb et Willow se trouvèrent là, debout près du ciel, le cœur battant, la respiration haletante et les anges qui chantaient tout autour. Le bras de Caleb se desserra autour de Willow, la laissant glisser sur le sol. Il lâcha les sacoches et les tapis, se laissa tomber par terre et l'attira contre sa poitrine.

Elle s'appuya avec reconnaissance contre lui. Pendant un long moment, elle lutta désespérément pour reprendre son souffle. Finalement, sa respiration ralentit. Elle se rendit compte que Caleb l'enlaçait, caressant doucement ses cheveux et ses joues, lui répétant sans cesse que le pire était passé… qu'ils avaient enfin atteint le point le plus élevé du col. Elle laissa échapper un long soupir frémissant et ouvrit les yeux.

Caleb vit la couleur revenir sur les joues de Willow et éprouva un soulagement si grand qu'il en était presque douloureux. Il la serra encore davantage contre lui puis changea de position jusqu'à ce qu'elle puisse regarder le soleil couchant. Les nuages avaient presque disparu, réduits à des bannières dorées qui s'éloignaient des plus hauts sommets. La neige qui était tombée fondait déjà, dévalant le sommet de la montagne en des larmes noires et silencieuses.

— Regardez, dit Caleb en pointant un doigt.

Willow tourna les yeux vers une petite plaque de neige qui brillait tout près dans le crépuscule et qui versait des larmes d'or. Elle observa une goutte se former et se séparer lentement de la neige encore gelée et tomber au premier instant de son long voyage de retour vers la mer. L'eau s'écoulait vers l'ouest, vers le soleil couchant.

Chapitre 11

Willow se réveilla avec le soleil sur le visage et le son du hennissement frénétique d'Ishmael dans les oreilles. Le cœur battant, elle se redressa brusquement. Il lui fallut un moment pour se souvenir de l'endroit où elle était — dans une minuscule vallée suspendue sur le flanc ouest de la ligne continentale. La vallée entière était constituée d'un peu plus d'un kilomètre carré d'herbe seulement, entourée de trois côtés par des crêtes boisées escarpées. Le quatrième côté descendait si abruptement que le ruisseau était autant une chute qu'une cascade.

— Caleb?

Personne ne répondit à son appel, et elle se souvint tout à coup qu'il était parti bien avant le premier rayon de soleil sur le dos de Trey pour chercher les quatre juments qui n'avaient pas réussi à atteindre la vallée à la clarté de la lune. Elle avait voulu l'accompagner, mais s'était effondrée après avoir fait trois pas. Il l'avait prise dans ses bras et l'avait ramenée sous les couvertures. Elle avait rêvé qu'elle l'avait suivi et avait pleuré chaque fois qu'elle s'était réveillée en se retrouvant seule, ses juments perdues.

À présent, elle ne pouvait plus dormir. Elle sortit des couvertures, prit le fusil de chasse que Caleb lui avait laissé et partit voir ce qui avait dérangé Ishmael. La hauteur du soleil lui indiqua que c'était le milieu de l'après-midi. Elle avait dormi toute la nuit et la majeure partie de la journée.

Ishmael s'ébrouait et tirait sur sa corde, hennissant à pleins poumons.

— Calme-toi, garçon, dit Willow en regardant dans la direction que fixait l'étalon. Qu'est-ce qu'il y a ?

Le hennissement de l'étalon brisa de nouveau le silence.

Elle entendit, un autre hennissement porté par le vent. Quelques minutes plus tard, trois des juments manquantes apparurent dans le pré, l'air épuisé. Willow détacha l'étalon et le mena jusqu'à un rocher. Le fusil à la main, elle sauta du rocher sur le dos nu de l'étalon. Quelques secondes plus tard, il trottait impatiemment vers les juments et poussait un hennissement en signe de bienvenue. Willow tourna les yeux vers la forêt derrière les trois juments, mais elle ne vit aucun signe de Caleb — ni de son gros cheval du Montana ou de Dove, la seule jument encore invisible.

De plus en plus inquiète, elle attendit pendant qu'Ishmael reniflait les juments, s'assurant qu'il s'agissait effectivement des mêmes femelles qu'il avait perdues. Après quelques moments, les juments commencèrent à brouter avidement l'herbe en ignorant l'étalon ravi.

— Ça suffit, Ishmael. Allons voir ce qui est arrivé à Caleb.

Elle venait à peine d'atteindre l'orée du pré quand Ishmael dressa les oreilles et hennit doucement. Un hennissement lui répondit en provenance de la forêt, et Trey apparut. Caleb avait déchiré une page de son journal et l'avait fixée au pommeau de la selle. Elle dégagea la feuille et l'ouvrit pour lire :

« Je reviens en marchant avec Dove. Les autres juments se sont ragaillardies et ont commencé à essayer de se libérer dès qu'elles sont arrivées sous les 3000 mètres. Elles avaient pris la bonne direction, alors je les ai relâchées, de même que Trey. Donnez-leur du grain.

Dove est exténuée, mais elle est encore courageuse. Je vais rester avec elle aussi longtemps qu'elle pourra tenir debout. »

Willow se mit à pleurer pour sa jument épuisée. Plus que les autres chevaux, Dove avait porté son poids pendant les longues journées sur la piste. C'était pour cette raison qu'elle était si fatiguée, à présent.

Elle regarda l'angle du soleil et se dit qu'elle ferait mieux de se mettre à l'ouvrage malgré ses forces défaillantes. La vallée s'élevait à plus de 2500 mètres ; elle était située plus bas que le Col Noir, mais c'était encore loin de ce à quoi Willow était habituée. Elle conduisit Trey jusqu'au campement, le débarrassa de son harnachement et le relâcha dans le pré. Pendant qu'elle versait du grain pour les chevaux, il se roula dans l'herbe épaisse, but goulûment dans le ruisseau et se mit à avaler le grain comme si on l'avait affamé. Elle comprenait comment le cheval se sentait. Elle n'avait pas mangé depuis plus d'une journée, et la dernière chose qu'elle avait avalée n'était qu'un morceau de viande séchée.

Caleb aurait une faim de loup en revenant, car il n'avait apporté aucune nourriture.

Elle travailla aussi vite que possible en s'arrêtant de temps en temps pour reprendre son souffle, puis tira les selles et les sacoches sous la saillie rocheuse qui protégeait le campement d'un côté. Elle apporta du bois, alluma un feu, construisit un trépied pour cuisiner, alla chercher de l'eau et eut l'impression d'avoir couru en montant une colline avec un sac à dos rempli de pierres.

Elle avait depuis longtemps abandonné sa lourde veste et ses jeans. Enfin, elle défit les lacets de sa chemise de daim, déboutonna le vêtement de flanelle dessous et rêva de prendre un bain. Mais il y avait trop d'autres choses à faire et pas assez de temps restant avant que le soleil se couche derrière les sommets.

Au moment même où le dernier rayon de soleil disparaissait, Caleb et Dove surgirent dans le pré, effrayant des cerfs qui étaient sortis du couvert des arbres pour manger près des chevaux. Après quelques secondes, ils recommencèrent à brouter. Ils n'avaient pas été chassés par l'homme pendant si longtemps que leur crainte des humains avait presque complètement disparu.

Dove ne remarqua pas les cerfs ni d'autre chose que l'herbe et l'eau. Elle poussa du museau la main de Caleb pour lui demander de la libérer de la pression de son collier qui l'avait obligée à continuer de marcher bien après qu'elle ait voulu s'arrêter. Caleb lui caressa le cou, lui parla doucement et la relâcha pour qu'elle rejoigne les autres juments.

Willow prit la gourde, versa du café, attrapa une poignée de biscuits frais et partit rapidement à travers le pré. Elle était à bout de souffle au moment où elle atteignit Caleb, qui venait de finir de verser du grain pour Dove.

— Est-ce qu'elle va bien ? demanda Willow.

— Elle est épuisée, mais n'a rien qu'un bon repos et de la nourriture ne guériront pas. Sa respiration n'est pas tremblante, alors elle n'a pas perdu haleine.

— Dieu merci, fit Willow en lui tendant les biscuits. Tenez. Vous devez être affamé. Merci d'être allé chercher les juments. J'ai rêvé que je retournais les chercher, mais quand je me suis réveillée, j'étais encore ici, et je ne savais pas comment je pourrais…

Caleb s'approcha de Willow et l'embrassa. Quand il se redressa, il souriait malgré les signes d'épuisement qui s'affichaient sur son visage. Il émit un bruit de plaisir et se lécha les lèvres.

— Vous avez un goût de café et de biscuits, dit-il en la taquinant. Et de quelque chose d'autre…

— Le ragoût de gibier, avoua-t-elle en riant, même si le rouge lui montait aux joues. J'ai fait cuire ce qu'il en restait.

— Vous avez un goût divin, la corrigea-t-il en frôlant de nouveau ses lèvres sur celles de Willow. Tout à fait divin.

Caleb s'étira et bâilla afin d'essayer de se revigorer. Willow déboucha la gourde et la lui tendit. Le riche arôme du café monta de la gourde. Il la prit et but avidement. Le liquide était fort et noir, assez chaud pour produire de la vapeur. Caleb émit de nouveau un bruit de plaisir et but encore, sentant la chaleur se répandre en lui comme un deuxième lever de soleil. Il prit un biscuit, le mit tout entier dans sa bouche et commença à mâcher. Deux autres biscuits disparurent de la même manière, suivis d'une autre gorgée de café.

— Venez au campement, dit doucement Willow.

Ses yeux noisette décelaient l'épuisement de Caleb dans le ralentissement de ses réflexes et les cernes sous ses yeux.

— Vous avez à peine dormi depuis des jours, poursuivit-elle. Mangez du ragoût et allez dormir. Je vais monter la garde.

— Ce n'est pas nécessaire, répondit-il en bâillant de nouveau. Vous voyez ces cerfs?

Elle acquiesça.

— Nous sommes les premières personnes qu'ils aient vues de leur vie, fit-il.

— Mais j'ai vu les traces d'autres feux au bas de la falaise.

— Ils ont été faits il y a des siècles, après que les Espagnols aient apporté des chevaux. En tout cas, c'est ce que disait mon père, et il en connaissait plus sur les Indiens et cette terre sauvage que tout homme vivant.

Caleb regarda les hauteurs qui entouraient pratiquement la petite vallée.

— Il se disait qu'il était le premier homme à voir cet endroit depuis des siècles.

— Pourquoi les Indiens l'ont-ils abandonné?

— À cause de l'arrivée des chevaux, j'imagine. D'après ce que j'ai lu dans le journal de mon père, la piste qui mène hors d'ici est presque aussi rude que celle qui traverse le sommet. Ça va pour un homme à pied habitué à l'altitude, mais c'est drôlement difficile pour un cheval.

Il fit un demi-sourire.

— Il est beaucoup plus rapide et foutrement plus facile de passer par les cols à basse altitude et de laisser le cheval faire le travail. Quand il en a la possibilité, l'homme est une créature paresseuse, termina-t-il.

— Vous ne l'êtes pas, dit Willow. Si ce n'était de vous, mes juments seraient coincées parmi les rochers de l'autre côté du col.

— Elles ont fait trop de chemin pour que nous les abandonnions, dit simplement Caleb. Comment va Deuce?

— Il doit s'être foulé la patte avant gauche quand il s'est effondré, après le coup de feu qu'il a reçu. Il a une enflure sous le genou.

— Est-ce qu'il s'appuie dessus ?

— Non, mais il se déplace plus facilement depuis que je lui ai fait un bandage avec mon costume de voyage, dit Willow.

Caleb grogna.

— C'était le meilleur usage que vous puissiez faire de ce foutu vêtement. Et la brûlure de balle ?

— J'avais peur qu'elle se soit infectée, mais elle semble aussi propre que ce ruisseau qui traverse le pré.

— Mon père avait raison à ce propos aussi, dit Caleb en bâillant de nouveau. Peu de choses s'infectent ici. Peut-être à cause du manque d'oxygène, je suppose, ou de l'absence d'êtres humains. Combien m'avez-vous laissé de ce ragoût ?

— À peu près deux litres.

— Je vais manger lentement pour que vous puissiez en faire cuire plus.

Elle sourit, lui prit la main et le conduisit vers le campement.

— J'ai fait tout un tas de biscuits.

Au campement, Willow observa la scène du coin de l'œil pendant que Caleb engloutissait le ragoût, les biscuits, le café et les légumes sauvages.

— Pas de truite ? demanda-t-il d'un air indolent en essuyant ce qu'il restait de sauce avec le dernier biscuit.

Willow sourit et secoua la tête.

— Elles se sont toutes enfuies en me voyant.

— Apparemment, je vais devoir vous enseigner encore comment les attraper, n'est-ce pas ?

Willow se sentit rougir en se souvenant de la dernière fois où Caleb lui avait montré comment attraper une truite.

— Ne vous inquiétez pas, ma chère, dit-il en s'étendant sur le tapis de couchage. En ce moment, je serais même trop fatigué pour monter à cheval.

Caleb s'assoupit avant même de prendre une autre inspiration. Willow attendit qu'il soit trop profondément endormi pour être dérangé, puis elle retira ses bottes, détacha sa ceinture de revolver et son couteau de chasse sur ses hanches et le couvrit avec les épaisses couvertures. Elle enroula la ceinture et la plaça à portée de main, exactement comme il l'aurait fait s'il n'avait pas été épuisé.

Elle posa le fusil de chasse à côté d'elle sur le lit et se glissa près de Caleb. Même si le soleil avait disparu du fond de la vallée depuis moins d'une demi-heure, il faisait déjà froid. La chaleur qui émanait de Caleb était merveilleuse, attirant Willow de plus en plus jusqu'à ce qu'elle soupire et se détende contre le grand corps de ce dernier. Il bougea, puis l'attira encore davantage contre lui en la tenant comme s'il avait tout aussi froid. Willow sourit et se serra encore davantage, puis elle s'endormit avec la sensation familière du cœur de Caleb battant contre sa joue.

Willow se réveilla couchée sur le côté, en cuillère contre Caleb. Elle avait la tête sur son avant-bras, sa poitrine réchauffant son dos, ses fesses blotties entre ses cuisses… et un de ses seins reposant dans sa main droite qui s'était glissée sous le daim et la flanelle à la recherche de la douce chaleur.

Quand Willow se rendit compte à quel point le geste de Caleb était intime, son cœur s'accéléra. Elle se figea, coincée entre le fait de savoir qu'elle aurait dû se dégager et le plaisir d'être étendue si près de Caleb pendant que le soleil réchauffait la minuscule vallée, la remplissant de lumière dorée.

Après quelques minutes, le cœur de Willow se calma, mais pas les sensations qui l'envahissaient sans avertissement, rendaient le souffle court et affermissaient son sein dans la main de Caleb jusqu'à ce que son mamelon durci frotte contre sa large paume. Une étrange douleur s'empara d'elle, le désir de se cambrer contre sa main comme un chat qu'on caressait. La sensation était si puissante et si inattendue qu'elle retint son souffle en se demandant ce qui n'allait pas chez elle. Elle essaya de se libérer de sa main sans le déranger, mais il était trop emmêlé dans ses vêtements.

À moitié réveillé par les mouvements prudents de Willow, Caleb émit un petit grognement ensommeillé et la serra davantage contre lui. Sa main libre bougea en cherchant la chaleur de son corps, mais s'arrêta finalement sur la douce lourdeur de son autre sein enfoui sous des couches de vêtements.

Willow arrêta de respirer en se sentant enlacée et câlinée à travers ses vêtements jusqu'à ce que son autre mamelon se raidisse également. Elle frissonna, combattant l'envie de se tortiller lentement contre les mains de Caleb en augmentant la pression de son contact sur ses seins.

Je dois être en train de perdre l'esprit, songea-t-elle en frémissant. Respirant plus lentement pour ne pas réveiller Caleb et éviter qu'ils se retrouvent tous les deux dans une situation embarrassante, Willow attendit que les mouvements normaux qu'il faisait en dormant lui permettent de se dégager du piège involontaire et sensuel de son étreinte.

Ce plan ne fonctionna pas. Incapable de supporter cette situation plus longtemps, Willow écarta la couverture de son corps pour commencer à se libérer, mais ce fut une erreur. La vue d'une des grandes mains de Caleb sur son sein et de l'autre main enfouie profondément entre les lacets de cuir et à travers un espace dans son haut de flanelle lui fit oublier de respirer. Elle ferma vite les yeux, et une fois que fut passé le premier sentiment de gêne, elle les rouvrit.

Rien n'avait changé. Le contraste entre la main bronzée de Caleb et la blancheur de sa propre peau était aussi vif qu'auparavant. La différence entre la force des doigts de Caleb et la douce plénitude de son sein était encore...

Sensuelle.

Je perds vraiment *l'esprit,* se dit-elle.

Willow se dit qu'elle devrait soit sortir du lit, soit ramener la couverture sur elle et s'épargner la vue de la main de Caleb enfouie de manière si intime dans ses vêtements. Elle ne fit ni l'un ni l'autre. Elle resta simplement étendue sans bouger, sauf pour les vagues de sensations qui la traversaient à chaque respiration, à chaque mouvement involontaire de ses seins contre les mains de Caleb.

Un oiseau chanta dans les rochers, et il reçut une réponse de l'autre bout du pré. Une brise passa à travers les herbes hautes en bruissant, donnant l'impression que des esprits y respiraient. La lumière du soleil caressait la terre aussi sûrement que Willow se sentait caressée à chaque inspiration qu'elle prenait. Caleb bougea de nouveau, l'attirant encore plus contre lui, serrant sa main encore davantage autour de son sein nu sous ses vêtements. Willow poussa un soupir involontaire. Très lentement, elle fit passer la main droite de Caleb de sa poitrine à sa hanche couverte de peau de daim, puis elle glissa sa propre main à l'intérieur de son corsage pour essayer de retirer l'autre main de Caleb sans le réveiller. Il n'y avait simplement pas assez d'espace à l'intérieur pour contenir leurs deux mains tellement le vêtement lui collait à la peau.

Retenant son souffle, elle sortit de leurs trous les lacets de daim et détacha le haut de flanelle dessous jusqu'à ce qu'il soit complètement ouvert. Toutefois, les lacets de daim ne s'ouvraient que sur ses côtes, ce qui lui laissait peu de marge de manœuvre. Il faudrait que ce soit suffisant.

Lentement, Willow glissa ses mains sur celle de Caleb et tira doucement. Sa main bougea sur son sein en frottant sa paume dure contre son mamelon. Une flambée de chaleur la traversa, et elle poussa un petit gémissement. Son dos se cabra en un réflexe sensuel, répétant la caresse et caressant la main de Caleb en retour. Elle se mordit la lèvre inférieure et tira encore doucement la main de Caleb en essayant de se libérer sans le réveiller. Il marmonna dans son sommeil et resserra une fois de plus sa poigne sur elle, emprisonnant son mamelon durci entre ses doigts.

Le petit son rauque qu'elle laissa échapper réveilla complètement Caleb. Il sentit la douce courbe de son corps blotti contre le sien, la plénitude de sa hanche sous une de ses mains et la nudité soyeuse de son sein nichée dans son autre. Il sourit puis plia ses deux mains, jouissant de la sensation du corps de Willow.

— Caleb? souffla Willow sur un ton apeuré. Vous... n'êtes pas réveillé, n'est-ce pas?

— Presque.

Elle rougit si violemment qu'il sentit la chaleur à travers ses seins.

— Je ne voulais pas vous réveiller, murmura-t-elle. J'essayais… j'essayais seulement de… de déplacer votre main.

— Celle-ci? demanda Caleb en faisant glisser sa main sur ses fesses et en serrant doucement.

Willow retint son souffle.

— Non… oui, je veux dire, mais surtout l'autre.

— L'autre? fit Caleb en souriant dans les cheveux de Willow. Où est-elle? Je ne peux pas la voir.

— Je le peux, et c'est là le problème.

Willow entendit ses propres paroles et eut envie de gémir.

— Vous le pouvez? Dans ce cas, dites-moi où elle est.

— Caleb Black, vous savez très bien où est votre main.

— Comment le pourrais-je? Elle est engourdie, mentit-il en souriant et en cherchant à travers la chevelure de Willow sa nuque sensible. Alors, je ne peux pas la bouger jusqu'à ce que je sache où elle est. Dites-le-moi, ma chère.

— Sur mon… sur mon… répondit-elle, puis sa voix se brisa.

— Sur votre épaule? proposa Caleb.

Elle secoua la tête, et ses cheveux glissèrent de côté, mettant sa nuque à nu. Caleb l'embrassa doucement puis la mordilla gentiment. Il sentit chaque petit frisson sensuel qui traversa le corps de Willow, et il fut envahi par une chaleur en retour. Il n'avait jamais tenu entre ses bras une femme qui réagissait autant à la moindre de ses caresses.

— Est-ce que ma main est sur vos côtes? demanda-t-il d'une voix profonde en faisant de nouveau glisser ses dents sur la nuque de Willow, la sentant frissonner et éprouvant l'envie de grogner en raison de la douce agonie de son propre désir.

— Pas… pas sur mes côtes, murmura-t-elle, presque incapable de penser.

— Votre taille ?

Mais cette fois, Willow ne pouvait plus parler du tout, parce que les dents de Caleb s'étaient refermées sur sa nuque en une tendre et farouche caresse qui rendait toute pensée impossible. Elle ferma les yeux et essaya de ne pas émettre un petit cri de surprise et de plaisir tandis que tout son corps se raidissait. Quand les doigts de Caleb se refermèrent délicatement sur son mamelon, tirant sur la chair durcie, elle gémit.

— Maintenant, je comprends ce qu'est le problème, dit Caleb en se dressant sur un coude de façon à voir par-dessus l'épaule de Willow.

— Quel est-il ? murmura-t-elle.

— Celui-ci, répondit-il en serrant la main sous les vêtements de Willow, dont le dos se cambra. Vous voyez ? Nous sommes complètement emmêlés dans vos vêtements. Restez immobile, ma chère. Je vais nous libérer.

Willow rougit, retint son souffle puis regarda Caleb de ses yeux noisette à moitié fermés. Sa main se déplaça sous la flanelle et enveloppa son sein entier tandis que le pouce dessinait de lents cercles autour de son mamelon. Le corps au grand complet de Willow se raidit.

— Doucement, ma chère, murmura-t-il. Est-ce que je vous fais mal ?

Willow émit un son bizarre au fond de sa gorge quand le pouce de Caleb frotta le bout durci de son sein. Il sourit et le frotta de nouveau, adorant la dureté veloutée qui réagissait si facilement à son contact.

— Nous sommes presque libérés, dit Caleb.

Lentement, il fit tourner Willow sur le dos tout en la caressant lentement avec son pouce.

— Doucement, ma chère. Un peu plus, et vous serez libérée. Bougez votre épaule un peu. Oui, comme ça. Maintenant, prenez une profonde inspiration. C'est ça.

Caleb éprouva un frisson dans tout son corps en regardant son sein nu.

— Dieu que vous êtes belle, aussi parfaite qu'un bouton de rose.

Caleb se pencha sur le sein de Willow, puis tourna lentement la tête d'un côté et de l'autre en laissant la soie rêche de sa barbe caresser sa chair tendre, faisant raidir encore davantage son mamelon. Elle gémit et lui saisit la tête.

— Oui, dit-il d'une voix rauque. Montrez-moi ce que vous voulez.

Terriblement embarrassée, elle essaya d'éloigner sa tête, mais ses mouvements firent en sorte que son mamelon en érection frôle les lèvres de Caleb.

— Oui, dit-il. C'est ce que je veux aussi.

Caleb prit dans sa bouche le sein de Willow tandis que ses mains se serraient, l'empêchant de s'éloigner pendant qu'il la caressait avec sa langue et ses dents. Une sensation étrange et sauvage traversa la jeune femme, et elle laissa échapper un petit cri étouffé.

— Ma chère? demanda Caleb de sa voix rauque en levant les yeux. Je vous ai fait mal?

— Nous ne devrions… nous ne devrions pas faire ça.

Caleb ferma les yeux et lutta contre l'objection qui montait en lui, aussi féroce que le désir qu'il avait de cette fille dont le sein reposait contre ses lèvres.

— Est-ce que je vous ai fait mal? demanda-t-il encore.

Tout en parlant, il souffla sur le mamelon encore humide de sa salive. Le souffle léger sur le sein de Willow lui fit contracter l'estomac. Ses hanches bougèrent en un réflexe qu'elle ne comprenait pas.

Mais Caleb comprit.

— Dites-moi, Willow, fit-il avant d'embrasser le bouton de rose durci sur son sein. Je vous ai fait mal?

Willow essaya de parler sans y parvenir. Elle secoua la tête.

— Avez-vous aimé ça? demanda-t-il.

La chaleur envahit son visage, et elle tourna sa tête contre la poitrine de Caleb pour s'y cacher.

Très doucement, Caleb frotta sa joue barbue contre son sein une fois de plus avant de se détourner, ne sachant trop si sa discipline pourrait tenir le coup devant la vue de ce sein nu niché entre les replis du vêtement, son mamelon durci et rosi par la chaleur de sa bouche.

— Ça va, ma chère. Je ne vais pas vous forcer à faire quoi que ce soit.

Caleb se leva et marcha jusqu'au feu. Après quelques minutes, Willow le rejoignit. Ils déjeunèrent dans un silence qui n'était pas tout à fait inconfortable. Il ne mentionna pas leur intimité dans le lit ni ne la laissa en parler. Il craignait qu'elle essaie de lui refuser la douceur de son corps dans l'avenir. Il ne voulait pas — ne pouvait pas — laisser cela se produire.

Petite truite timide et inquiète. Il y a si longtemps qu'elle n'a pas senti le contact d'un homme. Je n'ai besoin que d'être patient, et elle nagera droit dans mes mains. On m'a toujours dit que j'étais un homme patient. Pourquoi est-ce si difficile de l'être avec elle ?

Pourquoi est-ce difficile — point à la ligne ? se demanda-t-il impatiemment. *Je serai chanceux si je peux me tenir droit toute la journée.*

Willow observa timidement Caleb de sous ses cils pendant qu'il se déplaçait autour du campement pour remettre leurs provisions dans les sacoches puis vérifier les sangles et les têtières afin de s'assurer que la longue chevauchée n'avait pas râpé autre chose que la chair. Quand il se rendit dans le pré avec un nouveau sac de grains, elle l'accompagna. Caleb siffla, puis Trey arriva au trot avec Deuce qui boitillait. Il versa deux piles de grains, et pendant qu'ils mangeaient, il vérifia leurs sabots et leurs robes, leur parlant doucement pendant tout ce temps, louangeant leur détermination et leur tempérament docile. Willow observait la scène, fascinée par la force tranquille et la grâce virile de Caleb. La retenue et la précision de ses mains la fascinaient également. Il était si doux que Deuce ne tressaillit même pas quand Caleb vérifia méticuleusement sa blessure.

— Elle est encore propre, dit-il tranquillement.

Il caressa l'épaule musclée du cheval, sentant la rugosité des poils là où le cuir avait été mouillé et s'était asséché plus d'une fois.

— Je te brosserais bien, garçon, mais je pense que tu préférerais qu'on te laisse seul pendant une journée ou deux. Je ne te le reproche pas le moindrement. C'était une piste vraiment terrible.

Une des juments sentit l'odeur du grain dans le vent et s'approcha en trottant et en hennissant doucement. Caleb sourit et tira délicatement sur sa crinière.

— Salut, Penny. Tu te sens mieux après avoir mangé toute la nuit? demanda-t-il.

Penny poussa ostensiblement sur le sac de grains avec son museau.

Willow éclata de rire.

— Arrêtez de la torturer. Elle sait ce qui l'attend.

Caleb lui adressa un regard oblique et un lent sourire.

— Le fait d'attendre rend simplement les choses meilleures; ne le saviez-vous pas?

Willow se tut sagement, mais elle ne put rien faire pour dissimuler la rougeur sur ses joues. Elle frissonna en se souvenant de la passion à laquelle elle avait goûté ce matin-là.

Ishmael traversa la vallée au galop pour les rejoindre. Ses oreilles étaient dressées, son corps était souple, et il faisait des foulées régulières.

— Il semble bien se porter, dit Caleb.

— Il respire un peu trop difficilement.

— C'est l'altitude. Il ira mieux dans une semaine ou deux.

— Ce qui m'inquiète, c'est d'aller d'ici à là-bas, avoua Willow avant de soupirer et de se frotter les tempes.

Caleb commença à faire deux autres monticules de grains quand les pur-sang s'approchèrent, attirés par l'odeur savoureuse.

— Nous allons y aller doucement jusqu'à ce que vous vous soyez habituée à l'altitude, dit-il.

— Seulement 12 heures par jour sur la piste plutôt que 18? marmonna Willow dans un souffle.

Mais Caleb l'entendit. Son ouïe était aussi aiguisée que celle d'un cerf. Il leva les yeux et la vit debout, les yeux fermés, alors qu'elle se frottait les tempes. Il versa encore un peu de grains, attacha le haut du sac avec une lanière de cuir, le mit de côté puis se rendit près d'elle.

— Vous avez mal à la tête ? demanda-t-il doucement.

Elle baissa les mains d'un air presque coupable.

— Juste un peu. C'est beaucoup mieux que ça l'était sur le col.

— Tenez, laissez-moi faire.

Toute objection qu'aurait pu avoir Willow se dissipa avec les mouvements lents et circulaires des pouces de Caleb sur ses tempes.

— Détendez-vous si vous le pouvez, dit-il. Plus vos muscles sont tendus, plus c'est douloureux.

Willow émit un petit son qui représentait davantage une expression de joie qu'une parole quand Caleb remonta ses doigts sur sa tête et lui massa le crâne, apaisant des tensions qu'elle ignorait même avoir. Fortes, douces et talentueuses, ses mains firent disparaître la douleur jusqu'à ce qu'elle s'affaisse de soulagement.

Avec de petites pressions du bout de ses doigts, il l'exhorta à se rapprocher jusqu'à ce qu'elle se retrouve pratiquement appuyée contre lui. Son front s'inclina de plus en plus pour venir finalement reposer contre le torse de Caleb.

Tardivement, Willow se rendit compte que Caleb avait ouvert sa chemise pour lutter contre la chaleur du soleil sur la montagne. Son front reposait contre sa chair nue et chaude. La toison noire de sa poitrine lui chatouillait le nez et la bouche. Quand elle prit une inspiration, l'odeur de laine, de cheval et d'homme envahit ses sens. Elle soupira et frotta son visage contre lui, se réjouissant de la sensation que lui procuraient les textures viriles sur sa joue.

— C'est tellement bon, dit-elle en bougeant lentement la tête, accroissant la pression des mains de Caleb qui lui massaient encore le crâne.

— Bien, dit-il tandis qu'il jouissait de la chaleur du souffle de Willow contre sa peau nue.

Ils demeurèrent silencieux pendant un certain temps, puis Willow soupira et dit :

— Je ne pourrai jamais m'acquitter de ma dette envers vous.

Il éclata de rire.

— Je vais vous laisser me masser la tête en retour.

— Je parle de mes juments. Merci, Caleb.

— Ce sont de trop bons chevaux pour que nous les perdions pour une raison qui n'avait rien à voir avec eux.

— Je sais, répondit-elle simplement. C'était ma faute.

Caleb caressa les tempes de Willow du revers de la main.

— Vous n'avez pas créé ces montagnes, ma chère. C'est Dieu qui l'a fait.

Elle sourit tristement.

— Mais j'ai embauché un guide de montagne, et j'ai refusé d'écouter ses conseils. J'ai failli tuer mes magnifiques juments qui n'avaient fait que me suivre là où je les menais. Elles seraient mortes si vous n'étiez pas retourné les chercher. Je n'aurais pas pu le faire. J'ai essayé, mais...

Sa voix se brisa.

— Taisez-vous, ma chère. Ce n'est pas votre faute.

Elle secoua la tête et murmura :

— Je n'étais pas assez forte, mais vous l'étiez. Rien ne vous obligeait à aller les chercher, mais vous y êtes allé de toute façon, même si vous aviez à peine dormi depuis des jours.

Les mains de Caleb hésitèrent sur les tempes de Willow, puis il recommença lentement à caresser son front. L'empressement de la jeune femme à accepter la responsabilité quant aux choix qu'elle avait faits continuait de le surprendre. Il avait connu peu d'hommes et encore moins de femmes qui ne refilaient pas les reproches à quelqu'un d'autre quand les choses tournaient mal et qui ne sautaient pas sur les éloges quand les choses allaient bien.

Plus Caleb connaissait Willow, plus il se rendait compte qu'elle était habituée à prendre soin d'elle-même et de toute personne qui l'entourait. Elle était très éloignée de la dame du Sud gâtée qu'il avait d'abord imaginée.

Dieu doit avoir été endormi quand il a laissé Willow fréquenter une couleuvre comme Reno. Elle est beaucoup trop bien pour lui. Elle ne le connaît sûrement pas bien; sinon, elle ne se serait jamais donnée à lui. Je vais lui rendre service quand je vais enterrer ce fils de pute.

Elle sera mienne avant de le revoir. Je ne vais pas quitter cette vallée avant que Willow m'appartienne d'une manière que rien ne pourra changer — pas même la mort de son homme du monde.

— Merci pour mes juments, Caleb, répéta tranquillement Willow, la tête contre sa poitrine. Je vous dois plus que tout ce que je pourrais vous rendre.

— Willow, murmura Caleb.

Elle ouvrit les yeux et renversa la tête jusqu'à ce qu'elle puisse le voir. Les éclats de couleur dans ses yeux noisette n'avaient jamais semblé à Caleb plus magnifiques qu'en ce moment.

— Vous m'avez sauvé la vie quand on a tiré sur Deuce, dit-il. Vous m'avez apporté des munitions et avez combattu à mes côtés. Vous ne me devez rien du tout.

— Et combien de fois m'avez-vous sauvé la vie depuis que nous avons quitté Denver ?

— C'est différent.

— Vraiment ?

— Oui.

Caleb se pencha et déposa un baiser sur les lèvres de Willow.

— Vous m'avez embauché pour ça, termina-t-il.

— Vous êtes très doué pour votre travail… et pour d'autres choses aussi.

Willow avait en tête le soin qu'il avait pris des chevaux, mais dès le moment où les paroles quittèrent sa bouche, elle pensa à d'autres trucs pour lesquelles il avait un talent fou. Ses joues s'empourprèrent.

Caleb lui adressa un petit sourire de travers et lui titilla les lèvres du bout de sa langue.

— Vraiment ? demanda-t-il. Quelles sont ces choses ?

— Vous savez très bien de quoi il s'agit, marmonna-t-elle.

— Non, je l'ignore, dit-il en secouant la tête tandis que sa bouche frôlait les lèvres de Willow. Dites-moi.

Elle détourna les yeux et souhaita avoir pu réfléchir avant de parler. Elle n'avait jamais été particulièrement impulsive avant de faire la connaissance de Caleb, mais depuis ce moment, elle n'arrêtait pas d'admettre des choses qui la faisaient rougir.

— Je parierais que j'ai du talent pour vous trouver des vêtements de voyage au milieu de nulle part, suggéra-t-il.

Les lèvres de Willow s'étirèrent en un petit sourire. Elle regarda Caleb à travers ses cils d'un blond foncé.

— C'est une de ces choses.

— Et pour trouver des selles.

Son sourire s'élargit.

— Oui, fit-elle

— Et pour attraper des truites.

Elle rougit de nouveau.

— Est-ce tout, Willow ?

Ses mains se déplacèrent de ses tempes jusque sous ses côtes, et il la souleva lentement jusqu'à ce qu'elle le regarde dans les yeux.

— Est-ce une des choses pour lesquelles vous pensez que je suis doué ? Capturer des truites ?

Elle acquiesça de la tête et dit d'un ton rauque :

— Vous êtes particulièrement bon pour ça.

Pendant plusieurs moments, Caleb regarda avidement les lèvres pulpeuses de Willow. Puis il se pencha et l'embrassa avec une férocité qui la fit se raidir d'étonnement. Sa langue glissa entre ses lèvres jusqu'à la surface douce de ses dents serrées.

— Ouvrez-les pour moi, murmura-t-il. Laissez-moi goûter tout ce miel chaud.

Il mâchouilla sa lèvre inférieure. Quand elle retint son souffle de surprise, il pencha la tête et s'empara de sa bouche, titillant sa langue de la sienne jusqu'à ce que Willow tremble entre ses mains. Finalement, elle soupira et colla timidement sa langue contre la sienne, lui rendant le baiser. Le curieux mélange de réticence et de réaction positive de Willow rappela à Caleb la promesse qu'il s'était faite à propos du fait que la prochaine fois qu'il l'embrasserait, ce serait parce qu'elle le lui aurait demandé.

Mais il n'avait pu attendre. Lentement, à contrecœur et en maudissant la passion que provoquait si facilement Willow en lui, Caleb leva la tête. Quand il ouvrit les yeux, elle observait ses lèvres avec étonnement.

— Est-ce que les baisers sont une de ces choses pour lesquelles je suis doué ? demanda avidement Caleb.

Les joues de Willow prirent une teinte de rose aussi profond que ses lèvres.

— Caleb !

— Si je ne suis pas doué pour les baisers, dites-moi ce que je fais de mal. Je veux vous plaire, Willow. Je veux séduire jusqu'à votre âme. Je le veux terriblement, murmura-t-il contre sa bouche.

Le tremblement des lèvres de Willow contre les siennes quand elle murmura son nom fut la chose la plus merveilleuse que Caleb ait jamais éprouvée. Malgré le désir qui envahissait son corps par vagues torrides, il l'embrassa doucement, sans exigence, ne prenant rien qu'elle ne lui offrait pas d'abord.

Le chaste baiser surprit Willow, car elle pouvait sentir la tension dans le corps durci de Caleb. Sa retenue la rassurait également, tout comme cela avait été le cas quand il avait accepté d'arrêter de la toucher plus tôt. Et il n'avait pas semblé fâché quand il avait arrêté ses avances ce matin-là. Il l'avait été la fois précédente, quand il avait peigné ses cheveux et l'avait embrassée d'une manière si profonde et avait caressé la chair tendre qu'aucun homme n'avait touchée auparavant. Cette fois-là, le fait de s'arrêter l'avait rendu furieux.

Mais pas aujourd'hui. Aujourd'hui, Caleb n'était pas du tout en colère. Aujourd'hui, Willow se sentait merveilleusement bien.

Ses mains remontèrent des biceps musclés de Caleb jusqu'à ses épaules. La laine de sa chemise ne réjouissait plus ses doigts. Elle chercha la chaleur vivante dessous et soupira de plaisir à son contact. Comme un chat, elle pétrit ses muscles, appréciant la sensation des poils qui poussaient en boucles noires sur sa poitrine.

Caleb attendit que Willow ouvre les lèvres pour lui proposer un baiser plus passionné, mais ce fut en vain. Elle lui rendit un baiser aussi chaste que celui qu'il lui avait donné, puis elle soupira et le caressa jusqu'à ce qu'il se retienne pour ne pas gémir. La sensation de ses mains délicates sur sa peau l'enflammait, tout comme le plaisir évident qu'elle prenait à caresser son corps.

Malgré cela, elle ne fit rien pour approfondir le baiser, pour joindre de nouveau sa bouche à la sienne en un prélude à une sorte de rapprochement plus intime.

Perplexe, Caleb se demanda si Reno était le genre d'homme qui aimait maltraiter les femmes au lit. Cela aurait expliqué la crainte qu'elle avait immédiatement éprouvée quand elle avait senti la main de Caleb entre ses jambes, mais cela n'aurait pas expliqué l'entêtement de Rebecca à protéger l'identité de son amant. Rebecca avait été dorlotée et carrément gâtée, débordante d'espièglerie, d'amour et de vie. Un homme qui aurait été cruel à son égard n'aurait jamais conquis son cœur, sa chasteté et sa loyauté. Elle aurait exigé un gentilhomme avant de se donner à un homme.

Caleb comprit tout à coup qu'il ne correspondait en rien à la définition d'un gentilhomme, surtout en ce moment. Il avait l'odeur des chevaux, du dur labeur et des vêtements portés depuis trop longtemps. Pas Willow. Elle sentait la lavande et l'herbe des prés. Alors, le fait qu'elle hésite à se rapprocher de lui n'avait rien d'étonnant. Maintenant qu'il y songeait, Caleb se dit qu'il n'aimait pas non plus se trouver près de lui-même.

— Je suis doué pour autre chose aussi, dit-il en abaissant Willow sur le sol et en s'écartant d'elle. Je suis aussi un excellent sourcier.

— Vraiment?

Il acquiesça.

— Je peux trouver des eaux thermales presque n'importe où.

Willow écarquilla les yeux en imaginant les possibilités et oublia la déception qu'elle avait ressentie quand Caleb l'avait relâchée si rapidement.

— Vous pouvez trouver des sources d'eau chaude? Même ici?

— Surtout ici. Mon sixième sens me dit qu'il y en a une qui se trouve juste au bout de la vallée et que le bassin est assez grand pour que nous puissions y flotter.

Elle sourit en se souvenant du journal qu'avait tenu le père de Caleb pendant ses voyages dans l'Ouest.

— Vous êtes une merveille, Caleb Black.

— En fait, je suis un peu lent pour comprendre certaines choses, mais j'apprends.

— Vous voulez tirer à pile ou face?

Il lui jeta un regard interrogateur.

— Pourquoi donc?

— Pour voir qui se baignera en premier.

Caleb se retint juste avant de dire quelque chose d'idiot à propos du fait de se baigner ensemble. *Souviens-toi de la truite. Lentement, doucement. Pas de geste brusque. Pas d'impatience. Tout le temps du monde.*

— Vous y allez d'abord, ma chère. Je vais m'occuper des chevaux.

— Ce n'est pas juste pour vous.

— J'aime travailler avec les chevaux.

— Dans ce cas, je vais laver nos vêtements. Marché conclu ? demanda Willow en lui tendant la main.

Caleb la prit, la porta à ses lèvres et mordit doucement la chair au bas du pouce de Willow.

— Marché conclu.

Il relâcha sa main et commença à déboutonner sa chemise.

— Qu'est-ce que vous faites ? demanda-t-elle.

— J'enlève mes vêtements. À moins que vous ayez prévu de les laver pendant que je les porte encore.

— Euh… non…

Mais l'idée fit réfléchir Willow. Caleb s'en rendit compte lorsqu'il la vit rougir. Il sourit et retira sa chemise, puis il se réjouit en voyant les yeux grands ouverts de Willow et la rougeur qui lui monta aux joues quand elle le regarda. Elle était peut-être réticente à l'idée de faire l'amour avec lui, peut-être même apeurée, mais elle ne faisait aucun effort pour dissimuler son approbation devant son corps viril. C'était là un des nombreux paradoxes à propos de Willow qui l'attiraient et le déconcertaient en même temps.

Curieux de voir sa réaction, Caleb commença à détacher son pantalon. Willow émit un bruit de surprise et ramena brusquement ses yeux sur son visage.

— C'est le même problème qu'avec la chemise, dit Caleb sur un ton neutre.

Willow déglutit difficilement et dit :

— Je vais vous chercher une couverture.

Elle se tourna et courut à travers l'herbe vers le campement tandis que le grand rire de Caleb la suivait à chaque instant.

Chapitre 12

Willow se laissait flotter dans l'eau chaude en se demandant si elle était morte et montée au ciel malgré sa nature peu angélique. À 10 mètres au-dessus d'elle, l'eau s'écoulait d'une fissure dans la roche noire du flanc de montagne. La fissure s'ouvrait en forme de « V » qui se terminait par une chute. Au sommet du « V », l'eau bouillonnait de vapeur. Après être tombée en cascade dans le bassin profond, elle avait suffisamment refroidi pour ne pas brûler la peau. Étonnamment, elle était plus douce que sulfureuse.

— Caleb est vraiment un excellent sourcier, dit-elle doucement en s'adressant à l'eau. Si Matt a trouvé une vallée comme celle-là, ce n'est pas étonnant qu'il ne soit jamais revenu à la ferme. Tout ce que nous avions, c'étaient des ruisseaux froids et des étangs au fond boueux chauffés par le soleil.

Les trembles et les conifères tout près murmuraient leur accord, parlant doucement à Willow de la beauté sauvage et séduisante de l'Ouest. Elle leur répondit en murmurant, mais c'était à Caleb qu'elle pensait, et non à la contrée autour d'elle. Elle rougit en pensant aux libertés qu'elle lui avait laissé prendre… et la passion qu'il avait fait surgir en elle lui fut douloureuse.

— Qu'est-ce qu'il m'a fait ? murmura-t-elle en frissonnant tandis que les souvenirs lui revenaient à l'esprit. Pas assez, se répondit-elle alors doucement. Mon Dieu, loin de là.

Si Caleb n'avait pas été aussi doux avec elle, Willow aurait eu peur de ses propres pensées, de ses propres désirs, de sa volonté de s'allonger au milieu de cette eau claire et de sentir les mains de Caleb la caresser partout où l'eau la touchait.

Une douce vague de sensations traversa son corps comme si c'était la bouche de Caleb plutôt que l'eau chaude qui lui caressait les seins. Elle frissonna de nouveau, mais pas de peur. Une fois passé le choc initial, elle avait énormément aimé les sensations qu'il faisait surgir dans son corps.

— Je pourrais me refuser à un homme qui serait cruel, lâche, stupide ou égoïste, murmura-t-elle en direction de l'eau, mais Caleb n'est rien de tout ça. C'est un homme endurci, mais un homme fragile ne durerait pas très longtemps ici. Et Caleb n'est pas plus dur qu'il ne doit l'être. Il ne tire aucun plaisir des fusillades et des tueries. Il traite ses chevaux avec gentillesse. Il ne s'est jamais servi d'un fouet ou d'éperons aiguisés.

Elle regarda l'eau vaporeuse et avoua :

Il avait une piètre opinion de moi quand nous nous sommes rencontrés, mais même à ce moment, il n'a pas été dur envers moi. Et il a été gentil avec la veuve Sorenson, même si je soupçonne qu'Eddy est son amant. Caleb devait le savoir, mais il les a quand même défendus tous les deux alors qu'ils se trouvaient impuissants.

Puis elle ajouta en se souvenant :

— Mais le plus important, c'est que même s'il me désirait fortement, Caleb ne m'a pas prise alors que d'autres hommes l'auraient fait. À part cette première fois, il n'était pas fâché quand je me suis refusée à lui. C'est un gentilhomme même quand je ne me comporte pas vraiment comme une dame.

La maîtrise de soi de Caleb soulageait Willow. Elle éprouvait encore un frémissement quand elle se souvenait de la fureur à peine contrôlée dans ses yeux au moment où elle l'avait supplié de ne pas la toucher de manière si intime.

Dame du monde… un jour, vous serez encore à genoux devant moi — mais vous ne me supplierez pas d'arrêter.

Elle n'avait jamais vu un homme être aussi en colère tout en se maîtrisant à ce point. Elle lui était reconnaissante de posséder cette discipline de fer. Elle lui permettait de s'aventurer dans les eaux douces et bouillonnantes de la passion sans craindre de se noyer.

Malgré cela, à l'idée de se noyer dans les bras de Caleb, elle était envahie d'un plaisir qui était également une douleur, celle du désir éveillé et titillé, mais non apaisé par son sourire, ses mains et sa bouche se déplaçant sur elle, traversant ses inhibitions jusqu'à atteindre la passion profonde en dessous. Elle voulait davantage de ses baisers, de ses caresses, de son goût, de l'intense sensualité qui brûlait sous sa maîtrise de soi.

Incapable de supporter plus longtemps ces pensées, Willow se retourna et posa les pieds sur le fond rocheux du bassin. L'eau lui arrivait au menton. Elle nagea et marcha tout à la fois la courte distance jusqu'à la rive à la recherche du long rebord rocheux qui descendait jusque dans le bassin.

Finalement, ses orteils le trouvèrent. L'eau qui l'arrosait incessamment l'avait rendu chaud et presque lisse. La pierre elle-même était propre, frottée par l'agitation constante de l'eau bondissant de la falaise jusque dans le bassin.

Après avoir tordu ses cheveux et s'être asséchée, Willow enfila la camisole et les caleçons longs qu'elle avait apportés. À l'exception de la robe usée de tous les jours qu'elle avait fourrée dans le sac de voyage à la dernière minute — une robe qu'elle avait si souvent portée qu'elle ne pouvait plus en supporter la vue —, le sous-vêtement de coton fin était le seul vêtement propre qu'elle avait. Elle n'avait même pas la chemise de Caleb pour mettre par-dessus le mince coton, car la chemise était étendue à sécher dans le pré avec le reste des vêtements qu'elle avait lavés.

Elle secoua la couverture de coton que Caleb et elle avaient utilisée comme drap et s'en enveloppa en l'attachant sous ses bras. La tenant comme une jupe étroite, elle se fraya un chemin à travers une trentaine de mètres de forêt jusqu'au pré où Caleb prenait soin des chevaux et ne portait qu'une des lourdes couvertures autour de ses hanches.

En tout cas, Willow espérait qu'il portait une des couvertures. Avec la chaleur du jour, elle ne lui aurait pas reproché de ne porter que son sous-vêtement.

Quel sous-vêtement ? Je les ai tous lavés et étendus dans le pré.

L'idée de rencontrer Caleb nu parmi les chevaux était à la fois intimidante et… excitante.

Ses cheveux trempés lui paraissaient froids sur ses joues rougies tandis qu'elle émergeait dans le pré en prenant soin de demeurer bien en vue. Les chevaux levèrent la tête en l'apercevant. Ishmael hennit en sentant dans la brise l'odeur familière de la lavande.

Caleb donna un dernier coup de brosse au dos de l'étalon avant de se pencher et de reprendre la couverture qu'il avait jetée par terre aussitôt que Willow était disparue dans la forêt entourant le pré. Il l'attacha autour de ses hanches et recommença à s'occuper de l'étalon. Ce n'était pas sa propre modestie qu'il voulait préserver, mais celle de Willow. Elle avait rougi comme une vierge en voyant sa poitrine nue. Elle serait devenue cramoisie de la tête au pied si elle l'avait vu entièrement dévêtu.

— C'est votre tour de prendre un bain, dit-elle en s'approchant de lui.

Il opina de la tête, mais n'arrêta pas de brosser Ishmael.

Elle fit un effort pour cesser d'admirer les puissantes épaules de Caleb, ses longs bras et son torse qui descendait jusqu'à ses hanches minces. Pendant qu'il brossait l'étalon roux, elle essaya aussi de ne pas fixer les mouvements souples de ses muscles et les poils de sa poitrine, dont la frange s'amincissait jusqu'à son ventre plat, puis s'épaississait de nouveau là où la couverture tombait sur ses hanches. Elle essaya de ne pas le fixer, mais elle n'y parvint pas. Quand elle se rendit compte qu'il la regardait le regarder, elle détourna vivement les yeux.

— Ça ne me dérange pas, dit Caleb.

— Quoi?

— Ça ne me dérange pas que vous me regardiez.

Pendant qu'il parlait, il se rendit compte que c'était la simple vérité. Il n'aurait jamais deviné à quel point il pouvait prendre plaisir à voir une femme le regarder timidement avec de l'admiration et un appétit sensuel dans les yeux. Peut-être était-ce parce que les quelques femmes qu'il avait connues étaient des veuves plus âgées pour qui le corps d'un homme n'avait rien de remarquable. Elles avaient apprécié sa force autour de la maison et louangé sa maîtrise de soi au lit, mais elles ne l'avaient jamais regardé de la façon dont Willow l'observait — comme si le soleil se levait et se couchait dans ses yeux et que la lune reposait dans ses mains jointes.

— En fait, dit-il, j'aime bien que vous me regardiez. Ça me donne l'impression que je suis spécial.

— Vous l'êtes, répondit simplement Willow.

Son sourire de travers apparut brièvement tandis qu'il secouait la tête.

— Je ne suis qu'un homme, ma chère. Plus futé que certains, plus idiot que d'autres et plus dur que la plupart.

— Je pense que vous êtes différent des autres, murmura-t-elle.

Quand Caleb entendit les douces paroles, sa main s'immobilisa sur le dos d'Ishmael.

— C'est vous qui êtes différente des autres, Willow.

Avant qu'elle puisse parler, il frappa l'arrière-train de l'étalon.

— Retourne manger, cheval. Un peu de graisse ne te ferait pas de mal.

Ishmael partit au trot compter ses juments et leur rappeler sa forte présence. En l'observant, Caleb dit tranquillement :

— Tu ferais mieux de les surveiller, garçon. Elles sont aussi fougueuses que gracieuses. Robustes, aussi. Je ne connais aucun cheval des plaines qui aurait pu faire ce qu'ont fait ces juments.

— Elles ont été élevées pour leur vigueur, leur loyauté et leur courage, dit Willow.

— Comment les Arabes ont-ils réussi ça ?

— Avec un pragmatisme plutôt brutal, répondit-elle en regardant ses juments ignorer l'étalon qui se pavanait devant elles. Pendant des siècles, les cheiks rassemblaient les jeunes juments et les conduisaient dans le désert sans eau. Ils les y poussaient jusqu'à ce qu'elles deviennent folles de soif, puis ils les conduisaient vers une oasis.

Caleb détourna les yeux d'Ishmael et regarda Willow, surpris par l'intensité rauque de sa voix pendant qu'elle parlait des chevaux qu'elle aimait.

— Quand les juments sentaient la présence d'eau, elles commençaient à courir, poursuivit-elle. Au moment où elles arrivaient à une centaine de mètres de l'eau, on faisait retentir les cors de bataille, et seules les juments qui se détournaient de l'eau et revenaient vers leurs maîtres étaient accouplées.

Caleb porta de nouveau les yeux sur les pur-sang pendant un long moment, évaluant les résultats de la dure méthode qu'avaient les cheiks pour déterminer quelles juments valaient la peine d'être accouplées. L'épreuve était sans aucun doute brutale, mais les résultats étaient extraordinaires. Même amaigries au point d'être émaciées par des centaines de kilomètres de pistes difficiles, les juments étaient encore élégantes, alertes et obéissantes. Si Willow en sellait une et la ramenait vers le col, la jument avancerait jusqu'à ce qu'elle tombe d'épuisement.

En cela, les pur-sang étaient comme leur maîtresse. Il n'était pas question d'abandonner. Caleb aimait cette qualité chez un cheval. Il la respectait chez un homme et l'appréciait par-dessus tout chez une femme.

— Peut-être les cheiks avaient-ils la bonne méthode, fit-il.

— Difficile pour les juments, dit sèchement Willow.

Caleb sourit et changea de sujet.

— Vous est-il déjà arrivé de raser un homme?

— Très souvent.

— Bien. Amenez mon rasoir au bassin dans une dizaine de minutes.

Il pivota brusquement sur ses talons en se demandant pourquoi il était irrité à cause du fait que Willow avait déjà rasé des hommes auparavant alors que cela l'arrangeait à présent.

— J'ai vraiment bien aiguisé la lame, alors faites bien attention à vos doigts.

— Et à votre visage? demanda-t-elle innocemment.

Caleb sourit malgré son agacement. Il regarda par-dessus son épaule la fille qui se tenait debout dans le pré avec pour tout vêtement sa longue chevelure et une mince couverture de coton.

— Si vous ne me coupez pas, dit-il, je vais vous brosser les cheveux jusqu'à ce qu'ils soient secs.

Avant que Willow puisse répondre, Caleb se détourna de nouveau et se dirigea rapidement vers les arbres. Elle fixa son dos qui s'éloignait tandis que ses pensées s'affolaient à l'idée de raser un homme nu dans un bassin d'eau chaude.

Elle se dirigea vers le campement et s'arrêta suffisamment longtemps pour retourner les vêtements qui séchaient dans le pré. Elle dut éloigner Trey de ses jeans, car l'énorme cheval était apparemment intrigué par l'odeur des vêtements fraîchement lavés. Willow éprouvait la même chose. Qu'il s'agisse de denim, de laine ou de flanelle, les vêtements sentaient le soleil et le pré avec un soupçon de lavande. Elle inspira profondément en savourant le mélange des parfums.

Le temps qu'elle revienne au campement, trouve le rasoir pliant et retraverse le pré, plus de 10 minutes s'étaient écoulées. Elle courut pieds nus à travers la forêt, à l'affût des roches sous l'épais tapis d'épines de pins, et elle s'arrêta quand elle vit le bassin miroiter à travers les arbres.

Caleb était toujours dans l'eau.

— Caleb? lui cria-t-elle. Êtes-vous prêt?

— Bien sûr. Venez de l'autre côté du bassin.

Ralentissant le pas, Willow s'approcha du bassin. Caleb était assis du côté opposé, où le rebord formait une sorte de banc inégal. Directement derrière lui, l'eau chaude s'écoulait en cascade dans le bassin, faisant bouillonner et tourbillonner l'eau jusqu'à son torse.

— Vous ne voulez pas sortir? demanda-t-elle.

— Ça ne me dérangerait pas, mais vous rougiriez probablement jusqu'aux talons, répondit calmement Caleb.

— Oh, fit Willow, le souffle coupé. Est-ce que je devrais m'éloigner pour que vous puissiez endosser une couverture? demanda-t-elle d'un ton rapide.

— Ne vous en faites pas. L'eau me recouvre davantage que ne le faisait la couverture.

Willow essaya de parler, mais elle eut du mal à retrouver sa voix. Elle prit une lente inspiration.

— Caleb?

— Oui?

— Je ne me suis jamais trouvée près d'un...

Elle s'interrompit en se souvenant qu'elle était censée être une femme mariée. Si elle disait à Caleb qu'elle ne s'était jamais trouvée à côté d'un homme nu, il se demanderait de quelle sorte de mariage il s'agissait.

— Je veux dire que… ça fait longtemps que je n'ai pas…

— … rasé un homme ? termina Caleb pour elle. Ne vous en faites pas, ma chère. Je vais me tenir vraiment immobile.

Hésitante, Willow restait au bord du bassin et se mâchouillait la lèvre inférieure. Caleb attendit, constatant son ambivalence à la façon dont elle se tenait. Elle donnait l'impression d'être prête à s'enfuir, et pourtant, elle le regardait avec une expression proche du désir.

Petite truite inquiète. Elle me sent m'approcher de plus en plus et sait qu'elle pourrait s'éloigner en nageant, mais elle aime trop le contact de mes mains sur son corps.

Dieu que j'aime cette sensation !

Qu'est-ce que ce salaud de Reno lui a fait pour la rendre si farouche devant un homme ?

— Arrêtez de vous mordre la lèvre, ma chère, dit-il finalement. Je n'avais pas l'intention de vous y obliger. Vous n'avez qu'à laisser le rasoir là. Je vais me raser tout seul. Ce ne sera pas la première fois.

— Mais il n'y a pas de miroir.

— Je vais trouver un plan d'eau tranquille.

— Mes… mes mains tremblent, dit Willow en tentant d'expliquer pourquoi elle n'allait pas le raser.

— Je le vois bien. Retournez au camp. Je vous rejoins dans quelques minutes.

Elle prit une profonde inspiration, mais elle ne put se décider à partir. Elle voulait trop rester. Elle releva la couverture, et en fixant ses pieds, elle traversa le ruisseau tiède qui coulait du bassin jusque dans le pré. Sous le regard attentif de Caleb, elle contourna le bassin jusqu'à ce qu'elle puisse déposer le rasoir à portée de sa main. Se disant qu'elle ne devrait pas regarder, mais incapable de s'empêcher de jeter un rapide coup d'œil, elle comprit que Caleb avait raison. L'eau le couvrait davantage que l'avait fait la couverture.

La plupart du temps.

Mais parfois, seulement pendant un instant, le bouillonnement s'éloignait avec le courant, offrant un coup d'œil alléchant sur l'homme sous l'eau argentée. Avant qu'elle prenne conscience de ce qu'elle avait vu, le courant se déplaçait de nouveau, cachant tout sauf les larges épaules de Caleb au-dessus du bassin.

Lentement, Willow s'installa au bord de l'eau, replaçant la couverture de façon à pouvoir s'asseoir sans montrer davantage que ses pieds nus. Après un moment de silence tendu, Caleb prit le savon qu'il avait apporté et commença à le frotter sur sa barbe mouillée. Quand il eut terminé, il tendit la main pour qu'elle lui donne le rasoir. Willow posa la moitié du rasoir dans sa main, mais retint l'autre moitié.

— Si vous me faites confiance et croyez que je ne vais pas vous couper, j'aimerais vous raser.

Caleb ferma les yeux de peur qu'elle y perçoive le pur désir qu'ils reflétaient.

— J'aimerais ça.

— Je ne crois pas pouvoir vous atteindre d'ici, dit-elle. Pouvez-vous vous approcher du bord ?

— Pas sans vous faire rougir.

Il hésita avant d'ajouter sur un ton nonchalant :

— Il y a assez de place pour que vous veniez vous tenir près de moi si vous ne voyez pas d'inconvénient à vous faire mouiller encore. Vos cheveux couvriront tout ce que l'eau ne couvrira pas.

Willow regarda Caleb. Il avait fermé les yeux, et son corps restait détendu sur le large rebord, comme si l'eau chaude avait fait disparaître l'état constant de vigilance qui faisait tant partie de lui. Rassurée par l'acceptation nonchalante de la situation qu'il semblait exprimer, elle ramena ses cheveux vers l'avant pour couvrir ses seins, retira la couverture et la déposa à l'abri de l'eau agitée. Lentement, elle se glissa dans le bassin. Elle s'était baignée de l'autre côté, là où il se creusait progressivement, mais il devenait rapidement profond ici.

Son pied glissa, et elle émit un petit cri de surprise. Immédiatement, les mains de Caleb se refermèrent sur sa taille.

— Tenez-vous bien, dit-il.

Il la souleva et la déposa en travers de ses genoux, puis il modifia sa poigne et tint Willow devant lui.

— Il y a une autre avancée de rocher quelque part près de mon pied. Vous la trouvez?

Après l'avoir cherchée un moment du bout des orteils, elle acquiesça en regardant tout sauf Caleb. À l'instant où elle avait senti ses jambes nues sous ses fesses mouillées, les battements de son cœur avaient redoublé.

— Vous pouvez vous tenir debout? demanda-t-il.

Elle essaya, mais l'eau lui montait presque jusqu'aux seins et était passablement turbulente, car elle se trouvait directement dans le courant de la cascade. Après quelques tentatives, elle réussit à s'appuyer sur le rebord de pierre et entre les genoux de Caleb.

— Ça va? demanda-t-il.

— Je le pense.

Il sourit légèrement, se repositionna et ferma les yeux.

— Faites très attention, ma chère ; je n'ai qu'une seule gorge.

Willow éclata de rire et se sentit mieux. Caleb semblait si détendu dans cette situation qu'elle se sentait ridicule d'être nerveuse.

— Ne bougez pas, maintenant, lui dit-elle.

Comme c'était arrivé pendant la bataille contre les Comancheros, une fois qu'elles avaient une tâche à accomplir, ses mains cessaient de trembler. Elle rasa Caleb avec des mouvements rapides et précis, rinçant la lame après chaque passage. Le savon disparaissait quelques secondes, entraîné par le courant qui bouillonnait doucement dans tout le bassin.

Caleb restait assis, immobile, mais ce n'était pas par peur de se faire couper. Il craignait de tenter d'attraper la truite qui était passée si près de se mettre à sa portée s'il bougeait. En sentant sa propre nudité et le corps de Willow tout proche, il était immédiatement entré en érection. La douceur des mains qui prenaient soin de lui était également excitante, mais d'une façon différente. Elles lui donnaient un sentiment d'être choyé qui renforçait plutôt qu'il affaiblissait sa maîtrise de soi.

— J'ai presque fini, dit Willow en rinçant le rasoir. Vous voulez garder la moustache, n'est-ce pas ?

— Absolument, dit-il d'un air pince-sans-rire.

— Bien. J'aime la sentir sur ma peau, dit-elle en se concentrant sur son travail plutôt que sur ses paroles. Voilà, c'est fait. Vous êtes tout propre.

Elle rinça le rasoir, en replia la lame et regarda les yeux brillants de Caleb. Il prit le rasoir et le déposa sur un rocher sans détourner les yeux de Willow.

— Vraiment ? demanda-t-il d'une voix profonde.

— Vraiment quoi ?

— Aimez-vous vraiment sentir ma moustache sur votre peau ?

Willow entendit l'écho de ses propres paroles imprudentes, et ses joues s'empourprèrent.

— Fermez les yeux.

— Pourquoi ? Ce n'est pas la première fois que je vous vois rougir.

— Je vais vous rincer le visage.

En mettant ses mains en forme de coupe, elle essaya de porter l'eau chaude à ses joues, mais l'eau s'écoulait davantage qu'elle ne le touchait.

— Comme ça, dit Caleb.

Il glissa ses mains sous celles de Willow, puis il les abaissa jusqu'à ce qu'elles se trouvent à plusieurs centimètres sous l'eau. Il pencha la tête et bougea son visage d'un côté et de l'autre en frottant ses joues contre les mains de Willow. Quand le reste du savon eut disparu, il souleva ses mains hors de l'eau et embrassa le milieu de ses paumes.

— Merci, Willow, dit-il. Jamais une femme ne s'est assez souciée de moi pour me raser.

Sans y penser, Willow déplaça ses mains du visage de Caleb à ses cheveux, enfouissant doucement ses doigts dans l'épaisse chevelure trempée.

— Si vous voulez, je vais aussi vous couper les cheveux.

— Je préférerais que vous me laissiez vous embrasser. Vous feriez ça ? demanda-t-il.

Elle sourit.

— Oui, je pense que si. J'aime vos baisers, Caleb. Je les aime beaucoup.

Un léger frisson le traversa.

— Vous prononcez là des paroles dangereuses.

— Pourquoi ?

— Venez ici, et je vais vous le dire.

Willow se pencha vers lui, puis elle perdit pied sur le rebord inférieur. Cela n'avait pas d'importance. Les mains de Caleb s'étaient déjà refermées sur elle. Il se pencha vers l'avant, la maintenant droite dans l'eau bouillonnante. Le frôlement de sa moustache sur ses lèvres la fit frissonner d'anticipation.

— Je veux vous goûter, dit-il contre sa bouche. Laissez-moi entrer, ma chère. Laissez-moi vous embrasser de la manière dont nous le désirons tous les deux.

Ses dents se refermèrent sur la lèvre inférieure de Willow en une caresse qui représentait à la fois une demande sensuelle et un plaidoyer voluptueux. Elle émit un petit bruit et ouvrit la bouche, désirant le baiser tout autant que lui. Sentant la lente pénétration et le retrait de la langue de Caleb, elle agrippa ses bras. Elle voulait davantage le goûter, goûter ses caresses. Elle voulait être aussi près de lui que l'eau fougueuse.

Avec un petit bruit affamé, Willow lui rendit le baiser de la seule façon qu'elle connaissait, celle que lui avait enseignée Caleb, la danse taquine d'une langue contre une langue, d'une chaleur contre une chaleur, d'un désir contre un désir jusqu'à ce qu'ils se trouvent enfermés ensemble dans une exigence et un désir mutuels. Elle se sentit vaguement levée et retournée jusqu'à ce qu'elle chevauche les jambes de Caleb, mais elle ne songeait qu'à l'attirer encore davantage dans ce baiser, souhaitant devenir tant une partie de lui que le baiser ne prendrait jamais fin.

Lentement, doucement, implacablement, Caleb termina le baiser. Il lutta pour garder la maîtrise qu'il avait senti lui échapper chaque fois que la douce langue de Willow frôlait la sienne, et il la regarda avec un pur désir qu'il était incapable de dissimuler.

— Willow, dit-il d'une voix rauque. Bon sang…

Caleb frissonna et ferma les yeux pour résister à l'image qu'elle projetait, à ses lèvres rougies par le baiser passionné, à ses cheveux flottant dans les flux dorés autour d'eux, à ses seins exposés à travers la dentelle trempée de sa camisole, à son dos arqué contre son bras, à ses longues jambes de chaque côté des siennes. Le souvenir de la façon dont son sous-vêtement s'ouvrait traversa Caleb en un flot de désir sauvage. S'il se déplaçait de quelques centimètres vers l'avant seulement, il frotterait sans obstacle sa toison dorée.

Tandis que le regard de Willow suivait celui de Caleb, elle se rendit compte qu'elle aurait tout aussi bien pu être nue de la taille jusqu'au cou. De la taille aux pieds, elle était aussi cachée que lui… la plupart du temps. Elle baissa les yeux puis les releva brusquement quand un changement dans le courant révéla la preuve irréfutable de la passion de Caleb.

— Détendez-vous, ma chère. Ne paniquez pas maintenant. Je ne ferai rien que vous ne veuillez pas. Merde, fit-il, le seul fait de vous embrasser est plus excitant que celui de posséder une autre femme. Vous me montez à la tête plus vite que le whiskey.

Willow prit une profonde inspiration, vit Caleb regarder ses seins et se souvint de la sensation de ses mains et de sa bouche qui la caressaient. Elle savait qu'il avait aussi aimé cela et constatait que pourtant, il ne lui faisait pas d'avances en ce moment. Il la tenait simplement et la regardait avec un appétit qui la rendait faible. Malgré son désir évident, il se maîtrisait.

Je ne ferai rien que vous ne veuillez pas.

Avec la sereine incompréhension d'une vierge quant au pouvoir de la passion, Willow décida qu'elle pouvait s'aventurer plus profondément dans les courants fascinants qui s'agitaient entre elle et Caleb.

— Est-ce que ça veut dire que vous voulez m'embrasser encore? demanda-t-elle, le regard brillant.

— Oui, dit-il en l'attirant lentement contre lui. Je veux vous embrasser, Willow.

Elle enfouit ses doigts dans les cheveux de Caleb avec un désir qu'elle ne comprenait pas, impatiente de sentir de nouveau l'intimité de son baiser, mais il ne fit que frôler sa bouche ouverte contre la sienne, la caressant sans exigence, goûtant ses sourcils et ses cheveux et ses joues, mais non les lèvres qui tremblaient de désir.

— Caleb, dit-elle finalement, je pensais que vous vouliez m'embrasser.

— C'est ce que je fais.

— Oui, et c'est très bon, mais ce genre de baiser me rend… eh bien, insatiable.

Il sourit lentement.

— Vraiment?

Le sourire si viril provoqua chez elle un nouvel élan de désir.

— Vous me titillez, l'accusa-t-elle.

— Bon sang, ma chère, je l'espère bien.

— Mais pourquoi ?

— Parce que je n'ai jamais rien connu d'aussi doux que le fait de vous tenir ainsi avec toute cette eau qui tourbillonne autour de nous. Alors, si vous voulez davantage que ce que je vous donne, vous devrez me le dire clairement. Je ne vais pas vous effrayer, Willow. Je ne veux pas que ça se termine pendant un long, très long moment.

— Je ne veux pas non plus que ça se termine, avoua-t-elle.

Elle fit courir ses doigts sur la mâchoire de Caleb jusqu'à son menton, caressant du bout d'un doigt la fossette nouvellement exposée, puis le laissant glisser pour vérifier encore la puissance et la résilience de son épaule.

— C'est si bon de vous sentir.

Caleb ferma les yeux et se demanda jusqu'où il pourrait tenir avant de perdre sa maîtrise et d'effrayer Willow au point de la faire fuir.

— Dites-moi ce que vous voulez.

Elle examina les lignes dures de son visage, sentit la tension dans son corps et murmura :

— Ne le savez-vous pas ?

Il ouvrit les yeux. La passion qui s'y lisait ressemblait à deux flammes jumelles. Lentement, il se pencha et lui mordit la lèvre inférieure, la faisant frissonner et se rapprocher de lui, ses seins frôlant sa poitrine et ses lèvres si près que Caleb sentit de nouveau sa maîtrise le quitter. Il refréna impitoyablement le désir qui tendait son corps tout entier.

— Je sais ce que vous voulez, mais j'ignore à quel point, répondit-il en lui mordant de nouveau la lèvre. Si vous êtes trop timide pour me le dire, montrez-le-moi. Faites-moi tout ce que vous voulez, de la façon que vous le souhaitez. Tout, ma chère — n'importe quoi.

La tentation était extraordinaire, et l'attirance était irrésistible. Elle lui obéit avec grâce, se rapprochant de l'instant où la fuite ne deviendrait pas seulement impossible, mais indésirable.

— Tout ce que je veux? demanda-t-elle d'une voix rauque.

— Et comme vous le voulez.

— Je veux... tout, murmura-t-elle en regardant la bouche de Caleb.

Il émit un grognement puis la serra davantage, et il lui donna ce qu'elle demandait, se saisissant de sa bouche au moment même où elle prenait la sienne. Le baiser était comme l'eau elle-même, chaud et se modifiant constamment, lui montrant à quel point cet acte pouvait être intime. Elle se rapprocha encore de Caleb en émettant de petits bruits et en pliant en cadence ses doigts sur ses bras, goûtant sa force virile avec un appétit qu'elle ne pouvait expliquer.

Elle passa ses doigts à travers les poils noirs sur la poitrine de Caleb. Quand elle frôla ses mamelons, son baiser se fit encore plus intense. Instinctivement, elle ramena ses doigts sur les mamelons sensibles, intriguée à la fois par la texture changeante et par la réaction tangible qu'elle provoquait chez lui.

Puis elle sentit les mains de Caleb sur ses propres seins, le sentit caresser ses mamelons jusqu'à ce qu'ils durcissent. Un éclair de sensualité la traversa, la faisant gémir. Quand il retira ses mains, elle laissa échapper un son rauque de déception.

— Quoi? demanda-t-il contre sa bouche. Dites-moi, Willow.

— Encore, fit-elle d'une voix brisée, aussi chargée de désir que ses mamelons roses pressés contre le mince tissu de sa camisole. Oh, Caleb, *encore*.

Les longs doigts de Caleb délièrent les rubans sur la camisole de Willow. Le vêtement transparent retomba dans l'eau bouillonnante.

— Relevez vos cheveux, ma chère.

Elle rassembla ses mèches qui flottaient et les ramena derrière sa tête. Quand elle leva les bras, ses seins apparurent visiblement à travers l'eau turbulente. Caleb plissa les yeux avec un air de désir en les regardant. Ses lèvres s'écartèrent, montrant le bout de ses dents blanches, et elle sut qu'il voulait l'embrasser de nouveau, différemment. Elle se souvint de ce qu'elle avait éprouvé quand sa langue lui avait titillé les seins, quand ses dents l'avaient doucement mordillée, quand sa bouche l'avait attirée vers lui tandis qu'elle bougeait pour satisfaire les tendres exigences qu'il avait.

— Caleb, gémit-elle.

Il leva les yeux, craignant de découvrir la peur dans les siens, mais il y vit plutôt de la passion.

— Voulez-vous... m'embrasser comme ce matin? demanda-t-elle.

Lentement, les mains de Caleb se serrèrent, soulevant Willow hors de l'eau jusqu'à ce que l'un de ses seins frôle de nouveau sa moustache. Il sentit le frémissement qui la traversa, le durcissement de son mamelon jusqu'à ce qu'il touche ses lèvres. Sa langue jaillit, glissa autour, l'attira, l'aima jusqu'à ce qu'elle retienne son souffle et que ses doigts s'enfoncent dans ses épaules. Il sourit et referma ses dents autour de son mamelon avec un soin exquis. Elle émit un hoquet pendant qu'elle arquait le dos contre lui, se tordant lentement, consciente seulement de sa bouche et du chant sauvage de la passion au plus profond de son corps.

Caleb souffrait de l'envie d'enfouir ses doigts dans la toison dorée entre les cuisses de Willow, de l'envie de sentir ses profondeurs humides, de savoir si elle avait autant besoin de lui que lui d'elle. Mais quand il l'avait caressée ainsi la première fois, elle avait paniqué et l'avait supplié d'arrêter. Maintenant, elle était devant lui, à cheval sur ses cuisses puissantes, ses propres hanches bougeant au rythme de la bouche de Caleb sur son sein. Maintenant, il n'aurait pu supporter qu'elle se détourne de lui.

De nouveau, ses dents se refermèrent doucement sur son mamelon velouté, et elle émit un petit cri de plaisir. Il s'écarta et regarda la façon dont la passion avait transformé son corps. Sa respiration était aussi rapide que la sienne, ses seins pâles s'étaient empourprés avec la chaleur et les marques d'amour de sa bouche, ses lèvres étaient rouges, tremblantes, et ses pupilles s'étaient dilatées jusqu'à ce que ses yeux deviennent presque noirs.

Il n'avait jamais rien vu d'aussi beau.

— C... Caleb ?

Il ferma les yeux parce qu'il ne pouvait plus supporter de la regarder sans caresser la chair tendre entre ses jambes.

— Je... je veux... davantage. Mais je ne sais pas... quoi, balbutia Willow en frémissant avec une douce violence. Aidez-moi, Caleb. *Aidez-moi.*

Caleb ouvrit les yeux, et tout son corps s'immobilisa quand il se rendit compte que Willow disait la simple vérité.

Elle était prisonnière d'un tourbillon de passion et n'avait aucune idée de la façon de s'en libérer.

— Le genre de caresse que vous me demandez vous a fait paniquer l'autre jour.

Caleb vit l'éclair de compréhension sur le visage de Willow, la vit frémir et fermer les yeux. Pendant plusieurs secondes, ils demeurèrent clos, puis elle posa ses mains sur celles de Caleb et les fit glisser lentement sur son corps, de ses seins à sa taille, passant rapidement sur les courbes profondes de son torse. Quand elles atteignirent son bas-ventre, Willow perdit courage.

— Restez avec moi, dit Caleb contre la bouche de Willow au moment où elle aurait retiré ses mains des siennes. Comme ça, je saurai que vous le voulez aussi.

Elle laissa ses mains sur celles de Caleb tandis qu'il glissait lentement ses paumes sur son corps, cherchant la plénitude de ses hanches. Le mince coton de son sous-vêtement n'était qu'un fragile obstacle sous sa caresse. Il pressa ses mains sur ses courbes et serra. Elle retint son souffle et frissonna violemment.

— Vous avez peur? demanda-t-il doucement.

— Ça me semble… étrange.

— Mal?

— Non, ça me fait seulement souffrir aux endroits les plus bizarres.

— Vraiment? Où?

Willow émit un doux gémissement quand les mains de Caleb la serrèrent de nouveau, la rendant terriblement consciente de l'évasement luxuriant de ses propres hanches.

— C'est là que vous avez mal? demanda-t-il avec un demi-sourire.

Elle secoua la tête.

— Où donc?

Willow se mordit la lèvre et regarda Caleb, déchirée entre la passion et la gêne.

— Ne le savez-vous pas?

— Je commence à croire que je sais très peu de choses sur vous, avoua-t-il d'une voix basse.

Il la serra de nouveau, et tout son corps se raidit en voyant la passion qui traversait visiblement Willow en réaction à sa caresse.

— Où est-ce que ça fait mal, ma petite? Si vous êtes trop timide pour me le dire, prenez ma main et montrez-moi.

Pendant un moment, Willow ne crut pas avoir le courage de faire même cela. Puis les courants tourbillonnèrent et l'attirèrent, provoquant une flambée de sensations au creux de son ventre, redoublant sa douleur. Elle prit une des grosses mains de Caleb et la fit passer lentement de sa hanche à son bas-ventre, et de là, elle alla jusqu'au triangle chaud entre ses cuisses.

— Là? demanda doucement Caleb.

Willow essaya de le regarder, mais n'y parvint pas. Elle ferma les yeux et acquiesça de la tête. La paume de Caleb la recouvrit tandis que ses longs doigts cherchaient l'ouverture dans le sous-vêtement. Ils se recourbèrent entre ses jambes, cherchant doucement sa chair la plus tendre, la trouvant et la tenant si près que même les eaux bouillonnantes du bassin ne s'immisçaient pas entre eux. Elle émit un petit gémissement. Instinctivement, elle essaya de protéger sa tendre chair en fermant les jambes. C'était impossible. Elle était agenouillée sur les cuisses de Caleb et maintenait son équilibre en se tenant à ses épaules.

— Du calme, ma chérie. Je ne vais pas vous faire de mal.

Willow l'entendit à peine. Sa main bougeait lentement, la calmant tout en augmentant la douleur sensuelle. Ses caresses suscitaient de brillants éclairs de sensations qui éloignaient son incertitude, ne laissant qu'un pur plaisir qui accélérait sa respiration. Puis elle sentit la douceur de son doigt inquisiteur et se raidit comme s'il avait fouetté sa chair nue.

— *Caleb.*

Il serra les dents et ferma les yeux, se forçant à se retirer de la moite chaleur qu'il venait de découvrir. Mais il ne put s'obliger à relâcher Willow complètement ni à faire cesser les mouvements languides de ses doigts qui la rendaient encore plus douce, plus passionnée. Sans vraiment le vouloir, il inséra très doucement un doigt en elle. Elle frémit, mais ne tenta pas de s'écarter.

— Voulez-vous que j'arrête ? demanda Caleb d'une voix rendue rude par la passion et la retenue.

Willow ne put répondre que par un geignement alors que quelque chose au plus profond d'elle se serra puis se serra encore en faisant se tordre lentement son corps contre la caresse de Caleb.

— Willow ?

— Je ne sais pas comment exprimer ce que je veux, dit-elle, le souffle court. Mais j'aime vos caresses. J'aime vous sentir contre moi… en moi. Aimez-vous ça aussi, être en moi ?

Caleb livrait un combat silencieux et sauvage contre son propre corps. La seule chose qui lui permettait de garder sa maîtrise était la quasi-certitude que Willow n'était pas ce qu'il avait cru.

— Oui, j'aime ça, dit-il d'un ton presque dur. Je pensais que ce n'était pas votre cas. Vous vous êtes raidie.

Willow prit conscience du désir et de la retenue dans sa voix, ainsi que de quelque chose d'autre, une incertitude qu'elle n'avait jamais vue chez lui. Elle le regarda de ses yeux brillants.

— Je n'ai pas pu m'en empêcher, avoua-t-elle. Être touchée comme ça…

— Je vous ai fait mal?

Elle secoua la tête.

— J'étais seulement surprise.

— Avez-vous aimé ça?

— Oui, répondit-elle. J'ai senti une chaleur envahir tout mon corps, mais surtout à l'endroit que vous tenez maintenant. J'adore vos mains, Caleb. Elles sont d'une merveilleuse chaleur sur mon corps.

Il essaya en vain de parler. Un brusque élan de passion le secoua, l'amena au bord de l'extase et le laissa là, tremblant. Il n'avait jamais perdu sa maîtrise avec une femme, mais il en était tout près, maintenant.

— Tenez-vous contre moi, Willow. Tenez-vous bien. Je vais vous caresser encore. Il y a une chose que je veux savoir.

Willow allait demander ce qu'il voulait dire, mais le mouvement de sa main lui coupa le souffle. Tendrement, impitoyablement, deux doigts se pressèrent en elle. Les ongles de la jeune femme s'enfoncèrent dans l'épaule nue de Caleb, et il pensa d'abord qu'il lui faisait mal, puis il la sentit frémir, sentit les pulsations sensuelles de son plaisir. Il sourit à travers ses dents serrées, et ses doigts la sondèrent un peu plus jusqu'à ce qu'il rencontre la fragile barrière de sa virginité.

Son souffle s'accéléra à travers ses dents serrées alors qu'il découvrait la preuve de l'innocence de Willow. Il savait qu'il devrait se retirer, laisser sa virginité intacte.

Et il savait qu'il ne pouvait se forcer à se retirer.

La certitude que Willow n'était la femme d'aucun homme faisait en sorte qu'il lui était impossible de la relâcher. Elle n'avait pas connu le baiser d'un homme, n'avait pas connu la caresse d'une main masculine sur ses seins, n'avait pas connu l'incendie sauvage et tendre de la passion. Et pourtant, elle était agenouillée presque nue devant lui en ce moment, acceptant sa présence au cœur de son innocence, et sa douceur le caressait en retour, le poussant à explorer davantage les lieux secrets que lui seul avait découverts.

Elle était sienne — seulement sienne. Et il ne devait pas la prendre.

— Willow.

C'était presque davantage un gémissement qu'un mot, mais elle comprit. Elle émit un murmure qui exprimait à la fois le plaisir et le questionnement.

— Vous êtes vierge, dit simplement Caleb.

Willow ouvrit la bouche, mais rien d'autre n'en sortit qu'un hoquet de plaisir quand il bougea en elle.

— Je… sais que…

Elle frissonna et rejeta la tête vers l'arrière, oubliant ce qu'elle avait voulu dire.

— Ne prenez pas la peine d'essayer de le nier. Je touche en ce moment la preuve même de votre chasteté, fit Caleb en ouvrant des yeux que la passion avait rendus presque opaques, comme de l'or martelé. Sa voix était aussi rude que son toucher était doux.

— Qu'est-il pour vous ?

— Qui?

— Matthew Moran.

Willow cligna des yeux et essaya de rassembler ses idées.

— Mon frère. Matt est mon frère.

Caleb s'immobilisa complètement pendant un instant avant qu'il expire comme si on l'avait frappé au ventre. Tuer l'homme raffiné de Willow était une chose, mais tuer son frère en était une autre.

Willow ne le lui pardonnerait jamais.

Son frère. Le séducteur de Rebecca, l'homme qui a assassiné ma sœur aussi sûrement que s'il avait posé un revolver sur sa tempe et avait appuyé sur la gâchette.

Le frère de Willow.

Il ferma les yeux et essaya d'oublier Willow, tentant de faire diminuer les exigences criantes de son désir pour pouvoir réfléchir. Il ne réussit qu'à émettre un cri silencieux devant le sale tour du destin qui lui avait finalement donné une femme dont les passions étaient aussi fortes et profondes que les siennes pour ensuite faire en sorte qu'il lui soit impossible de la posséder, laissant en lui un vide qu'il n'avait jamais connu auparavant.

Lentement, il commença à se retirer du corps de Willow, se sentant déchiré en deux tout en sachant que s'il la prenait, elle se détesterait quand elle le verrait debout au-dessus du cadavre de son frère.

Le meurtrier de son frère.

Son amant.

— Willow.

Caleb ne se rendit pas compte du fait qu'il avait prononcé son nom à voix haute jusqu'à ce qu'il sente le souffle chaud de Willow contre ses lèvres.

— Ça va, dit-elle brusquement. Je comprends. Je comprends finalement.

Ses baisers étaient rapides, mordants, presque frénétiques pendant qu'elle sentait les doigts de Caleb glisser hors d'elle, rallumant sa passion même en se retirant.

— Écoutez-moi, dit-elle d'une voix tremblante. Vous m'avez dit qu'un jour, je serais à genoux devant vous et qu'à ce moment, je ne vous supplierais pas d'arrêter. Vous aviez raison. Je vous supplie maintenant, Caleb. N'arrêtez pas. Si vous cessez de me caresser, je vais mourir. S'il vous plaît, Caleb, je vous en pr...

Avec un son de supplicié, Caleb embrassa Willow, mettant fin aux prières qui lui étaient devenues trop douloureuses à entendre. Il l'embrassa profondément, voulant se fondre si complètement en elle qu'elle ne pourrait plus jamais lui tourner le dos, peu importe ce qu'il ferait — ou qui mourrait.

Le baiser ne suffisait pas. Il ne suffirait jamais. Willow le savait aussi bien que lui. Sa main glissa le long du corps de Caleb, cherchant aveuglément à compléter l'union qu'il avait préparée pour elle. Ses doigts minces trouvèrent le sexe de Caleb, l'évaluant, l'approuvant avec une honnêteté qui faillit lui faire perdre ses moyens. Il frémit avec la force de la passion qui traversait rageusement son corps et demandait à être libérée de toute contrainte.

Il poussa un profond soupir de désir, puis il posa sa main sur celle de Willow pendant qu'il l'attirait sur ses cuisses, pressant sa chair contre la sienne, écartant doucement les doux replis de peau et caressant sa chair encore plus douce. Il s'inséra à peine en elle avant de reprendre le contrôle de lui-même et de se forcer à s'arrêter.

Mais il ne put se forcer à se retirer.

— Willow, dit-il d'une voix rauque. Repoussez-moi.

Elle serra la main sur lui, mais non pour lui obéir. La pression de sa chair dure en elle était délicieuse. Elle voulait davantage de lui, non pas moins. Elle s'installa plus complètement sur lui et releva instinctivement les genoux, le poussant un peu plus profondément en elle.

— Non! s'exclama-t-il en serrant les mains autour de la taille mince de Willow pour faire cesser ses mouvements. Si je prends votre innocence, un jour, vous vous détesterez autant que vous me détesterez.

Les yeux fermés, elle frissonna et se pressa encore davantage contre lui.

— Bon sang, grogna-t-il. Ne faites pas ça, Willow.

— Je ne peux pas m'en empêcher. Je vous ai désiré toute ma vie sans même le savoir. Je vous aime, Caleb Black.

Elle se pencha et l'embrassa, folle de désir.

— Je vous aime, répéta-t-elle.

Caleb était au supplice, voulait hurler son objection devant la cruauté désinvolte de la vie. Willow l'aimait… Et aussitôt qu'il allait trouver Reno, l'amour se transformerait en haine.

Mais il était trop tard pour les regrets, trop tard pour les explications, trop tard pour quoi que ce soit sauf pour la douce violence de la passion qui les unissait impitoyablement.

— Ouvrez les yeux, Willow. Je veux vous voir. Je veux me souvenir de ce que c'était que d'être aimé de vous, parce qu'aussi sûrement que le soleil se lève, un jour, vous me haïrez.

La voix de Caleb était si rauque que Willow la reconnaissait à peine. Elle ouvrit lentement les yeux. Ils étaient brillants d'amour et de passion. Elle le regarda tandis qu'il s'enfonçait plus profondément en elle. Il aurait voulu lui demander s'il lui faisait mal, mais il avait perdu la voix. Il avait pris des femmes avec affection, avec douceur, avec plaisir, et pourtant, il n'avait jamais éprouvé la profonde intimité liée au fait de s'unir à une femme comme il le faisait à présent avec Willow : ouvertement, l'observant comme elle l'observait, voyant et sentant le moment exact où il transformait son corps de celui d'une vierge à celui d'une femme, entendant ses petits gémissements tandis qu'il la remplissait complètement, éprouvant chaque frisson de passion qui la traversait comme s'il s'agissait de son propre corps tremblant.

Il lui aurait parlé à ce moment ; il lui aurait dit à quel point elle était belle et que le don de sa virginité signifiait beaucoup pour lui, mais il ne pouvait respirer. Elle était humide et tendue autour de ses doigts, et la sève de sa passion était plus chaude que l'eau du bassin. Il se balança doucement contre elle, entendit son souffle s'interrompre et se força à s'immobiliser.

— Je vous fais mal ? demanda-t-il à voix basse.

— Non, répondit Willow. C'est bon... tellement bon. C'est comme voler dans les airs. Oh, mon Dieu... je n'en peux plus. N'arrêtez pas... n'arrêtez jamais !

Les paroles saccadées de Willow firent disparaître l'univers entier, ne laissant que le feu de la passion les consumer tous les deux. Caleb trouva sa bouche et l'embrassa d'une manière à la fois tendre et exigeante. Ses doigts s'enfoncèrent plus profondément dans ses hanches, la serrant, et il sentit le frisson caché de sa réaction l'attirer vers elle, le débarrassant de son contrôle sur lui-même une chaude pulsation à la fois.

Aveuglément, il parcourut la soie humide de sa toison, chercha sa chair la plus tendre et la découvrit tendue et épanouie. Il saisit son sexe moite entre ses doigts et le frotta tandis qu'il se balançait contre elle, plus fort et plus profondément chaque fois.

Le nom de Caleb émergea de la gorge de Willow pendant que la passion la torturait. Son cri tourmenté le traversa, le poussant encore plus en elle, les poussant tous deux encore davantage au cœur de l'incendie. Il s'abreuva de ses cris ; il voulait boire la passion qui la traversait, connaître chaque centimètre d'elle, se laisser glisser dans son âme. Il savait qu'il devait se retenir, mais il la désirait trop pour maîtriser la force de sa passion, alors il caressa avidement et impitoyablement sa chair tendre, exigeant d'elle tout ce qu'elle pouvait lui donner.

— Pardonnez-moi, ma douce, grogna-t-il alors même qu'il la caressait de nouveau, faisant surgir d'autres cris de ses lèvres. Je ne peux pas m'arrêter. Ça n'a jamais été comme ça. Je ne peux pas... m'arrêter.

Willow arqua le dos, et le nom de Caleb surgit de ses lèvres à chaque respiration rapide qu'elle prenait, à chaque mouvement qu'il faisait. Soudain, le plaisir devint insupportable, la passion désormais trop profonde pour pouvoir être endurée davantage. La jeune femme hurla pour se libérer de l'étau sensuel qui était presque douloureux.

Puis vint la libération qui la consuma encore davantage que l'avait fait le plaisir, l'extase la secouant jusqu'à ce qu'elle en pleure.

Les cris de Willow évacuèrent les derniers vestiges du contrôle de Caleb. Il s'enfonça en elle encore et encore pendant que la douce violence de la jouissance le consumait tout autant qu'elle l'avait consumée. Avec un cri puissant, exultant, il se laissa aller encore et encore dans son corps doux et frémissant.

Puis il la tint contre lui en la berçant et en criant son nom en silence, incapable de croire qu'il avait séduit la sœur innocente de l'homme qu'il avait juré de tuer.

Chapitre 13

— Ça va ? demanda finalement Caleb en craignant d'ouvrir les yeux et de voir à quel point sa passion débridée avait fait souffrir Willow.

Hésitant à perturber l'état d'euphorie suivant l'extase, elle émit un murmure et frotta langoureusement sa joue contre la poitrine de Caleb.

— Willow ?

Elle rejeta la tête en arrière jusqu'à ce qu'elle puisse voir les yeux mordorés de son amant.

— Pardonnez-moi, dit Caleb d'une voix rauque. Je ne voulais pas vous faire de mal.

Il secoua la tête d'un air troublé.

— Je n'ai jamais perdu le contrôle de cette façon.

Le lent sourire sensuel de Willow ralluma la flamme dans le corps de Caleb.

— Si vous attendez que je vous réprimande, vous allez attendre très, très longtemps, dit-elle en lui embrassant l'épaule, le sourire aux lèvres.

Elle sentit son doigt puissant lui relever le menton jusqu'à ce que Caleb puisse la regarder directement dans les yeux. Il n'y vit aucune douleur, aucune ombre — rien d'autre que le radieux éclat d'une femme qui avait trouvé la plénitude dans l'union primaire d'un mâle et d'une femelle.

— Je ne vous ai pas fait mal ?

— Eh bien, vous l'avez presque fait, au début. Vous êtes, euh…

— Trop brutal, dit-il sans ménagement.

Willow le regarda, surprise.

— Ce n'est pas ce que je voulais dire.

Il attendit.

— Caleb, dit-elle sur un ton exaspéré, vous devez avoir remarqué que vous êtes un homme imposant. De grosses mains, de grands pieds, de grosses épaules, un gros… vous êtes simplement imposant, c'est tout.

Il vit le rouge monter aux joues de Willow et le rire tapi dans ses magnifiques yeux noisette. Son cœur souffrait à la pensée de lui avoir fait le moindre mal. Doucement, il l'embrassa et souhaita qu'elle soit n'importe qui d'autre que la sœur de Reno — même une maîtresse qui avait connu beaucoup d'hommes.

Mais Willow était vierge quelques instants auparavant, et elle serait toujours la sœur de Reno.

Les regrets ne servent à rien, se dit-il tristement. *Ce qui est fait est fait, et je ne le déferais pas même si je le pouvais. Je mourrai en me souvenant de ce que c'était que de prendre Willow, d'entendre ses doux cris, de sentir son extase. C'était une vierge, et elle m'a brûlé vif.*

Peut-être que je serai chanceux. Peut-être que ce salaud sera tué par des Indiens ou qu'il se brisera le cou en cherchant de l'or. Peut-être qu'il sera mort avant que je le retrouve.

Cette pensée était comme un baume pour lui. Mais la vie ne lui avait pas enseigné à croire à la solution la plus facile à un problème. Elle lui avait enseigné à faire ce qui devait être fait, parce que trop de gens se contentaient de détourner le regard et de laisser d'autres gens faire le sale boulot — des gens comme Caleb Black, qui savaient que la justice rudimentaire de la vengeance n'était jamais simple et rarement juste.

Sans cela, l'Ouest aurait été un endroit où les faibles n'auraient pas été protégés ni vengés, où les hommes dépourvus d'une conscience se seraient attaqués aux gens qui étaient le moins en mesure de se défendre.

Si Reno n'est pas mort avant que je le trouve, il le sera bientôt. Ou je le serai. Ou les deux.

Caleb pressa Willow contre lui, se contentant de la tenir, car ses pensées le déchiraient.

— Qu'est-ce qui ne va pas ? demanda-t-elle. N'avez-vous pas aimé ce que nous avons fait ?

Il sourit tristement et enfouit son visage dans l'odeur de lavande de ses cheveux.

— Si j'avais aimé ça davantage, j'en serais mort.

Willow éclata de rire, mais il y avait quelque chose de nouveau dans sa voix.

— Oui, c'était comme ça, n'est-ce pas ? Mourir, mais pas tout à fait. Renaître, mais d'une autre façon.

Ses bras se serrèrent autour de Caleb.

— Je ne serai jamais plus la même, poursuivit-elle. Vous faites partie de moi, maintenant.

— Souvenez-vous-en, dit-il d'une voix dure en la pressant contre lui. Souvenez-vous-en quand vous me regarderez et verrez l'homme qui a pris votre virginité. J'aurais dû me contrôler. Je ne l'ai pas fait. Je ne le pouvais pas. Je n'ai jamais été comme ça avec une femme. Je suis désolé, Willow.

— Pas moi. Je vous aime.

Willow retint son souffle, attendant qu'il lui dise qu'il l'aimait. Elle n'entendit que le murmure de l'eau autour de leurs corps alors que Caleb tournait la tête et lui appliquait un baiser à la fois si tendre et si intense qu'il la laissa complètement secouée.

— Un jour, vous vous rappellerez avoir dit ça, et vous souhaiterez avoir retenu votre langue, dit-il tranquillement. Mais je suis heureux de l'entendre. Je suis heureux de savoir que je vous ai plu.

La peur s'empara du cœur de Willow, et son enthousiasme diminua quelque peu.

— Qu'est-ce qui ne va pas, Caleb ? Je ne comprends pas.

— Je sais.

Il prit une profonde respiration et essaya de parler à Willow de sa sœur décédée et de l'homme qui l'avait séduite, mais il ne pouvait pas davantage se forcer à le lui dire et voir s'éteindre la lueur dans ses yeux qu'il aurait pu s'empêcher d'accepter le don de son corps vierge.

— Quand nous aurons trouvé votre frère, vous comprendrez.

Un baiser de Caleb évacua les questions que Willow aurait voulu poser. Elle ne comprenait ni le désir en lui ni son côté sombre. Elle ne comprenait pas la tristesse qu'elle sentait chez lui quand elle parlait d'amour, et pourtant, elle savait que ces choses existaient de manière aussi certaine que les mouvements de son corps qui recommen-çaient en elle.

Ce qu'elle comprenait, c'était qu'elle voulait mettre Caleb à l'aise et le faire rire, être le rayon de soleil qui repoussait l'obscurité de sa vie.

À contrecœur, il mit fin au baiser.

— Si vous ne descendez pas de mes genoux, dit-il en mordant les lèvres de Willow, mes bonnes intentions vont s'envoler en un instant.

— Quelles bonnes intentions?

— J'essaie de ne pas vous séduire de nouveau.

— Vous ne le ferez plus jamais? demanda Willow, inca-pable de dissimuler son désarroi.

Caleb ferma les yeux et s'avoua que ce serait mieux s'il ne se pressait plus jamais contre le corps de Willow, ne s'en-fouissait plus en elle, ne se perdait plus dans les courants déconcertants et renversants de la passion qui régnait entre eux. Mais l'idée de ne jamais plus la posséder était insuppor-table. Il n'avait jamais connu quelqu'un comme Willow. Elle le satisfaisait comme aucune femme ne l'avait fait, lui mon-trant à quel point il avait été affamé avant de la trouver.

Et il venait tout juste de commencer à explorer les pro-fondeurs de la passion en elle.

— J'essaie de ne pas vous séduire en ce moment, dit-il d'une voix chargée d'émotion.

— Pourquoi?

— C'est trop tôt pour vous. Je ne veux pas vous faire de mal.

Willow sourit légèrement.

— Vous ne me faites pas mal.

Elizabeth Lowell

— Je ne bouge pas en vous non plus, mais je vais le faire très bientôt si vous ne vous levez pas.

Caleb posa ses mains autour de la taille de Willow et commença à la soulever de sur ses genoux. La sensation du corps de la jeune femme glissant sur son membre durci lui coupa le souffle. Il l'entendit réprimer un hoquet, et ses mains se serrèrent sur la chair tendre de sa taille. Le hoquet se transforma en un petit gémissement de plaisir.

— Arrêtez ça, dit-il en se penchant jusqu'à ce qu'il puisse mordre la peau douce de l'épaule de Willow.

— Quoi donc ? murmura-t-elle en lui caressant les cheveux.

— Arrêtez de faire en sorte que je veuille rester dans ce bassin et vous prendre jusqu'à ce que je sois faible et que je me noie.

— Faible ? fit-elle en pétrissant les épaules de Caleb et les muscles épais de ses biceps. Vous paraissez à peu près aussi faible qu'une montagne.

— Vous ne saviez pas que le simple fait d'être avec une femme affaiblit un homme ?

Willow éclata de rire et bougea des hanches, le provoquant sans détour.

— Dites-moi. Quand donc ?

La respiration de Caleb s'accéléra.

— Quand est-ce que ça vous affaiblit ? répéta-t-elle tandis qu'elle agitait de nouveau les hanches.

Caleb sourit lentement, et Willow eut un frisson d'anticipation.

— Vous serez la première à le savoir, affirma-t-il.

Puis il serra les dents et la souleva de sur son membre en érection en retenant un grognement.

— Après vous, l'eau me semble froide.

Quand Willow comprit la signification de ses paroles, elle prit une rapide inspiration saccadée.

— Et moi, je me sens vide. Est-ce... est-ce normal de vous désirer ainsi, de vouloir demeurer ainsi pour toujours ?

Les yeux mordorés de Caleb changèrent de couleur pendant que la chaleur de son corps redoublait ; il était enflammé par le fait de savoir que Willow aimait vraiment l'avoir en elle.

— Comment avez-vous gardé si longtemps votre innocence ? demanda-t-il.

— Je ne me sentais pas ainsi avec les autres hommes ; seulement avec vous, répondit-elle simplement. Même avec mon fiancé. Quand Steven tenait ma main ou m'embrassait la joue, c'était bien, mais mon cœur ne battait pas follement, et ma poitrine ne se serrait pas au point que j'aie du mal à respirer.

— Votre fiancé ? demanda Caleb d'une voix dure. Avez-vous promis votre main à quelqu'un ?

— Il est mort il y a trois ans.

Caleb se détendit visiblement.

— La guerre ?

Willow acquiesça.

— L'aimez-vous encore ?

— Non. Je sais maintenant que je ne l'ai jamais aimé. Pas vraiment. Pas de la façon dont je vous...

Le baiser rapide et féroce de Caleb étouffa les paroles de Willow.

— Hors de l'eau, femme. Mes bonnes intentions s'amenuisent de seconde en seconde.

— Elles s'amenuisent ? J'aurais dit le contraire, marmonna-t-elle.

Caleb éclata d'un grand rire surpris et dit :

— Allez !

Pour lui prouver qu'il était sérieux, il mit sa main sur le tendre derrière de Willow et la poussa. Au moment où sa paume s'éloignait, son contact se transforma en une caresse qui glissa sur la courbe sombre entre ses hanches.

Le souffle court, Willow sortit de l'eau chaude et saisit la couverture de coton qu'elle avait laissée sur les rochers. Elle se retourna au moment où Caleb émergeait du bassin. L'eau dégoulinait de son corps, mettant en valeur toute sa virilité. Sa puissante érection était renversante.

— Il est trop tard pour vous enfuir, maintenant, dit Caleb sèchement en regardant les yeux de Willow s'écarquiller pendant qu'elle le mesurait des yeux. Nous allions ensemble comme une main dans un gant de velours, et vous avez adoré ça.

Elle déglutit, rougit et dit d'une petite voix :

— Je suis désolée. Je ne voulais pas vous fixer.

— Vous me fixez encore.

— Oh !

Elle ferma les yeux d'un air coupable.

Caleb s'avança d'un pas, se pencha et lui déposa un léger baiser sur la joue.

— Vous pouvez regarder autant que vous le voulez. Je ne faisais que vous taquiner. C'est tellement agréable de vous taquiner. C'est comme lécher du miel.

Il prit son rasoir et sa propre couverture puis lui tendit sa main libre.

— Venez. J'ai promis de vous brosser les cheveux pour qu'ils sèchent.

Elle ouvrit les yeux.

— Et vous tenez toujours vos promesses, n'est-ce pas?

— Toujours. Même celles que je ne veux pas tenir, dit-il avec une moue amère. Surtout celles-là.

Œil pour œil. Dent pour dent.

— Vous n'êtes pas obligé de me brosser les cheveux, dit Willow sur un ton hésitant. Je sais que c'est difficile de démêler tous les nœuds.

Caleb sourit et passa ses doigts entre les siens.

— J'adore vous brosser les cheveux. C'est comme brosser des rayons de soleil.

Il la vit frissonner et serra sa main.

— Venez. Il fait plus chaud dans le pré, termina-t-il.

Ishmael releva la tête dès qu'ils émergèrent de sous les arbres. L'étalon les observa pendant quelques moments avant de recommencer à brouter.

— Il est sur ses gardes, pour un cheval qui n'a jamais connu la vie sauvage, dit Caleb.

— Cette attitude m'a sauvé la vie pendant la guerre. Il sentait venir les soldats et commençait à s'énerver. Ma mère et moi courrions vers la forêt si elle allait assez bien, ou sinon, nous allions à la cave.

La main de Caleb se serra. Il porta les doigts de Willow à sa bouche et les frotta contre sa moustache.

— Je n'aime pas penser aux moments où vous étiez en danger, où vous aviez peur ou faim.

Il hésita, surpris par le puissant sentiment de protection qu'il éprouvait envers elle.

— Ça me perturbe.

— Un tas de femmes ont vécu de pires moments que moi. J'ai été chanceuse. Le seul soldat qui m'ait découverte a détourné les yeux.

— Peut-être qu'il avait une sœur.

Quelque chose dans la voix de Caleb rappela à Willow que lui aussi avait eu une sœur.

— Peut-être. Comme vous.

— Rebecca est morte.

Willow tressaillit devant la férocité réprimée qu'elle sentit derrière les paroles de Caleb.

— Je suis désolée.

— Elle a été séduite puis abandonnée par un homme. Je suis parti à la recherche de son amant pour le ramener afin qu'il l'épouse. Elle est morte d'une infection post-partum. Sa petite fille l'a suivie quelques heures plus tard. Je ne l'ai su qu'un mois après.

— Mon Dieu, dit Willow. Je suis tellement navrée, Caleb.

Il se pencha pour regarder ses yeux clairs, débordants de compassion, et il se demanda ce qu'elle aurait dit s'il lui apprenait que cette enfant morte était sa nièce.

— J'ai juré de le tuer, dit-il d'un ton neutre. Quand je vais le trouver, je vais le tuer.

Willow regarda l'expression sinistre dans les yeux de Caleb et ne douta pas qu'il le ferait. Elle se souvint de ce qu'elle avait pensé quand elle avait vu Caleb pour la première fois : qu'il était dangereux. Et ensuite, que c'était un justicier implacable.

Œil pour œil, dent pour dent, vie pour vie.

Willow se sentit traversée d'un frisson. Il y avait chez Caleb une intensité et une puissance qui étaient presque effrayantes.

— Vous tremblez, dit Caleb en fronçant les sourcils.

Il enveloppa Willow dans sa couverture, la conduisit à travers le pré et étendit la couverture de coton qu'elle transportait.

— Étendez-vous ici. Vous aurez plus chaud dans l'herbe, là où la brise ne pourra pas vous atteindre. Je vais chercher votre brosse et votre peigne.

Il partit avant qu'elle puisse lui dire qu'elle n'avait pas frissonné pour la raison qu'il croyait. Après un moment, elle s'étendit sur la couverture et se tourna sur le ventre en essayant de ne pas songer à la sœur que Caleb avait perdue et à l'homme qu'il avait juré de tuer pour cette raison.

Elle comprit rapidement que Caleb avait eu raison en disant qu'elle aurait plus chaud à l'abri du vent. Avant qu'il ait franchi la trentaine de mètres qui les séparaient du campement, elle écarta la couverture de laine. Le mince tissu de son sous-vêtement sécha rapidement sous le soleil. En quelques minutes, la chaleur l'envahit, et elle se sentit langoureuse. Elle s'étira avec exubérance et sourit en éprouvant le pur plaisir d'être en vie.

— Vous ressemblez à un chaton qui vient tout juste de découvrir la crème, dit Caleb.

— C'est comme ça que je me sens, avoua Willow.

Elle ouvrit les yeux quand Caleb s'agenouilla près d'elle. D'un coup d'œil, elle vit qu'il était encore nu, encore puissant et tout aussi viril. Quand elle releva les yeux vers lui, il lui adressa un sourire à la fois amusé et contrit.

— Vous avez un effet très prononcé sur moi, dit-il.

— J'ai remarqué.

— Vous n'avez plus peur?

Elle secoua la tête.

— Embarrassée?

— Eh bien…

Mais elle était incapable de dissimuler la rougeur qui l'envahissait.

Caleb rit doucement et frôla du revers de la main sa joue empourprée.

— Vous vous habituerez à moi, ma douce. Tout comme je me suis habitué à être nu devant vous.

Elle lui adressa un regard étonné.

— En un certain sens, avoua-t-il, ce jeu est tout aussi nouveau pour moi que pour vous.

Willow cligna des yeux, étonnée.

— Vraiment ?

Caleb hésita en se demandant comment expliquer une chose qu'il n'était pas sûr de comprendre lui-même. Il voulait que Willow sache que c'était la première fois qu'il avait connu une femme dont la sensualité augmentait la sienne, chacune se nourrissant de l'autre, toutes deux enseignant et apprenant à chaque caresse, chaque cri, chaque baiser.

— Aucune des femmes que j'ai connues ne m'a fait vouloir être nu comme un ver avec elle dans un pré ensoleillé, dit-il finalement. Je doute que l'une d'entre elles ait voulu être nue avec moi. Aucune n'aurait pu me rendre dur avec un regard, un mot, une caresse nonchalante.

Il parut déconcerté et ajouta avec regret :

— C'est sacrément perturbant, si vous voulez savoir la vérité. Vous atteignez en moi des endroits dont j'ignorais l'existence.

— Vous me faites le même effet.

En entendant l'aveu de Willow, Caleb eut envie de la prendre violemment et de la chérir tout à la fois. La puissance de ces besoins contradictoires le tint immobile. Il laissa échapper un juron à voix basse, prit la couverture de laine et commença à sécher les cheveux de Willow d'une manière rapide et pourtant douce, la touchant de la seule façon qu'il osait le faire.

Bientôt, la chevelure de Willow s'étala en un éventail ondulant et brillant sur ses épaules. Bien après que les mèches furent sèches, Caleb continua de les brosser, passant la main dans ses cheveux, adorant les caresses sur la peau sensible entre ses doigts que le geste provoquait.

— Vous avez une magnifique chevelure, dit-il en déposant finalement la brosse.

Willow soupira et s'assit en un mouvement fluide, ses jambes repliées sur le côté. L'électricité statique de ses cheveux les plaquait contre son corps alors même qu'ils se séparaient sur ses seins et tombaient sur ses hanches. Caleb en écarta une mèche folle de son visage. Elle embrassa les doigts virils qui s'étaient doucement insérés entre les mèches dorées.

— Merci.

Elle sourit en se souvenant de ce qu'il avait déjà dit.

— Malgré le fait que vous dédaigniez cette idée, je pense que vous auriez fait une merveilleuse servante.

Caleb lui adressa un bref sourire sous sa moustache.

— Bon sang, dame du Sud, quelle surprise vous avez été pour moi! dit-il d'une voix rauque.

— Je ne suis pas du Sud, répondit Willow.

Puis elle baissa les yeux sur la fine dentelle qui mettait en valeur ses seins, sa taille et la toison entre ses cuisses plutôt que de les dissimuler.

— Et je ne suis pas une dame, ajouta-t-elle.

— Taisez-vous, dit Caleb en posant ses doigts sur la bouche de Willow. Ce qui est arrivé n'est pas votre faute. C'est la mienne. Mais je ne peux pas avoir honte de ce que nous avons fait. C'était trop bon pour que nous nous sentions honteux ou que nous ayons des regrets. Même si je pouvais vous rendre votre innocence, je ne le ferais pas. Je n'ai jamais reçu un cadeau si doux. Ne vous rabaissez pas pour cette raison.

Le sourire de Willow était aussi beau et obsédant que ses yeux, qui regardaient l'homme qu'elle aimait, l'homme qui ne lui avait toujours pas parlé d'amour. Pourtant, Caleb était très tendre avec elle, malgré la dureté dont elle savait capable ce sombre et dangereux justicier.

Mais pas avec elle. Qu'il lui parle d'amour ou non, il la chérissait.

Willow embrassa les doigts de Caleb et s'avoua qu'il avait raison à propos de ce qu'ils avaient partagé. Elle aurait dû être gênée en se souvenant de leurs étreintes, en contemplant sa nudité, en sentant avec une telle acuité sa propre nudité sous la mince dentelle, mais elle ne l'était pas. Elle ne s'était jamais sentie aussi vivante ou plus en paix que lorsqu'elle était avec Caleb. Elle éprouvait jusqu'aux tréfonds de son âme un sentiment de rectitude à l'idée d'être sienne.

— Je ne reprendrais pas ma virginité, murmura-t-elle en embrassant les doigts calleux et virils qui étaient pressés contre ses lèvres. Je ne trouverais jamais un meilleur homme que vous à qui en faire don.

L'expression sur le visage de Caleb se durcit lorsqu'il entendit les douces paroles de Willow et sentit la chaleur de ses lèvres qui déposaient des baisers sur sa main.

— Comment vous sentez-vous ? demanda-t-il. Vous avez encore froid ?

Willow secoua la tête. Sa chevelure dorée ondula, brillante, tombant sur la main de Caleb comme un rayon de soleil captif.

— Vous n'avez aucun mal ni douleur ?

Malgré la rougeur qui lui était montée aux joues, son léger sourire était vieux comme le monde.

— Aucune douleur.

— Ni aucun mal ?

— Rien qui ne puisse être guéri. Et vous ? Vous avez mal ?

Pendant qu'elle parlait, la main de Willow traversa le voile de sa chevelure dorée jusqu'à ce qu'elle touche la chair virile entre les cuisses de Caleb. Il tressaillit par réflexe devant cette caresse, et sa respiration se fit plus rapide. Étonnée, Willow retira vivement sa main.

— Je suis désolée, s'empressa-t-elle de dire. Je ne voulais pas vous faire mal.

Caleb laissa échapper un soupir en essayant de ralentir les battements violents de son cœur.

— Vous ne m'avez pas fait mal.

— Vous... avez reculé.

— Vous est-il déjà arrivé d'être si près d'un éclair que vous pouviez sentir l'électricité à travers vous ? C'est comme ça que je me suis senti quand vous m'avez touché. Toutefois, c'était le plaisir qui me traversait, et non la douleur. Et sa puissance m'a surpris.

Willow écarquilla les yeux.

Caleb sourit malgré le feu qui courait encore en lui.

— Allez-y, ma chérie. Explorez. Vous ne me prendrez plus par surprise.

— Je ne veux pas vous faire de mal, fit-elle d'une voix hésitante.

— Alors, vous feriez mieux de me caresser encore, parce que je désire tellement ces douces mains sur moi que j'en souffre.

Le regard de Willow descendit du sourire plutôt féroce de Caleb le long de son corps. Il était accroupi devant elle, ses cuisses repliées pour soutenir son poids. Les longs et puissants muscles de ses jambes se détachaient en relief, tout comme cette chair essentiellement virile qui réagissait à son toucher. Elle pouvait compter les battements de cœur de Caleb sans même poser les doigts sur lui.

Malgré leurs récentes étreintes, son corps était encore de diverses façons un mystère pour elle. Avec hésitation, elle laissa reposer sa main sur sa cuisse, curieuse à propos des différences fondamentales entre mâles et femelles. Les poils de ses jambes étaient épais, noirs, brillants, brûlants sous le soleil. Sa peau était chaude et souple, et les muscles en dessous étaient étonnamment durs. Il était plus bronzé qu'elle, mais la peau de ses jambes était d'une teinte plus claire que la peau de sa poitrine.

— Vous travaillez torse nu, n'est-ce pas ? demanda-t-elle sans lever les yeux.

— Parfois.

La voix de Caleb était rauque de désir. Il découvrait que le regard de Willow était presque aussi excitant que sa caresse. La sensualité, la curiosité et l'acquiescement dans ses yeux le faisaient se sentir aussi grand qu'une montagne. Et aussi dur.

— Mais jamais complètement nu, dit Willow en remarquant la fine peau pâle que le soleil n'avait jamais atteinte avant ce moment.

— Je vous l'ai dit, ma chérie. De plusieurs façons, ceci est aussi nouveau pour moi que ça l'est pour vous.

Elle sourit.

— J'aime ça. J'aime savoir que je vous touche comme personne d'autre ne l'a fait.

— Vous me touchez à peine, souligna Caleb d'une voix débordante de désir, mais vous avez tout de même raison. Aucune femme n'a été comme vous, Willow. Vous rendez tout ça nouveau.

Willow sourit en regardant le visage de Caleb et fit courir ses doigts le long du muscle de sa cuisse. Elle le vit plisser les yeux, sentit ses jambes se raidir, l'entendit retenir son souffle pendant qu'elle s'approchait de plus en plus de la dure réalité de son désir. Ses doigts caressèrent l'épaisse toison qui entourait son membre. Avec hésitation, puis avec davantage d'assurance, elle le caressa de bas en haut, se réjouissant de la chaleur et des différentes textures masculines. Quand elle atteignit l'extrémité, elle émit un son de surprise et de plaisir.

— Ce n'est pas étonnant que vous ne m'ayez pas fait mal. Votre peau est comme du satin — chaude, lisse et douce.

Pour toute réponse, Caleb grogna tandis qu'une vague sauvage de désir déferlait dans ses veines. S'il n'avait pas déjà été accroupi, les paroles de Willow et la caresse de ses doigts l'auraient jeté sur le sol. Il ne put empêcher la réaction puissante de son corps tandis qu'une goutte soyeuse perlait au bout des doigts de Willow et témoignait de la passion incontrôlable qu'elle provoquait chez lui.

Sa main s'immobilisa.

— Je suis désolé, dit Caleb d'une voix rauque. Je ne voulais pas vous choquer.

— Vous ne l'avez pas fait, murmura-t-elle.

— En tout cas, c'est ce que j'ai éprouvé moi-même, dit-il.

Willow leva les yeux sur lui, étonnée.

— Je ne suis pas habitué à perdre le contrôle ainsi sur moi-même, dit-il sèchement.

— Oh!

— Je ne suis pas du tout habitué à ça.

— Est-ce que vous…? Aimez-vous que je vous caresse?

Caleb sourit.

— Qu'en pensez-vous?

Willow laissa échapper un profond soupir.

— Je pense que je n'ai jamais touché quoi que ce soit d'aussi fascinant. Vous me rendez impudique, Caleb. Et ça ne me dérange même pas.

Il se pencha et l'embrassa doucement.

— Il n'y a pas à avoir de honte entre nous. La honte, c'est pour les gens qui trichent, volent et détruisent. Être ensemble ainsi fait partie de la Création et c'est bien.

— Oui, murmura-t-elle. C'est bien. La serrure et la clé. L'homme et la femme. Deux moitiés d'un tout magnifique. Je l'ai su toute ma vie sans vraiment le *savoir*.

Elle lui sourit avant d'ajouter :

— Comme le monde serait ennuyeux si l'homme et la femme étaient pareils!

Caleb éclata de rire, puis la respiration lui manqua quand une des mains de la jeune femme glissa entre ses jambes à la recherche de différences plus fondamentales entre le mâle et la femelle. Se réjouissant de la curiosité sans restriction de Willow, il modifia sa position pour lui permettre de trouver ce qu'elle cherchait. Il fut récompensé par une douce exploration qui faillit de nouveau lui faire perdre sa maîtrise. Il grogna en essayant de réprimer les pulsations stupéfiantes de l'extase, et il n'y parvint qu'en partie.

Avec un petit gémissement, Willow toucha encore une fois la soie liquide de son désir.

— Combien de temps croyez-vous qu'il vous faudra pour vous habituer à perdre votre maîtrise? demanda-t-elle doucement.

— Je ne sais pas, avoua-t-il d'une voix contrite, mais j'ai l'impression que vous prévoyez le découvrir.

— Vous permettez? demanda Willow d'une voix aussi douce que ses doigts qui se refermaient autour de lui, l'explorant et le mémorisant avec de lents mouvements de sa main en même temps qu'elle le prenait dans sa paume. Je découvre que j'aime vous toucher là où vous êtes le plus viril. J'aime voir vos yeux se plisser et tout votre corps se tendre quand vous luttez contre la perte de contrôle. Vous êtes si fort, Caleb. J'aime cette force.

Willow frôla du bout d'un doigt la chair satinée dont la douceur et la chaleur la captivaient. Une chaude goutte se forma sur son doigt. Elle frissonna visiblement pendant que son propre corps réagissait secrètement. Ses mains bougèrent amoureusement pendant qu'elle le tenait délicatement, le soupesait, l'excitait, l'admirait.

Caleb éprouva un frisson en réaction à cette franche sensualité. Un sursaut de désir le traversa. Il entendit la respiration de Willow s'accélérer puis sentit le bout de ses doigts glisser sur sa chair brûlante, et il se réjouit de la goutte qui surgit en ayant échappé à son contrôle.

— Vous permettez ? demanda-t-elle encore.

— Touchez-moi de toutes les façons que vous voulez. Laissez-moi vous toucher de la même manière, dit Caleb, les mots coulant sans restriction de ses lèvres tandis que les mains de Willow éveillaient en lui des désirs dont il n'avait jamais soupçonné l'existence. Laissez-moi vous montrer tout ce que j'ai toujours voulu faire avec une femme, puis laissez-moi vous enseigner des choses que vous ne pouvez même pas imaginer avec un homme.

— Oui, murmura Willow en faisant glisser ses ongles très légèrement le long de la chair tendue de Caleb. Pourvu que je puisse continuer à vous toucher.

Caleb poussa un grognement quand la main de Willow bougea avec chaleur, lui donnant du plaisir, l'appréciant avec une honnêteté qui l'excitait au plus haut point.

— Si vous continuez à faire ça, je ne pourrai plus me contrôler, dit-il d'un ton presque dur. C'est ça que vous voulez ?

Willow regarda ses yeux mordorés, sentit sa puissance, sentit la vie courir à travers la chair qu'elle tenait si intimement et comprit qu'elle le désirait exactement de la même façon.

— Est-ce que ce genre de plaisir est… permis ?

Caleb croisa le regard lumineux de Willow et sut avec un sentiment d'étonnement qu'il allait lui donner ce qu'elle voulait. La sensualité de Willow minait sa maîtrise de soi de manières qui l'auraient mis en colère si sa naïveté ne l'avait pas si complètement désarmé en même temps.

— Petit chat curieux, dit Caleb d'une voix enrouée. Allez-y. C'est tout aussi bien.

— Que voulez-vous dire ?

Il eut un rire trop bref, trop dur.

— Caressez-moi, ma chérie. Je vous désire comme un fou, mais il est trop tôt pour que je vous prenne de nouveau. Je vous ferais mal.

Willow baissa les yeux sur la chair avide qu'elle caressait. Son sexe était dur, chaud, en pleine érection, et elle pouvait sentir le battement sourd de son cœur.

— Quant à ce qui est permis, dit Caleb, je n'ai jamais été homme à accepter des barrières et des règles stupides. Tout ce que vous voulez est permis. Je suis sincère, Willow. Absolument tout.

— Même ça ? demanda-t-elle en cédant à la tentation qui était devenue insupportable.

Elle se pencha, et ses cheveux glissèrent sur les cuisses nues de Caleb et sur la chair beaucoup plus sensible qu'elle tenait dans ses mains. Les mèches froides contrastaient violemment avec la chaleur qu'éprouvait Caleb, mais rien n'était aussi violent que l'instant foudroyant où elle écarta les lèvres et que le bout de sa langue caressa la même texture satinée qui avait tant intrigué ses doigts.

— Vous êtes encore plus doux que je l'avais cru, murmura-t-elle en se redressant.

Pris encore une fois par surprise, Caleb lutta pour maîtriser son corps. La petite caresse spontanée était la dernière chose à laquelle il s'était attendu de la part de Willow. Elle abattait toutes ses défenses, le laissant complètement nu entre ses mains. Il sentit les premières pulsations de la jouissance traverser son corps avec un petit gémissement, puis il s'abandonna à l'extase et à la femme qui l'observait avec émerveillement.

Quand Caleb put respirer de nouveau, il porta les mains de Willow à sa bouche et les embrassa.

— Maintenant, vous savez, dit-il.

Le sourire que lui adressa Willow était un autre genre de caresse.

— Oui.

— Et maintenant, c'est à mon tour de vous connaître de la même façon.

Elle écarquilla les yeux.

— Je ne comprends pas.

— Vous allez comprendre.

Il posa une main sur la bouche de Willow, mettant fin à ses questions avec une pression sensuelle avant de la laisser glisser vers le bas de sa gorge. Le battement rapide de son pouls lui démontra que le fait de lui donner du plaisir l'avait excitée. Sa main s'enfouit sous les mèches dorées jusqu'à ce qu'elle repose entre les douces courbes de ses seins.

— Pas d'objection ? demanda-t-il doucement.

Willow secoua la tête en faisant onduler la lumière à travers sa chevelure.

Caleb inséra son autre main sous les cheveux de Willow. Quand il commença à lui retirer sa camisole, elle ne protesta pas. Pendant que la fine dentelle flottait jusqu'au sol, il la contempla sans détour, l'air approbateur, éprouvant une profonde satisfaction quand ses mamelons se dressèrent en de petits bourgeons roses sous son regard.

— À quoi pensez-vous ? demanda-t-il.

Autrefois, Willow aurait été gênée de répondre, mais plus maintenant. Caleb s'était donné à elle sans restriction ni hésitation. Elle ne pouvait faire moins pour lui.

— Je pensais à être embrassée, répondit-elle simplement.

— Ici ? fit-il en touchant le bout velouté d'un sein.

Willow frissonna tandis que le plaisir se répandait en elle.

— Oui.

— Et ici ?

L'autre mamelon se durcit sous son doigt.

— Oui, murmura-t-elle.

— Je pense à ça aussi.

Caleb se pencha et embrassa les seins de Willow, frottant lentement sa moustache sur sa peau tout en se réjouissant de la sentir retenir son souffle à chaque caresse. Ses longs doigts caressèrent sa taille puis glissèrent le long de son corps pour enlever le reste de ses vêtements.

— Je pense à vous embrasser ici également, dit-il en pressant légèrement le bout d'un doigt sur son nombril.

La caresse inattendue provoqua une bouffée de sensations émanant du ventre de Willow. Elle émit un hoquet de surprise. La main de Caleb glissa un peu plus, et elle frémit. Elle était douce, chaude, accueillante.

— Et ici.

Willow poussa un petit cri de plaisir autant que de surprise.

— Ouvrez les jambes pour moi, murmura-t-il en se penchant et en posant sa langue sur son nombril.

Le doux frôlement des doigts de Caleb entre ses jambes était exquis. Elle laissa échapper un petit soupir étouffé et écarta les jambes pour lui donner davantage de liberté. La chaleur inquisitrice de son doigt lui fit retenir son souffle. L'aisance fluide de sa pénétration était une douce révélation pour tous les deux.

— Petit chat excité, dit Caleb en lui mordillant le ventre. Je sens à quel point vous avez aimé me faire perdre le contrôle de moi-même. Je vais me réjouir de faire de même pour vous.

Caleb déposa délicatement Willow sur la couverture jusqu'à ce qu'elle soit de nouveau étendue.

— Dites-moi si je vous fais mal, fit-il en faisant glisser lentement et profondément ses doigts en elle. Vous êtes si petite.

Willow frémit.

— Ça vous a fait mal ? demanda-t-il.

— Non.

— Vous avez tremblé.

— Je me souvenais.

— De quoi ?

— De vous en moi.

Caleb sourit et mordit Willow un peu moins doucement, provoquant un autre petit cri de sa part. Son pouce bougea, et son corps s'enflamma en un élan frémissant. Elle sentit sa chaude réaction et se raidit sous le choc.

— Caleb, je ne voulais pas…

— Ça va, l'interrompit-il en riant doucement tandis qu'il sentait dans sa main la chaleur du plaisir de Willow. C'est arrivé dans le bassin aussi, mais vous n'avez pas pu le sentir. Moi, si. J'en ai perdu la tête.

Il posa sa joue contre la toison dorée qui protégeait ses doux replis.

— Écartez vos jambes encore plus pour moi, murmura Caleb.

Willow bougea de nouveau les jambes suffisamment pour qu'il puisse s'agenouiller entre elles. Son pouce dur dessina des cercles sur le bouton satiné qui n'était plus dissimulé. Des flots de plaisir l'envahirent, et elle ne put retenir un cri. Quand il leva son pouce, elle gémit en signe de protestation. Il sourit et redoubla ses caresses en elle, exerçant une pression sensuelle, la titillant avec le souvenir de ce qu'elle avait éprouvé quand il était en elle. La chaleur liquide de sa réaction se déversa entre eux.

— C'est ça, petit chat, dit-il en se penchant sur elle. Dites-moi que vous aimez mes mains autant que j'aime les vôtres.

Sa langue traça un cercle autour du bouton satiné, et elle gémit de plaisir. La caresse l'excita au-delà du supportable. Un flot de plaisir jaillit de nouveau, une chaude pluie qu'elle partagea avec lui sans pouvoir se retenir.

— Tendre femme, dit-il en la goûtant.

— Caleb, fit-elle d'un ton urgent, car elle ne pouvait plus supporter la tension en elle. Je…

Une nouvelle bouffée de plaisir l'interrompit. Caleb émit un petit bruit de satisfaction et d'encouragement, lui demandant une réaction encore plus puissante, l'attirant de plus en plus près de l'extase avec chaque mouvement chaleureux de sa langue, tirant d'elle un plaisir dont il n'avait jamais autant joui avec une femme auparavant. Ses dents se refermèrent doucement sur le bouton terriblement sensible, Tenant Willow captive des caresses soyeuses qui étaient différentes de tout ce qu'elle avait pu imaginer.

Soudain, elle sut ce que c'était que d'être touchée par un éclair. Un cri de ravissement s'échappa d'elle tandis que son corps tout entier se tendait. Elle cria de nouveau le nom de Caleb, qui lui répondit par une caresse dont l'intimité fit disparaître l'univers, la projetant dans une folle extase.

Après quelques instants, Caleb retira à contrecœur sa main de la chair frémissante de Willow et remonta jusqu'à son visage en traçant un chemin de baisers sur son corps. Elle ouvrit les yeux, étourdie par le plaisir dont la suite vibrait encore à travers elle en des cercles grandissants.

— Quels magnifiques yeux! dit Caleb. Magnifique bouche, magnifiques seins, magnifique... femme.

Willow vit le contentement lumineux dans les yeux de Caleb et frissonna de nouveau. Elle glissa ses bras autour de lui, l'exhortant à presser tout son corps contre elle parce qu'elle avait besoin de le sentir en entier. Il comprit son besoin parce que c'était aussi le sien, et il s'appuya sur les coudes et se laissa descendre jusqu'à ce qu'il touche chaque centimètre d'elle.

Willow soupira et enlaça Caleb encore davantage; son souffle était frémissant alors qu'elle était encore captive du ravissement qu'il lui avait procuré. Le poids et les textures de ce corps qui la recouvrait lui paraissaient incroyablement bons. Sans y penser, elle se frotta contre lui, appréciant sa chaleur et sa force. Il se laissa aller complètement sur elle. Quand elle sentit son dur besoin viril, sa respiration s'accéléra.

— Vous avez un damné effet sur moi, dit Caleb d'une voix rugueuse. Alors, arrêtez de gigoter et serrez-moi jusqu'à ce que ça passe.

— Est-ce comme ça que ça fonctionne?

— Je l'ignore. Je n'ai jamais eu ce problème auparavant.

— Non?

— Non, admit-il en lui mordant délicatement l'oreille. Seulement avec vous.

Willow retint son souffle et resserra sa poigne sur son grand corps. La chaleur et la puissance de Caleb provoquèrent encore une vague de plaisir en elle. Instinctivement, elle bougea pour le serrer encore davantage. Il essaya de réprimer un grognement sans y parvenir tout à fait.

— Caleb ? lui demanda-t-elle d'une voix rauque.

— Restez immobile, chérie.

— J'ai une meilleure idée.

Elle bougea encore les jambes, les écarta jusqu'à ce qu'elle puisse sentir la poussée de son désir pressé contre elle. Elle bougea lentement les hanches en souhaitant un type différent de proximité. Le souffle court de Caleb lui fit comprendre qu'il était tout aussi conscient qu'elle de son sexe chaleureux, accueillant.

— Bon sang !, Willow. Je ne veux pas vous faire mal.

— Est-ce que la clé fait mal à la serrure ? murmura-t-elle.

— Pas quand elles sont faites l'une pour l'autre. Êtes-vous faite pour moi, petit chat ?

— Oui, répondit-elle d'une voix rauque. Seulement pour vous. Prenez ce qui est vôtre, Caleb, et accordez-moi ce qui est mien.

Pendant un long et intense moment, il regarda les yeux noisette de Willow, captivé par sa franchise. Il eut soudain la certitude qu'il ne pouvait pas davantage se détourner d'elle qu'une rivière ne pouvait remonter de l'océan. Il murmura le nom de Willow pendant qu'il se penchait pour l'embrasser. Lentement, il réclama ce qui était sien et lui donna ce qui lui appartenait, unissant leurs corps petit à petit, éprouvant ce partage jusqu'au fond de son âme. Elle prononça son nom en un long soupir frémissant. Il voulut lui demander s'il lui faisait mal, mais avant qu'il puisse trouver les mots, le corps de Willow lui répondit. Les minuscules et secrètes contractions de son plaisir l'exhortaient à se fondre davantage en elle, l'attirant par sa réaction. Il répondit par une pulsation soyeuse

Elizabeth Lowell

qui mêla son essence à la sienne, s'enfonçant doucement en elle jusqu'à ce que leur union soit complète.

La sensation était merveilleuse. Willow ouvrit les yeux quand elle se sentit lentement envahir par le ravissement. Elle murmura le nom de Caleb, essayant de lui exprimer la beauté de ce qu'il lui accordait, mais elle ne connaissait aucun mot qui puisse décrire la transformation qui se produisait dans son corps. Son baiser lui dit qu'il comprenait, qu'il était tout aussi transformé qu'elle. Elle entendit son propre nom murmuré contre ses lèvres, sentit les pulsations de sa jouissance passer de son corps au sien. Le fait de savoir que Caleb s'ouvrait aussi lentement et complètement qu'elle provoqua à travers Willow une vague de tremblements qui la consuma en même temps que lui, les fusionnant en une union à la fois primitive et sublime. Ni l'un ni l'autre ne savait où se terminait l'un et où commençait l'autre, car ils n'étaient plus distincts ; ils formaient simplement un tout incandescent là où s'étaient jadis trouvées deux moitiés.

Chapitre 14

— Comment va-t-il ? demanda Willow.

— Il est comme neuf. Tout ce dont Deuce avait besoin, c'était de ne rien faire sauf manger à satiété.

Caleb frappa Deuce sur l'arrière-train, renvoyant l'énorme cheval trotter dans le silence de la nuit qui descendait sur le pré. La blessure par balle avait bien guéri. Il avait fallu plus de temps pour sa patte foulée, mais à présent, il n'y avait plus aucune hésitation dans sa démarche.

— Il bouge bien, dit-elle. Il ne boite plus du tout.

La tristesse dans la voix de Willow contredisait ses paroles, mais Caleb comprenait ce qu'elle voulait dire. Il éprouvait la même chose. Les 18 jours qu'il avait passés avec elle dans la vallée secrète avaient été aussi près du paradis qu'il avait cru pouvoir en approcher. Maintenant que Deuce était rétabli et que les pur-sang s'étaient mieux adaptés à la haute altitude, ils n'avaient plus d'excuses pour s'attarder.

— Nous pouvons rester plus longtemps, dit brusquement Caleb en exprimant à voix haute la pensée qui le hantait de plus en plus souvent depuis qu'il avait découvert l'innocence de Willow. Nous n'avons plus besoin de partir à toute allure à la recherche de votre damné frère. Si nous sommes destinés à le trouver, nous le trouverons, peu importe où nous sommes. Et si nous ne sommes pas destinés à le trouver, ainsi soit-il.

Willow tressaillit en entendant le ton dur de Caleb. Elle s'était habituée à son rire, à sa gentillesse et à sa sensualité effrénée. Elle n'avait, au cours des 18 derniers jours, pas une seule fois aperçu son côté sombre. Elle avait presque oublié qu'il était là.

— S'il n'en tenait qu'à moi, je ne quitterais jamais cette vallée, dit-elle avec tristesse. Mais Matt doit avoir besoin d'aide ; sinon, il n'aurait pas écrit à ses frères. Ce n'était que malchance pour lui qu'il ne reste personne d'autre que moi à la maison.

Elle adressa un sourire à Caleb et ajouta d'une voix douce :

— Mais c'était une chance pour moi, parce que ça m'a menée à vous.

Caleb ferma les yeux et essaya de maîtriser la colère déraisonnable qui menaçait de le submerger — une colère contre Willow, contre lui-même et surtout contre le simple fait qu'au moment où il trouverait Reno, il perdrait irrévocablement Willow.

— Je préférerais rester au paradis, dit-il brusquement.

— Moi aussi, mon amour, dit-elle en allant se blottir contre lui. Moi aussi.

Elle passa ses bras autour de Caleb et le serra, savourant sa chaleur et sa force familières. Les bras de Caleb se refermèrent sur elle un peu durement, et il la souleva de terre. Il l'embrassa passionnément avant de la déposer fermement sur le sol et lui jeta un regard si sauvage qu'elle émit un son de protestation.

— Rappelez-vous, dit-il d'une voix dure, que c'était vous qui vouliez partir à sa recherche. J'étais prêt à laisser ça à la grâce de Dieu.

— Que voulez-vous dire?

Le sourire de Caleb était aussi mince et féroce que la lame du grand couteau qu'il portait toujours, mais il n'ajouta rien.

— Caleb? demanda-t-elle, apeurée.

— Prenez votre carte, dame du Sud.

Elle tressaillit en entendant le ton de sa voix et le surnom qu'il n'avait pas utilisé depuis qu'ils étaient arrivés dans la vallée.

— La carte?

— Celle que vous avez cachée quelque part dans ce grand sac de voyage, répondit Caleb avant de se détourner de Willow et de se diriger vers le campement.

— Comment le saviez-vous? demanda-t-elle, confuse.

— C'était facile. Les idiots qui cherchent de l'or dessinent toujours des cartes pour que d'autres idiots les suivent.

Le ton sauvage de Caleb surprit Willow. Elle fixa son dos d'un air incertain avant de lui emboîter le pas.

Quand elle arriva au campement, Caleb agitait les cendres du feu sur lequel ils avaient préparé leur petit déjeuner. Il ne leva même pas les yeux quand elle se rendit au lourd sac de voyage qui constituait son seul bagage et qu'elle commença à fouiller à l'intérieur. Il ne la regarda pas quand elle déchira une partie de la bordure et en sortit une feuille de papier pliée. Il ne la regarda pas du tout jusqu'à ce qu'elle s'approche lentement du feu, la carte à la main.

— J'aurais dû vous la montrer plus tôt, dit tranquillement Willow, mais elle n'est vraiment pas très utile.

Caleb lui lança un regard oblique qui aurait pu arracher l'écorce d'un arbre.

— Vous ne me faisiez pas confiance, et nous le savons tous les deux.

Le rouge lui monta aux joues.

— Ce n'était pas à moi de dévoiler ce secret. C'était celui de Matt, et il m'avait dit de ne la montrer à personne. Mais je vous montre la carte, maintenant.

Elle lui mit brusquement la feuille dans les mains.

— Voici. Regardez-la. Vous n'y trouverez pas grand-chose que je ne vous aie pas déjà dit. Matt n'a jamais beaucoup fait confiance à quiconque. Il l'a tracée de manière à ce que personne ne puisse la voler et la trouver utile d'une quelconque façon. Malheureusement, elle ne m'est pas très utile non plus.

Caleb ne dit rien. Il ouvrit la carte et y jeta un rapide coup d'œil. Les principaux repères étaient faciles à reconnaître : les rivières et les monts San Juan. Divers cols y figuraient au cœur de la région, mais aucun n'était souligné davantage qu'un autre. Qu'une personne parte de Californie, du Mexique, du Canada ou de l'est du Mississippi, les routes à suivre jusqu'à ces monts étaient indiquées.

Caleb jeta un regard interrogateur à Willow.

— Matt n'était pas certain de l'endroit où mes frères et moi nous trouvions, expliqua-t-elle. La lettre est arrivée à notre ferme principale avec la directive de la faire parvenir où que se trouvent les frères Moran. J'ai copié la lettre, et je l'ai envoyée à la dernière adresse que j'avais de chacun de mes frères.

— Où était-ce ?

— En Australie, en Californie, aux îles Sandwich et en Chine. Mais ce renseignement datait de plusieurs années. Ils pourraient être n'importe où maintenant, même de retour aux États-Unis.

Caleb haussa les sourcils et reporta les yeux sur la carte, puis il grogna.

— Votre frère dessine bien les cartes, dit-il, mais il a oublié un détail. Où se trouve donc son damné camp de base ?

— Il ne semble pas être indiqué, répondit Willow en prenant une profonde inspiration. Je pense que si Matt a été si prudent, c'est parce qu'il a trouvé de l'or.

— C'est ce que je pense aussi. Ces idiots finissent presque toujours par en trouver.

Willow le fixa des yeux, incapable de croire à l'indifférence dans la voix de Caleb.

— Avez-vous quelque chose contre le fait de trouver de l'or ?

Il haussa les épaules.

— Je préférerais élever du bétail. Quand les temps sont durs, on peut manger les bêtes, mais on ne peut pas manger de l'or.

— On peut s'en servir pour acheter de la nourriture, souligna Willow sur un ton plutôt acerbe.

— Bien sûr. À moins qu'un quelconque bandit qui croit plus facile de voler votre concession que d'acheter la sienne vous abatte par-derrière.

Il fixa Willow d'un regard froid.

— J'ai vu des camps de chercheurs d'or. Ils puent comme l'enfer. Rien que de l'avidité, des meurtres et des putes.

Elizabeth Lowell

— Matthew n'est pas comme ça. C'est autant un honnête homme que vous.

Caleb ne dit rien ; il grimaça légèrement après avoir été comparé à un homme qui avait séduit et abandonné Rebecca. Il fixa la carte d'un air maussade. À un endroit, au cœur des monts San Juan, Reno avait méticuleusement dessiné cinq triangles qui indiquaient des sommets. Malgré le fait qu'il y avait bien davantage de montagnes dans cette région, il n'avait dessiné aucun autre triangle.

En travers de la carte, il avait écrit : «Faites un feu, et je vais venir.» En dessous, il y avait une ligne en espagnol que Caleb traduisit silencieusement. *Trois points, deux moitiés, un rassemblement.*

Willow s'approcha et vit qu'il regardait l'écriture.

— C'est une autre chose que je n'ai pas comprise, dit-elle. Pourquoi Matt écrirait-il en espagnol ?

— Vous connaissez l'espagnol ?

— Non.

— C'est peut-être là la raison, dit Caleb sur un ton impassible.

Il regarda de nouveau les triangles, et Willow suivit son regard intense.

— Où sommes-nous censés faire un feu ? demanda-t-elle après une minute. N'importe lequel de ces triangles pourrait représenter son camp.

— L'un est aussi inutile que l'autre. Ce sont des sommets de montagnes, et non des camps. Nous pourrions chercher pendant cinq ans et ne jamais trouver autre chose qu'une région impitoyable.

— Vous n'avez pas besoin de sembler vous en réjouir à ce point, grommela Willow. Pourquoi ne voulez-vous pas trouver Matt ?

Caleb lui jeta un regard presque méchant avant de parler.

— C'est une région difficile. Laissez-moi vous ramener chez Wolfe Lonetree. Il vous protégera et s'occupera des pur-sang pendant que je chercherai votre frère.

— Si je ne suis pas là, vous n'arriverez jamais à vous approcher de Matt. S'il ne veut pas qu'on le trouve, vous avez plus de chances d'attraper un rayon de lune sur l'eau que de l'attraper.

Caleb réprima un juron. C'était exactement ce qu'avait été pour lui la poursuite de Reno : essayer d'attraper un rayon de lune sur l'eau.

Mais alors, j'ignorais où ce salaud se trouvait. Maintenant, je le sais.

Willow fronça les sourcils en regardant la carte.

— Je n'arrive pas à saisir pourquoi Matt n'a pas laissé de meilleurs indices, dit Willow. Ce n'est pas une personne négligente. C'est lui qui m'a appris comment naviguer d'après les étoiles, à prendre des observations, à dessiner des lignes et à tracer des angles d'intersection.

Elle se mordit la lèvre inférieure.

— Tout ce que je peux déduire, c'est que si nous allumons un feu sur un de ces cinq sommets, il pourra nous voir. Vous connaissez la région. Vous pouvez trouver un endroit qu'on pourra voir de loin, puis nous allumerons un feu, et…

— Et nous recevrons une balle dans nos têtes d'imbéciles, l'interrompit Caleb sur un ton catégorique. Dans cette région, personne n'allume un feu de signalement à moins de vouloir se faire scalper. Votre frère le sait aussi ; sinon, il serait mort depuis longtemps.

— Dans ce cas, pourquoi a-t-il dit ça ?

— C'est un piège.

— Ça n'a pas de sens. Matt ne voudrait pas faire de mal à ses frères.

— Vos frères sont-ils des imbéciles ?

Willow éclata de rire.

— Loin de là. Matt est le plus jeune. Il a beaucoup appris de ses frères plus âgés.

— Alors, aucun de vos frères ne serait assez idiot pour allumer un feu en terre indienne et attendre la suite des choses comme une chèvre attachée à un pieu.

Willow aurait voulu argumenter, mais elle savait que cela n'aurait servi à rien. Caleb avait raison. Aucun des frères Moran n'aurait été idiot à ce point.

— Un piège, dit-elle tristement.

— Comme vous l'avez dit, votre frère n'est pas un homme négligent.

— Alors, nous devrons grimper chaque sommet jusqu'à ce que nous trouvions son camp, dit Willow en prenant la carte des mains de Caleb.

Il entendit la détermination dans sa voix et sut qu'elle ne cesserait pas de chercher son frère jusqu'à ce qu'elle le trouve ou qu'elle meure en essayant. Reno lui avait écrit à sa famille pour demander son aide, et Willow avait réagi de la seule façon qu'elle le pouvait.

— Vous allez trouver votre frère quoi qu'il arrive, c'est ça ?

— Si vous étiez à ma place, n'en feriez-vous pas autant ? demanda-t-elle en s'interrogeant sur l'hostilité évidente que manifestait Caleb chaque fois qu'elle parlait de Matt.

Il ferma les yeux et imagina la douleur que l'avenir engendrerait, les hurlements de Willow quand elle regarderait son frère chéri et l'homme qu'elle aimait se faire face, l'arme à la main, les coups de feu se répercutant et la mort frappant comme le tonnerre.

Assure-toi d'avoir une bonne raison pour dégainer quand tu te trouveras devant Reno, se dit-il, *parce qu'une seconde après, nous serons probablement morts tous les deux.*

— Alors, qu'il en soit ainsi, fit-il tristement.

Willow se sentit soudain envahie par la peur.

— Caleb ? demanda-t-elle d'une voix tremblante. Qu'est-ce qu'il y a ? Qu'est-ce qui ne va pas ?

Il ne répondit pas, mais se rendit plutôt à ses sacoches de selle, en tira son journal, un crayon et une règle, puis revint là où Willow attendait, la carte à la main et la peur au cœur. Sans dire un mot, il prit la carte, l'étendit sur son journal et commença à tracer des lignes.

— Qu'est-ce que vous faites ? demanda-t-elle finalement.

— J'essaie de trouver votre damné frère.

Willow grimaça.

— Mais comment ?

— C'est un homme prudent. Même s'il les a dispersés sur le papier, il a été très minutieux en dessinant ces triangles.

— Je ne comprends pas.

— Les triangles sont tous identiques, avec un angle de 90 degrés et deux angles de 45 degrés.

Willow regarda les triangles et vit que Caleb avait raison.

— Si vous séparez en deux les 90 degrés et tracez une ligne jusqu'à la base, vous obtenez deux triangles égaux, dit Caleb en traçant rapidement des lignes pendant qu'il parlait.

— Alors ?

— Alors, si vous posez une règle le long de cette ligne de séparation et l'orientez vers les bords de la carte et que vous le faites pour chaque triangle, toutes les lignes devraient se croiser quelque part. « Trois points, deux moitiés, un rassemblement. » Ça devrait se trouver à peu près…

— Là ! s'exclama Willow en pointant la carte du doigt à l'endroit où les lignes se rencontraient les unes après les autres. Vous avez réussi, Caleb ! C'est là que se trouve Matt !

Caleb ne dit rien. Il nota simplement le lieu de l'intersection par rapport aux repères dans son esprit et sur la carte, puis il jeta la feuille dans le feu. Willow sursauta en voyant les flammes dévorer la carte. Avant qu'elle puisse faire un mouvement pour l'en empêcher, le papier brûla complètement.

— C'est une bonne chose que vos pur-sang soient en forme, dit Caleb d'un ton dur. Nous avons une sacrée chevauchée qui nous attend.

Il porta son regard du feu à Willow. Dans la lumière du crépuscule, ses yeux étaient mystérieux, de la couleur d'une pluie d'automne. L'idée de la perdre était une torture pour lui. Silencieusement, il lui tendit la main. Elle la prit sans hésiter, ne comprenant pas ce qu'elle devinait de sombre en lui, mais sachant qu'il avait besoin d'elle. Quand il la tira vers lui, elle vint volontairement, parce qu'elle avait besoin de lui de la même façon. Pendant de longues minutes, ils s'étreignirent sans que ni l'un ni l'autre ne bouge sauf pour s'étreindre davantage, comme s'ils s'attendaient à être séparés à tout moment.

— Mon amour, murmura finalement Willow en levant les yeux vers Caleb. Qu'est-ce qui ne va pas ?

Il lui donna pour seule réponse un baiser qui ne se terminait qu'au moment où il se trouvait profondément en elle et qu'elle frémissait en raison de la plénitude qui devenait plus intense chaque fois qu'il venait à elle. Après avoir léché les larmes de ravissement sur ses cils, il recommença en prenant, donnant et partageant jusqu'à ce qu'il n'y ait plus d'hiers ni de lendemains, remplacés par le moment hors du temps quand tous deux ne faisaient qu'un.

Quand Willow s'endormit, ils étaient encore enlacés. Pendant un long moment, Caleb écouta ses lentes respirations, sentit ses petits mouvements, observa la lumière de la lune illuminer ses joues. Quand il ne put plus le supporter plus longtemps, il ferma les yeux et s'endormit en priant pour que Reno soit déjà mort.

Willow se dressa sur les étriers et regarda par-dessus les oreilles dressées d'Ishmael. Le terrain descendait devant elle en tant de teintes de vert qu'elle ne trouvait pas les mots pour les décrire toutes. La région n'était ni plate ni vraiment montagneuse. Même s'ils apercevaient au loin de nombreux hauts sommets s'élevant ici et là sur l'horizon, la terre entre eux était parsemée de forêts et de prairies en pentes, comme si on avait jeté sur le sol inégal une immense courtepointe. Les replis étaient formés de longues et hautes saillies où croissaient les pins, les trembles et les chênes des lieux arides. Les creux entre les replis étaient de longues et larges clairières où coulaient des rivières.

Willow prit une profonde inspiration et goûta la fraîcheur de l'air, heureuse de s'être finalement adaptée à la haute altitude. Caleb lui avait dit que même à son point le plus bas, la terre atteignait plus de 2000 mètres d'altitude.

Plusieurs des sommets s'élevaient à deux fois cette hauteur. C'était comme chevaucher sur le toit vert du monde avec des cheminées de pierre s'élevant au loin. Le sentiment d'immensité était époustouflant.

Nulle part ne voyait-on de la fumée, des constructions, des routes de terre, des clôtures ou un quelconque indice permanent de la présence de l'homme. Pourtant, il y en avait là-bas, quelque part. Caleb avait vu des traces à des endroits où les montagnes séparaient la prairie en des pistes naturelles pour les voyageurs. Certaines des pistes se dirigeaient vers le nord et d'autres menaient vers l'est, mais la plupart d'entre elles se dirigeaient vers les montagnes de San Juan.

— C'est là que nous allons, dit Caleb en pointant un doigt. Les sommets les plus éloignés que vous voyez.

De l'endroit où se trouvait Willow, le groupe de montagnes ressemblait plutôt à une couronne basse, hérissée et sertie de perles brisées. Le paysage qui se trouvait entre elle et les monts San Juan était aussi sauvage que magnifique.

— Combien de temps nous faudra-t-il pour les atteindre? demanda-t-elle, ayant appris que la seule mesure qui comptait dans l'Ouest était le temps de déplacement plutôt que la distance.

— Deux jours si nous pouvions y aller en ligne droite, mais si nous tenons compte de la situation, nous serons chanceux d'y parvenir en quatre jours.

— Pourquoi?

— Les Indiens, répondit Caleb. Les Utes sont sacrément fatigués de rencontrer des hommes blancs chaque fois qu'ils se retournent. Puis il y a aussi Slater et sa bande.

— Vous ne croyez pas que nous les avons semés?

— C'est difficile de semer quelqu'un qui sait où vous allez, dit Caleb sur un ton sardonique.

— Ne vont-ils pas abandonner après qu'ils n'aient trouvé aucune de nos pistes pendant presque trois semaines ?

— Abandonneriez-vous ? demanda-t-il.

Willow détourna le regard des yeux clairs de Caleb. Même s'il n'avait pas reparlé d'abandonner les recherches, elle savait qu'il le désirait. Pourtant, quand elle lui en demandait la raison, il changeait de sujet avec une brusquerie qui la piquait au vif.

— Jed Slater a la vengeance au cœur, dit Caleb en détournant les yeux de Willow. C'est le genre d'homme qui me poursuivra jusqu'à ce que lui ou moi mourions.

— Est-ce que c'est pour ça que vous ne voulez pas trouver Matt ? demanda Willow en se souvenant de la réputation de tireur du plus âgé des frères Slater. Parce que vous savez que Slater vous cherchera au même endroit ?

Caleb regarda Willow.

— Seul un idiot cherche les ennuis. On en a suffisamment sans en chercher davantage.

Il éperonna légèrement Deuce, qui partit au trot vers la longue clairière sinueuse qui descendait vers une vallée herbeuse à quelques milliers de mètres plus bas que leur altitude actuelle. Willow suivit tristement des yeux le large dos de Caleb qui disparaissait le long de la piste et souhaita avoir formulé sa question de manière plus délicate. Aucun homme n'aimait avouer qu'il cherchait des façons d'éviter un combat.

Elle fronça les sourcils et éperonna Ishmael en songeant à l'homme qu'elle aimait plutôt qu'à la route devant elle. Caleb s'était replié sur lui-même depuis qu'ils avaient quitté la petite vallée la veille. Il avait maintenu une cadence rapide, et son attitude était celle d'un homme voulant se débarrasser aussi vite que possible d'une tâche déplaisante. Et jamais il n'avait parlé, ni dans la vallée ni par la suite, de ce qui arriverait entre eux après qu'ils aient trouvé son frère. Pas une fois il ne lui avait dit qu'il l'aimait, qu'il souhaitait l'épouser ou même qu'il voulait être avec elle après avoir respecté sa promesse de l'avoir guidée jusqu'à son frère.

Pourtant, Willow s'était réveillée ce matin-là en voyant Caleb qui la regardait avec un désir si grand qu'elle en avait eu le cœur tout retourné. Puis il s'était levé sans dire un mot, la laissant seule alors qu'elle avait des larmes dans les coins de ses yeux et que son estomac était noué par la peur.

Ce souvenir la hanta tout au long de la journée, rendant douce-amère la beauté du paysage.

La longue descente des montagnes se termina comme plusieurs autres dans une large vallée qui sinuait entre les chaînes de montagnes. La piste les conduisit le long d'une rivière qui dépassait rarement plus d'une trentaine de mètres de largeur. L'eau était claire, propre et rapide. Des trembles, ainsi que des arbres qui ressemblaient à des peupliers, croissaient le long de la berge, éparpillant à travers le ciel des masses de feuilles frémissantes d'un vert argenté. Des fleurs de toutes les teintes brillaient parmi les herbes, témoignant d'un printemps qui n'était pas encore terminé.

Comme toujours, le soleil était chaud. Willow ne portait que ses jeans et la chemise de daim presque toute délacée. Le sous-vêtement de flanelle qui avait été si confortable dans les hauteurs était maintenant plié et roulé dans une couverture derrière sa selle, à l'instar de son lourd blouson de laine. Le murmure de la rivière était devenu un chant de sirène promettant de l'eau froide et pure pour atténuer sa soif croissante.

Au moment même où Willow était certaine que Caleb allait poursuivre la route sans s'arrêter pour manger, il tira sur les rênes, descendit de cheval et marcha jusqu'à elle.

— Nous allons nous reposer ici un moment.

Willow commença à descendre d'Ishmael, mais Caleb la prit et la déposa lentement par terre en la laissant glisser devant lui. Son regard et l'excitation évidente de son corps firent s'accélérer son cœur. Le malaise qu'elle avait éprouvé toute la journée se transforma en un sentiment de soulagement étourdissant et un flamboyant élan d'anticipation. Elle sentit une chaleur la traverser, la transformer. En l'espace de quelques respirations, son corps se modifia, se préparant pour l'union qui allait venir.

— Nous reposer? demanda-t-elle avec un sourire en voulant vraiment éliminer l'air sombre des yeux de Caleb.

Elle laissa glisser une main le long de son corps.

— Êtes-vous certain que c'est tout ce que vous avez à l'esprit?

Il se mit à respirer plus rapidement.

— J'ai pensé que je pourrais attraper quelques truites pour le dîner.

— Vous le pourriez, acquiesça-t-elle.

La main de Willow se déplaçait lentement, l'évaluant et le caressant d'un même mouvement alors qu'elle se réjouissait de la lueur vive dans ses yeux, toute obscurité en étant disparue.

— Ça dépend de l'appât. Ou est-ce plutôt de la ligne?

— Vous êtes une petite truite impertinente, dit-il d'une voix rauque.

Elizabeth Lowell

— Mais je mords chaque fois à votre appât.

— Non, chérie. C'est moi qui mords au vôtre.

Willow éclata d'un rire aussi sensuel que le lent mouvement de sa main.

— Allons-nous nous chamailler à ce sujet?

Le sourire qu'il lui retourna était à la fois nonchalant et avide.

— Oui, je crois que si, dit-il pendant que ses longs doigts détachaient les jeans de Willow. La personne qui gagne deux manches sur trois remporte la victoire?

— Vous êtes plus grand que moi, souligna-t-elle.

— Plus dur aussi, répondit-il en glissant sa main entre les couches de vêtements. Mais il est trop tard pour avoir la trouille, maintenant.

Willow ne put lui répondre que par un gémissement de plaisir quand ses longs doigts la caressèrent. Il s'agenouilla rapidement puis la débarrassa de ses bottes et de ses jeans. Il n'eut aucune patience pour ses propres vêtements. Il détacha simplement son pantalon et la tira sur le sol à cheval sur lui, saisi d'un désir fou qu'il ne pouvait maîtriser.

— Bon sang! grogna-t-il quand il la titilla, vous êtes chaque fois plus douce, plus excitante.

Willow essaya de répondre, mais la sensation du corps de Caleb s'enfouissant profondément en elle lui coupa le souffle. L'appétit en lui était presque violent, comme s'il devait la posséder entièrement, la connaître pleinement, caresser tout son corps d'une manière primitive. La première vague dévastatrice de plaisir la frappa aussitôt qu'ils furent complètement unis, mais ce fut le besoin désespéré en lui qui fit disparaître l'univers, ne laissant que Caleb et l'extase qui la détruisit et la recréa dans le même instant infini. De petits cris s'échappèrent de sa gorge tandis qu'elle s'abandonnait corps et âme à l'homme qu'elle aimait.

L'intensité et la rapidité de la réaction de Willow étaient aussi excitantes pour Caleb que la chaleur de son corps qui se fondait autour de son membre et lui disait qu'elle était sienne — et seulement sienne. C'était de cela qu'il avait besoin, ce qu'il avait recherché pendant les longues heures au cours desquelles il avait réfléchi à son dilemme à propos de Reno Moran sans trouver une solution ni le répit — sauf dans cette union qui était différente de tout ce qu'il avait connu. La passion chez Willow était aussi brillante que le soleil et aussi profonde que la mer, et elle possédait une intensité de sentiment qui l'atteignait jusque dans son âme.

Et bientôt, elle le détesterait avec une passion aussi profonde que son amour.

Le nom de Willow lui échappa des lèvres en un cri rauque, car la passion qu'il avait engendrée en elle l'avait aussi envahi, et il s'abandonnait plus complètement à elle à chaque pulsation d'extase, un abandon primal de lui-même qui n'était pas différent de celui de Willow.

Il la tint contre lui en priant pour ne jamais retrouver Reno… et en sachant qu'il le retrouverait.

— D'autres pistes ? demanda Willow.

Caleb opina de la tête. Il ne s'était pas rasé depuis qu'ils avaient quitté la petite vallée, mais même une barbe de six jours ne put dissimuler son expression inquiète.

— Des chevaux ferrés ?

Il acquiesça de nouveau.

— Combien?

Même si la voix de Willow n'était qu'un murmure, Caleb l'entendit. Parfois, il pensait qu'il pouvait l'entendre dans le silence de son esprit, une femme qui criait sa passion, son amour, sa peine, sa haine.

— Au moins une douzaine, répondit-il brusquement, préférant la triste vérité à propos de leurs ennemis plutôt que les pensées qui le hantaient même s'il tentait constamment de les écarter.

— Pas plus de 16, ajouta-t-il. C'est difficile à dire. Ils n'étaient pas attachés séparément.

Willow fronça les sourcils et regarda autour d'elle. Les journées de voyage prudent et incessant les avaient conduits dans la splendeur des monts San Juan. En ce moment, Caleb et elle se trouvaient au milieu d'une cuvette herbeuse d'environ trois kilomètres de diamètre et entourée de sommets neigeux d'une taille et d'un aspect sauvage à couper le souffle. De maigres trembles poussaient dans les replis de la cuvette, dissimulant à la vue les cerfs et les gens comme Willow et Caleb qui souhaitaient éviter qu'on les aperçoive à partir des sommets ou des saillies rocheuses plus proches.

Mais bientôt, la cuvette serait transformée comme tous les autres prés et clairières l'avaient été par le terrain qui s'élevait. Les sommets escarpés se rapprocheraient, les prés se feraient plus petits, et les ruisseaux s'écouleraient en torrents entre les sombres murs de pierre jusqu'à ce qu'ils atteignent un pré plus élevé, plus petit, et le cycle recommencerait encore et encore jusqu'à ce qu'ils atteignent la source d'un minuscule ruisseau au sommet d'un autre col. Puis la route commençait à descendre, reprenant le cycle à l'inverse, les ruisseaux devenant rivières et les prés devenant d'immenses clairières à nouveau.

— Y a-t-il un autre col que nous pourrions emprunter ? demanda Willow.

— Il y a toujours un autre col quelque part.

Elle se mordit la lèvre inférieure.

— Mais aucun n'est tout près, n'est-ce pas ?

— C'est ça. Il nous faudrait revenir sur nos pas pendant quelques heures jusqu'à l'endroit où le ruisseau s'est divisé en deux, puis nous devrions nous écarter de notre chemin pendant trois jours pour déboucher de l'autre côté de cette montagne, répondit Caleb en indiquant du pouce la montagne derrière lui.

Il regarda Willow et attendit.

— Sommes-nous proches de Matt ? demanda-t-elle finalement.

— S'il a bien dessiné la carte et que nous l'avons bien interprétée, oui.

— Pendant que vous étiez parti en éclaireur, j'ai cru entendre des coups de feu, dit-elle.

— Vous avez une bonne ouïe.

Rien dans son ton ne révélait qu'il avait espéré qu'elle ne les entende pas.

— Est-ce que c'était vous ? dit-elle.

— Non.

— Matt ?

— J'en doute. C'était plus probablement un des hommes de Slater qui a aperçu un cerf. Une bande d'hommes armés n'a pas besoin de s'inquiéter outre mesure d'attirer les Utes en se procurant de la viande fraîche.

— Matt est seul.

— Il y est habitué.

— J'ai entendu cinq coups. Combien en faut-il pour tuer un seul cerf ?

Caleb ne dit rien. Il savait que plus d'un ou deux coups signifiaient généralement une bataille, et non une chasse.

— Matt pourrait être blessé, dit Willow d'une voix inquiète. Caleb, nous devons le trouver !

— Nous allons plus probablement trouver la bande de Slater si nous prenons cette direction, dit Caleb d'une voix neutre.

Mais au moment même où il parlait, il faisait tourner son cheval et se dirigeait vers le canyon qui s'élevait de chaque côté de la rivière.

— Je vais chevaucher devant. Gardez votre fusil de chasse à portée de main. À moins d'avoir une chance exceptionnelle, nous allons en avoir besoin.

Malgré l'avertissement de Caleb, ils ne trouvèrent rien d'autre cet après-midi-là que des pistes. Le terrain commença à s'élever lentement. La rivière devint plus rapide, plus étroite, plus enserrée entre les montagnes. Willow constatait en voyant les chevaux respirer qu'ils se trouvaient à une plus haute altitude que dans la petite vallée et qu'ils grimpaient à chaque pas.

Le cours d'eau qu'ils avaient suivi se sépara en deux tandis que le terrain s'élevait encore. Les pistes des chevaux ferrés suivaient la fourche de droite. Caleb prit celle de gauche, car elle menait vers l'endroit où cinq lignes se rejoignaient sur la carte qu'il avait brûlée en souhaitant pouvoir réduire en cendres le passé aussi.

Mais c'était impossible.

Ainsi soit-il. Les mots étaient comme des coups de feu dans l'esprit de Caleb. Leur écho lui revint comme l'avertissement de Wolfe.

Tu m'entends, amigo ? *Reno et toi êtes de la même trempe.*

Et Caleb pensa à sa réponse, la seule qui puisse exister, œil pour œil, dent pour dent, vie pour vie, le passé se répercutant dans le présent, le cercle vicieux refermé.

Ainsi soit-il.

Sauf qu'il ne pouvait pas être ainsi. Caleb ne pouvait laisser Willow seule dans les montagnes sans quelqu'un pour la protéger, une femme involontairement abandonnée par son homme, mais tout de même abandonnée...

Mourra-t-elle comme Rebecca, dans la douleur et l'épuisement en portant le rejeton agonisant de son amant ?

Œil pour œil, dent pour dent, vie pour vie.

Caleb sentit la bile lui monter dans la gorge tandis qu'il se rebellait contre l'idée même de faire du mal à Willow. Il ne pouvait faire une telle chose à la fille dont le seul péché était le fait qu'elle aimait trop. Elle n'avait fait aucune chose qui puisse mériter une telle trahison.

Rebecca non plus. Pourtant, la trahison était survenue, suivie de l'agonie et de la mort. L'homme qui en était responsable se promenait en toute liberté, encore capable de séduire une autre jeune femme innocente, de l'abandonner et de créer un autre cercle vicieux de trahison et de vengeance.

De plus en plus torturé avec chaque pas qu'il faisait, Caleb chercha une issue à ce piège de devoir, de désir et de mort. Il n'en trouva aucune sauf le fait de laisser vivre le séducteur. Et ce faisant, il condamnerait une fille inconnue à la séduction et à l'abandon qu'elle ne méritait pas, puis une autre fille et une autre encore. Car le désir d'un homme s'élevait avec le soleil et ne disparaissait que dans la chaleur d'un corps de femme.

Tandis qu'il chevauchait dans le sombre canyon, Caleb se demanda comment il pourrait laisser vivre Reno et se considérer encore comme un homme.

Chapitre 15

D es murs rocheux surplombaient chaque côté de l'étroit défilé, ne laissant à la vue qu'un coin de ciel. Plus haut, le sommet de la montagne était toujours inondé de soleil, mais au fond du ravin, les ombres qui annonçaient la tombée de la nuit semblaient sortir de chaque crevasse. C'était précisément cette obscurité que cherchait Caleb. Il descendit de cheval et marcha jusqu'à Willow.

— Pas de feu, dit-il à voix basse.

Willow acquiesça de la tête. Elle avait clairement entendu les coups de feu une heure auparavant. Deux détonations. Il avait été impossible de déterminer de quelle direction elles provenaient, car les sons s'étaient trop de fois répercutés sur les murs de pierre avant d'atteindre leurs oreilles.

— À quelle distance ? demanda-t-elle calmement.

Caleb savait qu'elle parlait des coups de feu. Il leva les yeux vers le rebord du couloir et haussa les épaules.

— Ils pouvaient provenir du prochain ravin ou d'un kilomètre à travers la cuvette et le long d'un autre sommet. Le son porte vraiment bien à cette altitude.

Pendant que Caleb attachait les chevaux à une vingtaine de mètres en aval, Willow rinça la gourde dans le minuscule ruisseau qui tombait en cascade d'une encoche en haut du mur rocheux. L'eau était si froide qu'elle eut mal aux mains. Un vent glacial soufflait le long du couloir à partir du sommet invisible, et elle frissonna dans son lourd blouson de laine.

— Je n'ai jamais senti une eau aussi froide, dit-elle en tendant la gourde à Caleb. Je me suis sentie transpercée jusqu'aux os.

— C'est de l'eau de fonte, dit brièvement Caleb avant de prendre les mains de Willow et de les frotter entre les siennes pour les réchauffer. C'est pratiquement de la glace. Il y a un champ de neige là-haut.

Il souffla sur les doigts de Willow, puis, ouvrant son blouson de daim, il y enfouit les mains de la jeune femme et lui sourit.

— Ça va mieux ?

— Beaucoup mieux.

Elle sourit et émit un petit bruit de satisfaction en frottant ses mains sur la poitrine chaude de Caleb. Quelques instants plus tard, elle avait écarté son vêtement juste au-dessus de sa ceinture et avait glissé une main contre la chaleur de sa peau. Il retint son souffle tandis que les doigts de Willow se frottaient doucement sur les poils qui descendaient de son torse.

— Vous êtes mieux que n'importe quel feu, murmura Willow en tournant sa main pour en réchauffer l'autre côté. De la chaleur, mais sans fumée qui puisse nous faire repérer.

— Si vous continuez, il va y en avoir.

— Vraiment ? demanda-t-elle doucement en riant. Où ?

— Ne me tentez pas, chérie.

— Pourquoi ? J'ai tellement de talent pour ça.

Caleb plissa les yeux, et les battements de son cœur s'accélérèrent. Dans le silence qui s'était soudain établi entre eux, le bruit du minuscule ruisseau était comme celui d'une rivière, mais il n'était pas assez fort pour couvrir l'arrêt de sa respiration quand les doigts froids de Willow plongèrent sous sa ceinture. La largeur de la ceinture de pistolet arrêta sa main.

Caleb sourit puis retira sa ceinture et son grand couteau.

— Essayez encore.

Willow mâchouilla la fossette sur son menton et la barbe qui avait encore poussé. Il s'empara de ses lèvres alléchantes en un baiser intense qui lui fit oublier pendant quelques moments le sombre avenir qui se rapprochait à chaque moment tandis qu'ils cherchaient Reno. Quand les doigts froids glissèrent à l'intérieur de la taille de ses pantalons, Caleb laissa échapper un bruit affamé.

— Beaucoup, beaucoup mieux, dit-elle tandis qu'elle faisait courir ses ongles le long de ses muscles.

— J'ai une idée pour rendre ça encore meilleur.

Caleb sourit pendant qu'il déboutonnait le manteau de Willow et tirait sur les lacets de cuir jusqu'à ce qu'il puisse insérer ses doigts entre les replis du vêtement et les boutons pour frôler la chair soyeuse en dessous. Elle retint son souffle, puis elle exhala un soupir de plaisir.

Toutefois, ce qui lui plaisait encore davantage, c'était d'observer Caleb réagir à ses caresses. Elle adorait voir l'austérité et la tension disparaître de son visage quand elle le touchait. Elle adorait faire disparaître l'inquiétude dans ses yeux et la remplacer par les flammes du désir. Elle adorait le caresser, sentit changer son corps. Elle adorait le faire rire et le faire jouir. Elle adorait… Caleb.

Et un jour, bientôt, il se rendrait compte qu'il l'aimait. Elle en était certaine. Aucun homme ne pouvait se donner à une femme avec une telle passion et avec une telle tendresse irrésistible sans l'aimer au moins un peu. Tout en souriant et en observant Caleb, elle se hissa sur la pointe des pieds, cherchant sa bouche, éprouvant le besoin de le goûter encore, de se consumer dans son baiser. Il poussa un grognement et prit ce qu'elle lui offrait, puis, en joignant avidement leurs bouches, il lui donna ce dont elle avait besoin.

— Eh bien, fit une voix mâle d'un ton sardonique derrière Willow. Maintenant, je sais ce que tu faisais pendant les semaines où tu avais disparu.

Il était trop tard pour attraper son pistolet, et Caleb le savait.

— Matt? s'écria Willow en se retournant brusquement vers la voix.

Il était arrivé dans le sens du vent par rapport aux chevaux et avait pris Willow et Caleb par surprise. Elle fouilla des yeux l'obscurité, puis elle émit un son étouffé et courut dans les bras de son frère.

— Matt! s'exclama-t-elle en l'enlaçant, ravie. Oh, Matt, c'est vraiment toi?

— C'est vraiment moi, Willy.

Reno lui rendit son étreinte, mais il y avait dans son expression de la colère autant que du soulagement. Après quelques moments, il se détacha d'elle et regarda de près le colosse au visage dur qui attachait une ceinture de pistolet autour de ses hanches.

— Caleb Black, ajouta-t-il.

Caleb feignit d'ignorer la question que sous-entendaient les deux mots. Il serra simplement la ceinture d'un mouvement souple et fit face au sombre avenir.

— Matthew Moran.

Reno lui jeta un regard interrogateur de ses yeux vert pâle en entendant la haine dans la voix de Caleb et la violence implicite dans sa posture — il avait les jambes légèrement écartées, les mains détendues à ses côtés, et il se tenait prêt à saisir le six-coups dont il avait déjà détaché la lanière.

— Apparemment, Wolfe avait tort à propos de toi, dit Reno d'un ton amer. Mais même si j'aimerais te foutre une raclée parce que tu as fait de ma sœur une...

— Ne dis pas ça, l'interrompit Caleb d'une voix aussi sauvage que la lueur dans ses yeux. *N'y songe même pas.*

De plus en plus horrifiée, Willow regarda les deux hommes qu'elle aimait. Elle essaya de parler, mais les mots demeurèrent coincés dans sa gorge. Elle s'était attendue à de la joie, quand elle reverrait son frère, et non à de la colère.

— Matt ? demanda-t-elle finalement en regardant son frère, qui était aussi grand fort et furieux que Caleb. Qu'est-ce qui ne va pas ?

— L'as-tu épousé ? fit-il.

La froideur du vent rappela à Willow que son blouson était détaché. Elle le reboutonna et se tint la tête haute malgré la rougeur qui s'étendait sur ses joues.

— Non, répondit-elle.

— T'es-tu fiancée à lui ?

L'air furieux, Caleb ouvrit la bouche pour parler.

Elle l'interrompit.

— Non.

— Bon sang! Et tu me demandes ce qui ne va pas. Qu'est-ce qui t'est arrivé, Willy? Que va dire Maman quand elle apprendra…?

— Maman est morte.

Reno écarquilla les yeux puis les ferma.

— Quand?

— Avant la fin de la guerre.

— Comment? demanda-t-il d'un ton brusque.

— Elle n'a jamais été très forte. Après la mort de Papa, elle a tout simplement abandonné.

— Où sont Rafe et…?

— Je l'ignore, le coupa sèchement Willow. Je n'ai vu aucun de mes frères depuis des années. La seule famille que j'avais vraiment, c'était ma mémoire.

L'expression de Reno se transforma, toute colère évacuée, ne laissant que de la tristesse. Il prit de nouveau sa sœur dans ses bras, et en posant sa joue contre les cheveux de Willow, il la berça doucement.

— Je suis désolé, Willy, dit-il. Je suis terriblement désolé. Si j'avais su, je serais revenu. Tu n'aurais pas dû subir ça toute seule.

Willow étouffa un petit cri, jeta ses bras autour de Reno et le tint ainsi. Caleb la regardait, les yeux plissés, se souvenant de l'instant où une fille à moitié endormie l'avait enlacé.

Matt? C'est vraiment toi? Ça fait si longtemps, et je me suis sentie tellement seule…

Après un long moment, Reno relâcha sa sœur, lui sécha les yeux avec son foulard sombre et lui embrassa la joue, puis il regarda Caleb par-dessus sa tête.

— Nous parlerons plus tard, lui promit-il sur un ton neutre. En ce moment il y a une dizaine d'hommes là-bas, et ils rêvent de mettre la main sur moi, sur Willow et sur son étalon. Ils aimeraient aussi avoir ta peau, mais ils vont devoir faire la file derrière moi.

— C'est quand tu veux. Je serai sur tes talons du début à la fin.

Le sourcil gauche de Reno se souleva, mais il ne dit rien, même quand Willow retourna vers Caleb, prit sa main droite dans les siennes et embrassa sa large paume avant d'entrelacer fermement leurs doigts. Elle ouvrit la bouche pour parler, mais avant qu'elle puisse le faire, Ishmael leva brusquement la tête. Ses oreilles se dressèrent, ses narines palpitèrent, et l'étalon huma le vent provenant du petit ravin parsemé de broussailles.

La main droite de Caleb se tendit, mais ses doigts étaient entremêlés à ceux de Willow. Reno n'avait pas un tel problème. Avec une vitesse foudroyante, un pistolet apparut dans sa main gauche. Willow le fixa, incapable de croire ce qu'elle venait de voir. Un instant, il se tenait debout, les mains à ses côtés, et l'instant suivant, il avait un pistolet armé pointé sur Caleb.

— Matt…? murmura-t-elle, ébahie.

Reno fit un geste bref de sa main droite, réduisant sa sœur au silence. Lentement, il commença à s'avancer vers eux. Caleb lui fit signe d'arrêter.

— Pas de coups de feu, dit-il d'une voix à peine audible. Il y a une façon plus silencieuse.

Il retira ses bottes, prit son long couteau et se glissa dans les broussailles en chaussettes, avec la souplesse silencieuse d'un couguar.

Reno perçut un mouvement chez Willow. Il la regarda tandis qu'elle prenait un fusil de chasse et venait se placer dos à lui. Ensemble, ils attendirent le retour de Caleb, chacun surveillant un chemin différent menant hors du ravin.

Pendant les longues minutes d'attentes, Reno eut le temps de constater à quel point sa sœur avait changé de diverses façons. La fille dont il se souvenait était un tourbillon de rires et d'espiègleries qui se fiait à ses frères plus âgés pour la protéger de l'humeur instable de leur père. La sœur qui se tenait dans son dos était une femme sérieuse prête à lutter pour défendre sa vie — et celle de son homme.

Willow n'eut aucunement conscience du temps qui s'était écoulé avant que le cri discret d'un loup atteigne le ravin, annonçant le retour de Caleb. Elle se tourna vers le son au moment même où il apparaissait et courut vers lui, ses yeux le couvrant comme des mains. Quand elle aperçut le sang sur son manteau, elle émit un petit bruit de détresse.

— Du calme, chérie. Je vais bien, dit Caleb en retirant le fusil de ses mains soudain tremblantes.

— Du sang, dit-elle.

— Ce n'est pas le mien, fit-il en l'embrassant férocement et en la tenant contre lui. Pas le mien.

Elle opina de la tête pour lui montrer qu'elle comprenait, et elle se serra contre lui.

Les yeux verts de Reno décelèrent immédiatement tous les courants entre sa sœur et l'homme au visage sévère qui la tenait avec une étonnante tendresse. À contrecœur, il admit que Wolfe avait eu raison — Caleb était un homme dur, voire impitoyable, mais il prenait soin des plus faibles que lui.

— Tout va bien, dit-il à Reno par-dessus la tête de Willow.

Reno fronça un sourcil noir.

— Combien ?

— Seulement un. Je m'apprêtais à le laisser aller, mais il a aperçu la piste des chevaux.

Willow ne demanda pas ce qui s'était passé. Elle n'avait aucun doute sur ce qui était arrivé à l'homme.

— Tu l'as reconnu ? demanda Reno.

Caleb acquiesça de la tête.

— Nous avons eu une altercation à Denver. Il a fait son choix. Ainsi soit-il.

Un sourire à moitié amusé et à moitié sauvage se dessina brièvement sur les lèvres de Reno.

— Wolfe avait raison à propos de ça aussi.

— À propos de quoi ?

— Tu es le genre d'homme qu'on trouve dans l'Ancien Testament. Est-ce que c'était Kid Coyote ?

— Non. Seulement un petit voleur de concessions de Californie.

Reno devint soudain immobile.

— Un voleur de concessions ?

— Parfaitement.

Le sourire de Caleb était mince comme la lame d'un couteau.

— Je suppose qu'il avait entendu parler d'un quelconque idiot qui avait trouvé de l'or par ici.

Reno jeta un regard froid en direction de Willow.

— Tu le lui as dit.

— Elle n'en a pas eu besoin, fit sèchement Caleb. Il n'y a qu'une seule raison pour qu'un homme risque sa vie sur ces sommets. La putain dorée.

— Il n'y a rien d'indigne à chercher de l'or, répliqua doucement Reno, sa voix basse et ses yeux clairs dans son visage bronzé. Les Indiens croyaient qu'il provenait des larmes du dieu solaire. J'ai tendance à être d'accord avec eux.

Caleb émit un son de dégoût.

— C'est plus probablement du liquide qui vient de plus bas sur le corps du dieu.

Il regarda Willow.

— Désolé, chérie. Je sais que vous êtes fatiguée, mais nous ferions mieux de trouver un autre campement. J'ai débarrassé le cheval du voleur de concessions de tout ce qu'il portait, et je l'ai envoyé courir vers le bas de la montagne, mais Jed Slater est un bon pisteur. Tôt ou tard, il va nous rattraper à moins que nous poursuivions notre route ou qu'il survienne une bonne averse.

— Il ne pleuvra pas ce soir, dit Reno.

— Peut-être au matin, fit Caleb en regardant le ciel.

— Peut-être, répondit Reno en haussant les épaules. Il n'y a rien que nous puissions y faire sauf partir d'ici. J'ai un campement tout près. Nous y attendrons Wolfe.

— Qu'est-ce que Wolfe fait par ici ?

— Il a commencé à s'inquiéter pour vous deux, dit Reno. Il y a environ trois semaines, il est apparu à mon campement et m'a dit que tu m'amenais ma « femme » et que tu pourrais avoir besoin de toute l'aide que tu pourrais obtenir.

Silencieusement, Caleb absorba le fait que Wolfe avait su où se cachait Matt Moran et ne lui en avait rien dit.

Reno et toi êtes de la même trempe.

Caleb s'avoua avec regret que Wolfe avait eu raison sur ce point. Reno dégainait plus vite et avec plus de calme que n'importe quel homme qu'avait connu Caleb. La possibilité que l'un ou l'autre survive à un duel sans blessures graves et puisse aider Willow à sortir des montagnes était sacrément mince.

Et s'ils mouraient, elle mourrait. Mais lentement et de manière atroce. Elle mourrait cruellement aux mains des hors-la-loi pour qui son rire, sa vivacité d'esprit et son courage ne représentaient rien.

— Où est Wolfe, maintenant ? demanda Caleb.

— Là-bas, occupé à suivre Slater. Il s'est dit que si Slater vous trouvait avant moi, vous auriez besoin d'aide. S'il avait su que tu allais profiter de l'innocence de Willow…

Reno ravala un juron et regarda le pistolet dans sa main avant de poursuivre :

— Wolfe serait venu te chercher avec un fouet. Il était si sûr que tu étais un homme honnête, honorable. À ma connaissance, c'est la première fois qu'il a tort.

Willow respirait difficilement, mais avant qu'elle puisse parler, Caleb intervint.

— Tu n'es pas en mesure de jeter la pierre à quiconque pour ce qui est de séduire des filles innocentes, et tu le sais fort bien, dit-il d'une voix féroce. Maintenant, allons-nous partir d'ici, ou prévois-tu attendre que Slater nous trouve et que ses hommes commencent à nous abattre l'un après l'autre ? Ou peut-être prévois-tu te servir de ce pistolet contre moi maintenant en te fichant de la sécurité de Willow ?

Reno rengaina son six-coups d'un geste habile.

— Je vais attendre, mais Slater ne le fera pas. Partons.

Le campement temporaire de Reno était si bien camouflé que Willow se demanda comment il avait pu trouver cet endroit au départ. Le ravin étroit et rempli de sapins et de trembles qui s'ouvrait sur un ruisseau rapide paraissait infranchissable, et il n'y avait aucune raison évidente pour qu'on veuille en forcer le passage et déboucher dans le ravin. Il y avait de nombreux couloirs semblables sur le flanc de la montagne, des endroits où l'eau ne provenait que de la fonte des neiges ou ne coulait qu'après une tempête particulièrement violente. Il n'y avait rien qui semblait différent à propos de ce ravin en particulier. Il n'y avait absolument aucune raison de croire qu'il finirait par s'ouvrir sur un petit replat élevé où une partie du flanc de la montagne s'était séparée de la masse de pierre principale.

Avant de pénétrer dans le ravin, ils avaient conduit les chevaux dans le ruisseau de montagne glacé sur plus de 400 mètres en espérant semer leurs poursuivants, mais rien ne pouvait dissimuler complètement le passage des huit chevaux à part le temps et une bonne averse.

Il n'y avait pas de piste menant au ravin ni de broussailles brisées ou d'arbres égratignés pour marquer le passage d'un homme. Reno descendit de cheval et marcha jusqu'à l'entrée du ravin, puis il dénoua les lanières discrètement tendues entre deux sapins. Les troncs des sapins poussaient presque parallèlement au sol, un vestige du poids écrasant d'une neige profonde en hiver. Aussitôt que les lanières furent détachées, les deux arbres s'écartèrent en révélant un passage obscur débouchant dans le ravin.

— Vous devrez marcher pour parcourir le reste du chemin, dit Reno.

Caleb descendit de cheval à son tour et partit aider Willow. Avant qu'il l'atteigne, Reno l'avait déjà fait descendre de selle. Ce n'était pas la première fois qu'il s'était placé entre sa sœur et l'homme qui était de toute évidence son amant plutôt que son mari.

Caleb plissa les lèvres avec un air de colère, mais il ne dit rien. Il ne voulait pas que Willow soit présente quand Reno et lui régleraient le sujet des sœurs et des séducteurs.

Œil pour œil, dent pour dent.

Dans cette situation, la justice élémentaire empêchait malheureusement Caleb de se sentir mieux à propos de son rôle de séducteur.

Je vous supplie maintenant, Caleb. N'arrêtez pas. Si vous cessez de me caresser, je vais mourir.

Il se demanda s'il en avait été ainsi pour Rebecca, si elle avait éprouvé un désir si vif qu'elle avait supplié Reno. Celui-ci avait-il essayé de s'écarter de Rebecca seulement pour découvrir qu'il ne le pouvait pas ?

Willow. Repoussez-moi. Bon sang, ne faites pas ça, Willow.

Je ne peux pas m'en empêcher. Je vous ai désiré toute ma vie sans même le savoir. Je vous aime, Caleb… Je vous aime.

Il ferma les yeux et pencha la tête tandis que les souvenirs lui revenaient du paradis et de l'enfer entremêlés.

Je vous fais mal ?

Non. C'est bon… tellement bon. C'est comme voler dans les airs. N'arrêtez pas… n'arrêtez jamais !

Et il n'avait pas arrêté.

Quand il ouvrit les yeux, Reno l'observait, remarquant que Caleb serrait si fortement les rênes que le cuir se tordait. Et le frère de Willow vit aussi les yeux sauvages, couleur de whiskey, où le ravissement et le supplice s'entremêlaient comme la flamme et l'obscurité.

Brusquement, Reno fit signe à Caleb de commencer à mener les chevaux à travers l'étroit passage.

Quand tous les chevaux se retrouvèrent dans la minuscule vallée, Caleb et Reno retournèrent effacer toute trace qu'aurait pu laisser le passage de tant de chevaux. Au moment où ils revinrent au camp, le soleil se couchait. Willow était en train d'attacher le dernier cheval dans l'herbe épaisse de la vallée. Quand Caleb et Reno entrèrent dans le campement, elle s'étonna de la similarité entre les deux hommes. Tous deux avaient de larges épaules, tous deux avaient de longs membres et tous deux bougeaient avec la coordination musculaire d'animaux en parfaite santé.

Elle se souvint de la rapidité de Reno avec un pistolet et se dit que les deux hommes étaient également semblables sur un autre point. Ils étaient tous deux dangereux.

Et elle eut peur.

— Caleb, dit-elle, je suis inquiète à propos des fers sur mes pur-sang. Pourriez-vous les vérifier pour moi ?

Caleb sembla surpris un moment, mais il ne dit rien. Même s'il aidait toujours Willow avec ses chevaux, c'était la première fois qu'elle le lui demandait.

— Bien sûr.

Il jeta un bref coup d'œil à Reno, puis retourna son attention vers Willow et lui caressa doucement la joue du bout des doigts.

— Je ne serai pas loin, chérie. Si vous vous fatiguez de sa compagnie, venez me chercher.

Elle sourit malgré sa peur.

— Tout ira bien.

Reno attendit que Caleb se soit éloigné avant de se tourner vers sa sœur.

— OK, Willy. Bon sang, qu'est-ce qui s'est passé ?

En voyant le regard glacial de son frère, Willow comprit à quel point il avait dissimulé sa rage. D'un air hébété, elle se demanda par où commencer.

— Tu te souviens des soirées d'été? lui demanda-t-elle d'une voix basse et rauque. Tu te souviens des repas où la table débordait de nourriture, où l'air était rempli de conversations et où Rafe et toi essayiez d'être le premier à me faire éclater de rire? Tu te souviens du son des grillons et de l'odeur du foin fraîchement coupé?

— Willy…

Elle continua de parler malgré la tentative d'interruption de Reno.

— Tu te souviens des chaudes soirées quand les hommes de la famille s'assoyaient sur la véranda et parlaient de chevaux de race, de récoltes et de lieux lointains? Tu te souviens que je me faufilais puis m'assoyais pour vous écouter et que vous faisiez aussi semblant que je n'étais pas là parce que les filles n'étaient pas censées se préoccuper de chevaux, de récoltes et d'endroits lointains?

— Qu'est-ce que ça a à voir avec…?

— *Tu t'en souviens?* demanda Willow d'une voix qui tremblait d'une émotion réprimée.

— Bon sang, oui, je m'en souviens.

— C'était tout ce que j'avais. Ces souvenirs, de même qu'une boîte remplie de billets yankees et de titres provisoires des Confédérés qui n'étaient d'aucune utilité sauf pour allumer des feux. La lune se levait toujours, mais les champs de fourrage et les enclos de clôtures blanches avaient disparu. La véranda et la maison avaient été brûlées par une nuit d'hiver. La petite église où maman et papa s'étaient mariés et où nous avions tous été baptisés avait brûlé aussi, et il n'en restait rien d'autre que des pierres angulaires brisées qui ressemblaient à des fantômes à travers les mauvaises herbes.

— Willy, commença Reno d'une voix triste, mais elle n'allait pas le laisser parler.

— Non. Laisse-moi finir, Matthew. Je ne pouvais pas vivre de souvenirs. Je suis une fille, mais j'ai des rêves, moi aussi. J'ai gardé toutes tes lettres. Quand la dernière m'est parvenue, celle où tu demandais de l'aide, j'ai vendu ce qu'il restait de la terre en ruine avant d'écrire à monsieur Edwards, et je suis partie pour l'Ouest. J'avais tout juste assez d'argent pour le voyage. Caleb Black a accepté de me guider jusqu'aux monts San Juan.

Elle sourit tristement avant d'ajouter :

— Mais je ne peux pas lui verser les 50 dollars que je lui ai promis.

— C'est ça qui s'est produit ? T'es-tu vendue seulement pour… ? commença Reno d'une voix dure.

— Non ! l'interrompit Willow.

Puis elle répéta plus calmement :

— Non.

Elle ferma les yeux pendant un moment avant de les ouvrir et de regarder son frère sans broncher.

— J'aurais aimé que Caleb puisse venir me faire la cour sur une ferme de Virginie-Occidentale. Il aurait complimenté Papa à propos de ses chevaux de race et Maman sur la façon dont elle jouait de l'épinette, et il m'aurait fait des compliments sur mes tartes. Après le dîner, il se serait assis sur la véranda pour bavarder avec mes frères à propos de récoltes, de chevaux et de température…

Reno ouvrit la bouche, mais découvrit qu'il ne trouvait aucun mot qui puisse égaler le désir ardent dans les yeux de Willow.

— Mais les choses ne se sont pas passées comme ça, dit-elle. Maman et Papa sont morts, presque tous les chevaux ont disparu, la terre est en ruine et mes frères se sont dispersés sur la surface de la planète.

Reno tendit une main vers Willow, mais elle s'éloigna.

— J'ignore ce que l'avenir me réserve, dit-elle d'une voix basse. Mais je sais une chose : si je le dois, je vais m'éloigner du passé comme un serpent qui se débarrasse de sa peau. De tout le passé, Matthew. Même de toi.

— Willy… murmura Reno, les bras tendus. Ne t'éloigne pas de moi.

Avec un sanglot étouffé, Willow se fondit dans les bras de son frère, lui rendant son étreinte.

— Tout ira bien, dit-il en fermant les yeux pour qu'elle n'y voie pas sa froide résolution. Tout ira bien, Willy. Je vais m'en occuper.

Quand Caleb revint au campement, il trouva Willow qui sortait le reste de la viande séchée qu'ils avaient préparée pendant leur séjour dans la petite vallée. Reno en prit un morceau, le mâcha et émit un son de surprise.

— De la viande de cerf.

Willow acquiesça.

— Nous l'avons fumée dans la vallée pendant que Deuce récupérait de sa blessure.

— Je suis surpris que Caleb ait pris le risque d'abattre un cerf à la carabine.

— Je ne l'ai pas fait, dit Caleb de derrière Reno. Je l'ai traqué, puis je lui ai tranché la gorge.

Reno se retourna à une vitesse surprenante. Il haussa un sourcil, étonné.

— Tu es très silencieux pour un homme de ta taille. Je m'en souviendrai.

— Pourquoi ? demanda Willow sur un ton acerbe. Tu n'es pas un cerf.

Le sourire que Reno adressa à Caleb n'avait rien de rassurant, et il n'était pas censé l'être. Mais quand il se retourna vers Willow, son sourire se fit gentil.

— Allez, fais un petit feu, dit-il. Il y a longtemps que je n'ai pas mangé un bon biscuit. Même quand tu étais une enfant, tu faisais les meilleurs biscuits que j'aie mangés de ma vie.

— Tu en es sûr ? demanda Willow en levant les yeux vers lui.

— Sacrément sûr. J'avais l'habitude de revenir des champs pour le dîner en reniflant le vent comme un des chiens de Papa. Si je sentais des biscuits, je courais à la cuisine et en cachais tout plein avant que Rafe arrive. Je n'ai jamais pu en manger autant que lui d'un seul coup.

Willow éclata de rire à ce souvenir, puis sa joie disparut alors qu'elle se rappelait un temps révolu et les gens disparus avec lui.

— Ce que je voulais savoir, c'est si tu étais sûr à propos du feu. Il n'y a pas de danger ?

— Ce soir, non. Demain soir ? fit-il en haussant les épaules. Fais-en beaucoup, Willy. Ce pourrait être long avant que nous puissions faire un autre feu.

— D'accord.

Sans s'adresser la parole, Caleb et Reno regardèrent Willow préparer le feu. Quand la nourriture fut prête, les deux hommes mangèrent rapidement et ne laissèrent aucun reste. Ensuite, quand Reno commença à poser des questions à propos des affaires de famille, Caleb se leva et s'éloigna du petit feu pour faire un lit. Les voix assourdies du frère et de la sœur le suivirent dans l'obscurité, les doux rires et les paroles murmurées lui rappelant un temps qui ne reviendrait jamais.

En constatant à quel point Willow aimait son frère, Caleb éprouva dans tout son corps un frisson qui annihila l'espoir qu'elle puisse comprendre ce qu'il avait le devoir de faire. Elle n'avait jamais connu le côté négligent de Reno, celui qui lui permettait de prendre ses aises au détriment de gens plus faibles. Wolfe ne l'avait pas vu non plus. Seule Rebecca s'en était rendu compte, et elle l'avait payé de sa vie et de celle de sa petite fille. L'air maussade, Caleb coupa et empila des branches de sapin derrière de petits arbres qui protégeaient du vent. À un certain moment, il prit conscience du silence de la nuit que ne brisait aucun autre murmure que celui du vent et du minuscule ruisseau. Quelques instants plus tard, il sentit Reno se diriger presque sans bruit vers lui.

Caleb se retourna avec l'agilité silencieuse d'un serpent qui attaquait. Reno se tenait debout sous la lumière de la lune à l'orée du pré, regardant le lit qu'avait fait Caleb.

— Où vas-tu dormir ? demanda Reno d'un ton glacial.

— Ici.

— Tu n'as pas l'air d'un homme qui a besoin d'un matelas.

— Willow aime ça. Derrière toute sa détermination, c'est une jeune femme qui aime son confort.

Même la clarté de la lune ne pouvait dissimuler la colère sur le visage de Reno.

— Ne me provoque pas, fils de pute.

Caleb lui adressa un sourire sauvage.

— Si tu n'aimes pas te faire provoquer, écarte-toi de mon chemin.

Il s'approcha de Reno avec la démarche silencieuse d'un prédateur et dit :

— J'espérais que Willow s'endorme avant que nous ayons notre conversation, mais ainsi soit-il.

— Je devrais te tuer.

— Tu pourrais essayer, proposa Caleb.

Sa voix débordait d'une violence à peine réprimée. L'idée qu'un vil séducteur comme Reno s'érige en protecteur de la vertu de sa petite sœur rendait Caleb furieux, mais il ne pouvait rien dire, parce que Reno réagissait simplement comme l'avait fait Caleb quand il s'était agi de la vertu de sa propre sœur.

De toute façon, il avait fait de même en séduisant la jeune sœur innocente de Reno.

Œil pour œil, dent pour dent, vie pour vie.

Cette pensée ne rassura pas Caleb.

Reno l'observait avec des yeux que la froide lueur de la lune rendait argentés.

— Un coup de feu, et Slater nous tombera dessus comme une pluie froide, dit-il.

— C'est pour ça que tu es toujours en vie. Je ne veux pas mettre Willow en danger pour un serpent comme toi.

La haine intense dans la voix de Caleb ébranla Reno autant qu'elle l'intrigua.

— Je sais pourquoi j'aimerais te tuer, dit Reno lentement, mais j'ignore pourquoi tu veux me tuer. Il y a une autre raison que Willow, n'est-ce pas ?

— Oui.

Puis Caleb se mit à respirer difficilement en comprenant que ce n'était pas vrai. Ça ne l'était plus. Il ne lui restait que très peu de temps avec Willow. Il allait se battre pour chaque minute de ce temps de toutes ses forces et de toutes les façons à condition de ne pas la mettre en danger.

— Ne te mets pas entre Willow et moi, Reno. Tu ne feras que te blesser, et ça la blessera aussi. Mais elle est mienne. Si elle veut dormir près de moi, elle le fera.

La voix de Willow se fit entendre doucement près du feu.

— Caleb? Matt? Il y a quelque chose qui ne va pas avec les chevaux?

— Ils vont bien, chérie, lui répondit Caleb.

— Êtes-vous trop fatigué pour jouer de l'harmonica? Matt a une magnifique voix.

— Je serais heureux d'en jouer pour vous.

Reno adressa à Caleb un regard étincelant de frustration et dit d'une voix basse :

— Quand elle dormira, nous allons parler.

— Tu peux compter là-dessus.

Caleb passa à côté de Reno et marcha vers le petit feu et la fille qui se tenait debout en souriant et en tendant les mains, le regardant avec un mélange d'inquiétude et de soulagement. Elle était mal à l'aise chaque fois que son frère et Caleb se retrouvaient seuls.

— Êtes-vous sûr de ne pas être trop fatigué? lui demanda-t-elle.

Il lui appliqua sur les lèvres un baiser à la fois rapide et ardent.

— Je ne suis jamais trop fatigué pour vous faire plaisir.

Willow l'enlaça et murmura rapidement :

— Matt veut mon bien. S'il vous plaît, ne soyez pas fâché.

Caleb la serra doucement puis la relâcha et s'assit non loin du feu. Avant qu'elle puisse ajouter quoi que ce soit, les notes obsédantes d'une vieille ballade s'élevèrent au-dessus des flammes, une chanson qui racontait la certitude qu'avait une jeune fille d'avoir trouvé l'amour de sa vie.

Après quelques secondes, Caleb s'arrêta. Il n'avait pas su ce qu'il allait jouer jusqu'à ce qu'il entende les notes. Son cœur se serra devant le tour cruel que lui avait joué son esprit. C'était une des chansons préférées de Rebecca, car elle racontait l'histoire d'une fille amoureuse songeant à l'avenir qui serait bientôt le sien.

Je sais où je vais.

Je sais qui m'accompagne.

Willow et Matt fredonnèrent en harmonie une mélodie d'autant plus douce qu'elle était simple. La beauté de la voix de Willow étonna Caleb, car elle n'avait jamais chanté quand il avait joué de l'harmonica dans la vallée. Elle s'était couchée en boule près de lui et avait fixé le feu avec un sourire rêveur sur les lèvres.

La chanson suivante que joua Caleb était aussi une ballade sentimentale, mais la femme partait en laissant l'homme face à un avenir sans enfant et sans tendresse féminine. Dans la troisième ballade, c'était l'homme qui était volage et la femme qui pleurait sur son sort. Sans hésiter, Reno et Willow chantèrent chaque ballade, leurs voix se mêlant sans effort, parce que la famille Moran avait passé de nombreuses soirées glaciales d'hiver à chanter devant un feu.

La sœur et le frère se turent progressivement au milieu de la quatrième ballade, la complainte d'un homme déchiré entre le devoir et l'amour, condamné quoi qu'il fasse. La voix aux modulations infinies de l'harmonica se lamentait en des accords qu'aucune voix humaine n'aurait pu égaler.

Willow écoutait et sentait des frissons courir sur sa peau. Elle avait souvent entendu cette chanson, l'avait souvent chantée quand elle était jeune, et elle avait alors souri, car les paroles tragiques avaient seulement rendu sa vie plus douce par contraste. Mais cette fois, quand la dernière note retentit et que le silence se fit, il n'y avait aucune joie en elle. Des larmes lui montèrent aux yeux et tracèrent des sillons argentés le long de ses joues.

Silencieusement, Caleb se leva et lui tendit la main. Elle se leva et la prit sans mot dire. Il se sentit envahi de soulagement. Ce n'est qu'à ce moment qu'il se rendit compte à quel point il avait eu peur que Willow ne vienne pas à lui en présence de son frère.

— Bonne nuit, Matt, dit-elle.

Reno opina brusquement de la tête, car il ne se faisait pas assez confiance pour parler. S'il n'avait pas vu l'amour sincère dans les yeux de Willow quand elle regardait Caleb, il aurait sauté à la gorge de l'homme, mais il n'y avait aucun doute quant à cet amour. Il avait la rage au cœur en songeant au fait que Willow avait perdu son innocence, mais il ne pouvait rien y faire, et il ne voulait pas réduire son bonheur à néant, car elle en avait eu très peu ces dernières années.

Tout à coup, Reno éprouva une certaine sympathie pour l'homme de la ballade coincé entre le devoir et l'amour. Reno aussi était pris dans un dilemme, et aucune solution n'était satisfaisante.

Caleb se tint debout près du lit qu'il avait fait et écouta pendant un long moment. Il n'entendit aucun son derrière eux. Reno était un homme de parole — il n'allait rien provoquer jusqu'à ce que sa sœur soit endormie.

— Ça va, dit-elle en retirant ses bottes et son blouson, qu'elle glissa sous les couvertures. Matt n'est pas content, mais il a accepté ça.

— Je ne le pense pas, ma chérie, dit Caleb en s'étirant sous les couvertures.

Mais au moment où Willow allait répondre, il l'embrassa passionnément. Quand il releva la tête, ce ne fut que pour l'embrasser encore et encore, comme si elle était une source et qu'il avait été trop longtemps privé d'eau.

— Caleb, murmura-t-elle, tremblante. Qu'y a-t-il? Qu'est-ce qui ne va pas?

Il ne répondit que par un autre baiser obsédant, puis par un autre encore, jusqu'à ce que Willow en oublie sa question. Elle ne pouvait sentir que la retenue et le désir luttant dans le corps de Caleb. Il la tenait délicatement d'une manière protectrice plutôt qu'exigeante. Après chaque baiser, il savait qu'il devrait s'arrêter. Il ne voulait pas voir Reno regarder Willow au matin en sachant qu'elle s'était accouplée avec Caleb la nuit précédente. Il ne voulait pas que Willow ait honte.

Pourtant, il la désirait plus que jamais auparavant.

Finalement, il leva légèrement la tête, juste assez pour pouvoir parler sans perdre le contact avec les lèvres de Willow.

— Nous devrions dormir.

— Oui, tôt ou tard.

— Willow, murmura Caleb en faisant glisser ses mains le long de son corps parce qu'il la désirait trop pour le nier. Me désirez-vous?

— Oui, souffla-t-elle dans sa bouche. Je vous désirerai toujours, Caleb. Je vous aime.

Les paroles de Willow se terminèrent en un doux gémissement de plaisir tandis que Caleb prenait encore possession de sa bouche. Malgré le désir fou qu'il éprouvait, le baiser était tendre et lent, un tendre échange qui présageait l'union plus profonde à venir. Ses mains s'agitèrent sur elle alors qu'il lui retirait ses vêtements, la réchauffant davantage par ses caresses. Ce fut la même chose pour son propre corps, ses vêtements écartés par les mains de Willow, la peau de celles-ci chaude et lisse contre la sienne.

Des sensations à la fois familières et constamment renouvelées la traversèrent : la chaleur sensuelle du baiser de Caleb, le doux crissement de sa barbe contre ses cuisses, les caresses exquises en elle, sa bouche la consumant. Quand il lui demanda sa passion, elle la lui accorda, les immolant tous les deux dans le feu qu'il exigeait d'elle à chaque caresse, à chaque glissement intime de sa langue et de ses doigts. Quand elle ne put en supporter davantage, elle se laissa aller à l'extase. Il posa une main sur sa bouche, atténuant ses petits cris de satisfaction sauvages.

Finalement, Caleb retira sa main et embrassa doucement Willow, mais il ne fit rien pour joindre son corps au sien.

— Caleb, murmura Willow. Ne me désirez-vous pas ?

— Je...

Il eut le souffle coupé quand les mains de Willow le trouvèrent et le tinrent délicatement captif comme elle-même l'avait été.

— Vous me surprenez toujours, murmura-t-elle en faisant glisser sa main le long de son sexe. Tellement lisse. Tellement dur.

— Et vous êtes si douce, dit-il tandis que ses doigts caressaient sa chair réceptive. Je vous veux, Willow. Davantage chaque fois. *Je vous veux.*

Frémissant de plaisir, Willow regarda le visage éclairé par la lune de l'homme qu'elle aimait pendant qu'il prenait l'offrande de son corps, donnant le sien en retour jusqu'à ce qu'ils soient complètement unis.

— C'est sans cesse meilleur, murmura-t-elle.

Avec chaque minuscule mouvement, il sentait les petits frissons de son amante, une attente tremblante et irradiante qu'il éprouvait également. Il sentit le souffle chaud de Willow contre sa bouche, goûta son doux baiser, vit ses yeux le regarder avec passion et sentit la tension s'accroître encore une fois dans le corps de la femme qu'il aimait. Malgré les griffes cruelles du besoin qui le déchiraient, il bougea doucement en elle, allant et venant lentement, souhaitant lui donner plus de plaisir qu'elle n'en avait connu dans son étreinte.

Les petits cris de Willow ne dépassèrent pas les lèvres de Caleb tandis qu'elle jouissait sous lui, encore une fois prisonnière de l'extase. Il continua à se mouvoir lentement, à la caresser de tout son corps, à l'aimer délicatement et incessamment, provoquant en elle un incendie qui brûlait encore, provoqué par une tendre tempête de ravissement.

— Caleb, murmura-t-elle, je…

Son corps s'arqua tandis que le plaisir la traversait.

— Encore, murmura Caleb. Encore, Willow. Jusqu'à ce qu'il n'y ait plus rien d'autre que vous et moi. Aucun frère, aucune sœur. Aucun passé. Aucun avenir. Seulement nous et le genre de plaisir dont on peut mourir.

Willow ouvrit les yeux alors qu'une douce violence la brûlait vive. Elle essaya en vain de parler. Elle n'avait plus de voix, plus de pensées, plus de passé, plus d'avenir; il n'y avait plus que Caleb et le genre de plaisir dont elle aurait pu mourir.

Chapitre 16

Willow se mit à bouger, tirée de ses rêves par l'absence de la chaleur de Caleb. Ensommeillée, elle s'assit. Au moment même où elle allait l'appeler, elle entendit sa voix provenant de la direction du feu de camp où son frère avait fait son lit. La voix de Reno répondit. Aucun des deux ne semblait amical. La peur s'empara brusquement d'elle, éliminant toute possibilité qu'elle puisse se rendormir. Elle commença à s'habiller rapidement, car elle craignait l'altercation qui pourrait s'ensuivre si elle laissait Caleb et son frère seuls.

— Tu as sacrément pris ton temps, dit Reno.

— Je voulais être sûr.

— Tu parles, répondit Reno sur un ton sarcastique. Est-ce qu'elle s'est finalement endormie ?

— Baisse le ton si tu veux qu'elle le reste.

— Ne me dis pas quoi faire, espèce de fils de pute. Je n'accepte pas d'ordres de la part de gens comme toi.

— Quand il s'agit de Willow, tu le fais, répondit Caleb d'une voix aussi dure que celle de Reno.

Celui-ci bougea brusquement sous la lumière argentée de la lune. Chaque muscle de son corps se préparait à frapper Caleb.

— Tu ferais mieux de te préparer à amener Willow devant un pasteur au plus vite, fit Reno. Si tu n'aimes pas cette idée, tu peux tout de suite porter la main sur ton six-coups. Franchement, j'aimerais que tu le fasses.

— Ne sois pas idiot, dit froidement Caleb. Au premier coup de feu, la bande de Slater va nous tomber dessus. Et même si nous sommes silencieux comme les pierres, nous avons laissé un tas de traces. Slater n'est pas un imbécile. Il se rapproche de nous sans arrêt. Il faudra que nous soyons au moins tous les deux pour nous libérer de lui à coups de pistolets.

— Ce sera mon problème et non le tien, parce que tu seras mort.

— Et Willow? demanda sèchement Caleb. Sais-tu ce que lui ferait la bande de Slater?

— La même chose que tu lui as faite.

La rage s'insinua dans le corps de Caleb, mettant à l'épreuve sa maîtrise de soi.

— Je n'ai pas violé Willow. Elle le voulait tout autant que moi.

— La ferme, répondit Reno d'un ton sec.

— Non, dit Caleb d'une voix neutre. Je suis fatigué de t'entendre parler comme si tu n'avais jamais couché avec une fille.

— Je n'ai jamais séduit une vierge!

— Menteur.

Caleb fit un pas menaçant vers l'autre homme avant de réussir à se maîtriser de nouveau.

— Ma sœur était aussi innocente que Willow, dit-il d'une voix basse, sauvage. Tu as séduit ma sœur, tu l'as abandonnée, et elle a passé ses journées à pleurer et à surveiller la route en attendant l'homme qui avait dit qu'il l'aimait et qu'il reviendrait l'épouser. Il n'est pas revenu et, de toute évidence, il ne l'aimait pas. Tout ce qu'il aimait, c'était le plaisir qu'il retirait entre ses jambes, et n'importe quelle femme pouvait le lui donner. Quand la fièvre de l'or l'a gagné, il l'a quittée sans jamais se retourner.

À trois mètres d'eux, Willow se tenait figée dans l'obscurité, mordant sa propre main pour éviter de pleurer à cause de la douleur qui croissait en elle à chaque parole qu'elle entendait.

Tu as séduit ma sœur, tu l'as abandonnée…

De toute évidence, il ne l'aimait pas. Tout ce qu'il aimait, c'était le plaisir qu'il retirait entre ses jambes, et n'importe quelle femme pouvait le lui donner.

— Ma sœur est morte après avoir donné naissance à ton bâtard, dit Caleb, ses yeux promettant une vengeance pour cette mort.

Reno vit la fureur à peine contrôlée de Caleb, et il n'eut aucun doute sur le fait qu'il disait ce qu'il croyait être la vérité.

Mais lui-même savait que ce ne l'était pas.

— Quand? demanda-t-il sur un ton neutre.

— L'année dernière.

— Où?

— Écoute, tu…

— Où? l'interrompit de nouveau Reno.

Ce qu'il voulait vraiment savoir, c'était le nom de la fille, mais il savait que s'il le demandait, Caleb porterait la main à son arme. Une minute avant, il aurait été heureux de provoquer le combat.

Mais pas maintenant.

Caleb avait raison. Tant que Slater et ses hommes étaient dans les environs, la personne qui perdrait réellement après un combat, ce serait Willow.

— Le territoire de l'Arizona, fit Caleb sur un ton tranchant.

Reno écarquilla les yeux tandis qu'il rassemblait les faits.

— Tu es l'Homme de Yuma.

— C'est exact, Reno. Je suis à ta poursuite depuis un bon moment.

Willow tressaillit en entendant la haine dans la voix de Caleb. Elle se souvint d'une chose qu'Eddy avait dite à propos d'informer Caleb s'il entendait quoi que ce soit concernant un homme du nom de Reno. Une nouvelle crainte s'empara de Willow, une peur si grande que la jeune femme pouvait à peine respirer.

Caleb sait-il depuis le début que mon frère se fait appeler Reno ? Est-ce pour cette raison qu'il m'a séduite ? Œil pour œil…

Willow se sentit transpercée d'une douleur aussi profonde que son amour. Elle pria pour que Caleb n'ait pas connu le surnom de son frère avant ce soir-là.

— Tu as tout faux, Homme de Yuma. Je n'ai jamais touché ta sœur. Mais Marty l'a fait. Il était fou d'elle.

Un silence tendu s'installa pendant que les deux hommes se mesuraient par-dessus les cendres d'un feu de camp éteint. La tentation de croire Reno était si grande que Caleb en trembla, lui révélant à quel point il ne voulait pas tuer le frère de Willow.

— Qui est Marty ? demanda-t-il doucement.

— Martin Busher, mon partenaire. En tout cas, il l'était jusqu'à ce qu'il rencontre Becky Black. J'ai vu la tournure que prenaient les événements, et je suis parti.

— Où est-il maintenant ?

— Il est mort.

Caleb poussa un long soupir.

— Tu en es sûr ?

— Il était censé me rencontrer ici il y a environ huit mois, répondit Reno. Nous devions aller prospecter, et il n'est jamais venu. J'ai attendu deux semaines, puis j'y suis allé tout seul. Je me suis dit qu'il s'était marié et s'était installé quelque part.

L'expression de Reno se fit plus dure, puis il poursuivit :

— Un jour, j'ai entendu des coups de feu. Je suis allé voir. Quand je suis arrivé, le combat était fini. Marty était mort.

— Les Utes ?

— Probablement. Aucun des chevaux n'était ferré.

Caleb hésita avant de mettre lentement la main gauche dans sa poche, s'assurant que chaque geste était illuminé par la clarté de la lune.

— Ne t'emballe pas, Reno. Ce n'est pas la main avec laquelle je tire. J'ai quelque chose à te montrer.

Reno savait d'après la réputation de Caleb et pour l'avoir observé qu'il tirait effectivement de la main droite, mais il l'observa quand même attentivement. Plus d'un homme était mort en surveillant la mauvaise main.

Tout ce qui sortit de la poche de Caleb fut le médaillon doré. Du pouce gauche, il l'ouvrit.

— Craque une allumette, dit-il.

Reno s'exécuta en se servant de sa main droite parce qu'il tirait de la gauche.

Le métal doré s'illumina, reflétant la lueur de l'allumette. Willow vit le médaillon et se souvint du moment où Caleb le lui avait montré en lui demandant si la photo à l'intérieur montrait les parents de son « mari ». L'angoisse l'envahit, l'empêchant presque de respirer. Elle émit un petit cri et fit ce qu'elle avait fait pendant la guerre quand elle était cachée et que des hommes s'étaient tellement approchés d'elle que la peur avait failli la submerger : elle se mordit la main jusqu'à ce que la douleur lui rende sa maîtrise de soi.

— Tu les reconnais ? demanda Caleb.

Reno jeta un rapide coup d'œil à la photographie. C'était tout ce dont il avait besoin.

— Il doit s'agir des parents de Marty.

— Il « doit » s'agir d'eux ? Pourquoi ?

— Les oreilles, répondit brièvement Reno. Marty aurait pu faire honte à un éléphant.

Caleb émit un son étouffé, entre le rire et le soulagement, mais il ne comprenait toujours pas ce qui s'était produit pour qu'il se lance sur la piste du mauvais homme.

— Quand j'ai demandé à Becky qui était le père, elle m'a dit qu'il se faisait appeler Reno et que son vrai nom était Matthew Moran.

Les paroles se répercutèrent dans l'esprit de Willow, ses pires craintes calmement exprimées par l'homme qu'elle aimait.

L'homme qui ne l'aimait pas.

L'homme qui avait pourchassé Matthew Moran, surnommé Reno. Mais Caleb n'avait pas trouvé Reno, alors il s'était servi de ce qu'il avait eu sous la main, c'est-à-dire une fille qui pourrait le mener à Reno.

Un frisson la parcourut lorsqu'elle comprit que Caleb était effectivement ce qu'il lui avait semblé être à Denver : un ange de la vengeance.

Œil pour œil, dent pour dent.

Sœur pour sœur.

Le léger goût de sel et de cuivre du sang de Willow se répandit dans sa bouche, mais la douleur à sa main n'était rien par rapport au froid constat du fait qu'elle avait été séduite afin de rééquilibrer les plateaux impitoyables d'une justice qui était aussi dure que Caleb Black.

— Becky a dit que son amant lui avait donné le médaillon quand il était parti faire fortune en cherchant de l'or.

Reno réprima un juron.

— Ta sœur t'a menti à propos de moi, Homme de Yuma.

— Je commence à le penser, acquiesça calmement Caleb. Mais pourquoi ?

— Qu'allais-tu faire en retrouvant le séducteur de ta sœur ?

— Le tabasser puis l'amener devant un pasteur avec Rebecca, lui dit Caleb.

Reno sourit tristement.

— J'aurais fait exactement pareil. Savait-elle ce que tu allais faire ?

— Elle me connaissait.

— Alors, elle essayait probablement de protéger son amant, même s'il était comme ça. Marty n'avait pas plus de 17 ans. C'était un bon garçon, mais il n'était pas à la hauteur contre toi.

Reno sourit sauvagement.

— Mais moi, je le suis, ajouta-t-il. Je sais précisément quoi faire avec un homme qui s'impose à une fille innocente.

— Je n'ai pas forcé Willow à faire quoi que ce soit, et tu le sais.

— Tu mens, Homme de Yuma. Tu étais seul avec elle. Elle était à ta merci, et tu…

— Dis-le-lui, Willow, l'interrompit Caleb d'une voix cinglante.

Sans quitter Reno des yeux, Caleb tendit la main gauche à la jeune femme qui se tenait immobile dans l'obscurité en essayant de ne faire aucun bruit. Caleb avait voulu éviter cela à Willow, mais il était trop tard, maintenant.

— Dis à ton frère comment c'était entre nous dès le départ, fit-il.

— Éloigne-toi de lui, Willy.

Sans un mot, Willow extirpa la main de sa bouche et s'avança jusqu'à ce que ses bottes écrasent les cendres du feu éteint. Ignorant la main tendue de Caleb jusqu'à ce qu'il la retire lentement, elle se tint debout entre les deux hommes sans les regarder ni les toucher. Une goutte de sang glissa de sa main comme une larme noire dans la clarté lunaire.

C'était ce qui se rapprocherait le plus du fait de pleurer pour elle. Les larmes provenaient de l'espérance ou de la peur, mais Willow n'éprouvait ni l'une ni l'autre. Plus maintenant. Elle ne sentait que le froid.

— Willy? demanda lentement Reno, inquiet du calme étrange de sa sœur.

— Je l'ai supplié de me prendre, dit-elle.

Pendant un moment, les deux hommes ne comprirent pas ce qu'elle voulait dire. Ils étaient trop renversés par la froideur dans sa voix pour la comprendre. L'enrouement et le rire subtil qui faisaient tant partie de sa voix avaient disparu pour n'être remplacés que par un ton morne, à peine humain.

— Je n'arrive pas à y croire, Willy. Tu n'as pas été élevée…

— C'est assez, intervint Caleb. Tu l'as demandé, elle a répondu, et c'en est fini.

Caleb caressa doucement les cheveux de Willow, l'exhortant silencieusement à se rapprocher de lui. Elle demeura immobile comme si rien d'autre ne la touchait que la clarté de la lune. Il lui frôla la joue de ses longs doigts, et elle se détourna de lui. Caleb murmura un juron, laissa tomber sa main et se tourna vers son frère.

— Tu peux descendre de tes grands chevaux, dit-il brusquement à Reno. Je vais marier Willow aussitôt que nous pourrons trouver un pasteur.

Le silence s'étira, puis se brisa quand Reno poussa un long soupir. Son corps bougea subtilement, s'éloignant de la ligne mince de la préparation au combat. Sa main gauche se replia en un poing puis se détendit.

— C'est une sacrée bonne chose, Homme de Yuma.

Willow vit le changement se produire chez Reno. Elle se souvint de la vitesse avec laquelle son frère avait dégainé et comprit pourquoi Caleb avait accepté de l'épouser. Elle sentit la rage s'emparer de son corps, une émotion aussi froide que sa passion avait été chaude.

— Une bonne chose? répéta-t-elle doucement. Un menteur va m'épouser plutôt que de faire face à mon frère — qui se trouve être un as de la gâchette surnommé Reno —, et c'est bien?

Aussitôt, Reno redevint tendu.

— Es-tu en train de dire que Caleb s'est glissé dans ton lit en te mentant ?

— Comment vous ai-je menti ? demanda immédiatement Caleb à la jeune femme.

Sa voix était douce, mais enterra quand même la question de Reno.

— Dites-moi, Willow. Dites-moi comment je vous ai séduite grâce à des mensonges. Vous ai-je promis de vous épouser ?

Willow émit un son qui pouvait à peine passer pour un rire, mais ce l'était.

— Non. Pas de promesses.

— Vous ai-je raconté tous les mensonges à propos d'un amour éternel qu'utilise un homme pour séduire ?

Willow répondit d'une voix dure.

— Non. Rien à propos d'un amour éternel.

— Alors, vous ai-je menti ? *Dites-moi.*

Le son que fit Willow en déglutissant pour atténuer la tension dans sa gorge était douloureux à entendre. Elle ferma les yeux pendant un bref instant. Caleb avait raison, et tous deux le savaient. Il n'avait pas eu à mentir. Elle était tombée entre ses mains comme un fruit mûr. Il avait dû s'étonner de la facilité de cette conquête. Ce n'était pas étonnant qu'il ait pensé qu'elle était une maîtresse.

À ses yeux, elle l'était bel et bien.

— Vous ne m'avez pas dit que vous pourchassiez mon frère, dit-elle finalement, sans regarder Caleb.

— Je pensais que vous étiez la femme de Reno, fit sèchement Caleb. Vous représentiez mon meilleur espoir de venger Rebecca. Votre frère est un homme difficile à traquer.

Je n'aimais pas l'idée de me servir d'une femme pour l'atteindre, mais compte tenu des circonstances, je referais la même chose.

Willow se retourna et regarda Caleb pour la première fois depuis qu'elle avait émergé d'une sorte d'obscurité pour entrer dans une autre dont elle ne voyait pas l'issue.

— J'espère que Marty a menti à votre sœur, dit-elle d'une voix aussi douce et froide que la neige. J'espère qu'elle a entendu un millier de mensonges amoureux de la bouche de son amant. J'espère qu'elle est morte en croyant chacun d'entre eux. Ça rendrait les souvenirs moins… honteux.

— Il n'y a aucune honte dans ce que nous avons fait, dit furieusement Caleb pendant qu'il sentait sa maîtrise s'évaporer avec chaque parole de Willow.

Elle avait toujours eu cet effet sur lui, celui de faire tomber les défenses que d'autres avaient trouvées si solides.

— Nous ne sommes pas le premier homme et la première femme de la Création qui n'ont pu attendre un pasteur pour sceller leur mariage.

— Quel mariage ? demanda-t-elle.

— Celui qui aura lieu aussitôt que nous aurons foutu le camp d'ici, rétorqua-t-il.

— Je ne vais pas vous épouser, Homme de Yuma.

Caleb parut trop surpris pour dire quoi que ce soit.

Il n'en était pas de même pour Reno.

— Tu peux l'épouser ou l'enterrer. À toi de choisir, Willy.

Caleb jeta un regard dur en direction de Reno, mais quand il parla, ce fut d'une voix raisonnable.

— Les balles ne sont pas comme les mots. Vous ne pouvez pas les retirer après avoir surmonté votre colère.

Pendant quelques moments, Willow continua de regarder à travers Caleb comme s'il n'existait pas. Finalement, elle laissa échapper un long soupir.

— Oui. Mon frère est terriblement rapide avec son pistolet, n'est-ce pas ?

Ce n'était pas ce qu'avait voulu dire Caleb, mais il était trop perturbé par le ton de Willow pour protester. Elle avait la voix d'une personne beaucoup plus âgée et beaucoup moins douce que la fille qui s'était si tendrement et complètement abandonnée à lui.

— Il est assez rapide, dit-il d'un ton neutre.

Le silence s'étira tandis que Willow regardait l'homme qu'elle avait aimé avant de l'avoir réellement connu. Mais même si l'erreur la faisait profondément souffrir, elle savait que c'était sa propre faute, et non celle de Caleb. Il avait peut-être encouragé son ignorance, mais il ne l'avait pas créée. Il ne lui avait pas menti, parce qu'il n'en avait pas eu besoin.

Elle avait si bien réussi à se mentir elle-même.

Petite truite idiote qui ne connaît pas la différence entre le désir et l'amour, qui confond un remous dans un étang avec la rivière de la vie elle-même.

Willow ferma les yeux et revit le moment renversant où le pistolet de Reno était simplement apparu dans sa main. Il n'y avait eu ni avertissement ni hésitation, rien que de la vitesse et une arme de métal froid prête à tuer.

Ses doigts se crispèrent, entrelacés. Une autre larme noire coula de la petite blessure au dos de sa main. Elle la sentit à peine. Ses pensées étaient trop douloureuses pour que son esprit enregistre autre chose que le cri silencieux qui lui déchirait la gorge.

Caleb ne m'aime pas, mais il va m'épouser plutôt que de faire face au pistolet de mon frère.

Caleb, qui lui avait sauvé la vie plus d'une fois sur le chemin des monts San Juan. Caleb, qui ne l'avait pas forcée à devenir sa maîtresse. En fait, c'était plutôt elle qui l'avait forcé, le tentant de diverses façons qu'elle n'avait même pas comprises sur le moment.

Bien sûr que Caleb ne m'aime pas. Le type d'homme qui sort de l'Ancien Testament n'aime pas une maîtresse. Il se sert d'elle par le biais du plaisir qu'il trouve entre ses jambes.

Le souvenir de sa propre sensualité dévergondée déferla en elle en une vague brûlante d'humiliation qui s'évanouit lentement, laissant sa peau aussi froide et incolore que sa voix.

— Eh bien, Willy, dit impatiemment Reno. Qu'est-ce que ce sera ? Un mariage ou des funérailles ?

Willow savait qu'elle devait faire un choix, mais elle ne pouvait vivre avec aucune des deux options. Elle ne pouvait condamner Caleb à mourir aux mains de son frère, et elle ne pouvait se condamner à une vie avec un homme qui la voyait au mieux comme un devoir qu'il avait acquis pendant qu'il était occupé à venger la mort de sa sœur et au pire…

Comme une maîtresse.

Au pire, Willow se condamnerait à épouser un homme qui n'avait pour elle rien d'autre que du mépris et un désir qu'il pouvait assouvir entre les jambes de n'importe quelle femme.

Lentement, Willow ouvrit les yeux et porta son regard de son frère qui ne la comprenait pas à l'homme qui ne l'aimait pas.

— Je vais faire ce que je dois, dit-elle.

Caleb la regarda vivement en sentant la contrainte derrière les paroles tranquilles.

Mais Reno opina simplement de la tête, satisfait.

— Le pasteur le plus près se trouve au fort par-delà la ligne de partage des eaux, dit-il en souriant à sa sœur. Je vais t'appuyer, Willy, même si ça me coûtera la majeure partie d'un été de prospection.

— Ce n'est pas nécessaire, dit-elle.

— Ça me fera plaisir.

— « Plaisir » ? fit Willow, et les hommes échangèrent des regards de malaise au ton de sa voix. Il n'y a aucun plaisir dans un mariage réalisé sous la menace d'un six-coups. C'est pour ça que tu te prives d'un été de prospection, *Reno*. Tu veux t'assurer que le mariage ait lieu.

— Tu te trompes, Willy.

Elle regarda son frère comme si elle ne l'avait jamais vu.

— Comment peux-tu en être si certain ? Qu'est-ce qui te fait croire que Caleb ne me quittera pas aussitôt qu'il sera hors de portée de ton arme ?

— Quel genre d'homme croyez-vous que je suis ? demanda Caleb d'une voix furieuse.

— Du type Ancien Testament, répondit brièvement Willow. Vous ne me devez rien. Je ne suis pas liée à vous. Je n'ai été qu'un moyen pour atteindre un objectif. Un œil pour un œil et une sœur vierge pour une sœur vierge. Le fait que vous ayez séduit la sœur du mauvais homme est une bagatelle que Dieu vous pardonnera certainement. Vos intentions étaient pures. La justice sans miséricorde. La vengeance.

— Je ne me suis pas servi de vous pour me venger, dit Caleb, les dents serrées, et vous le savez très bien. Je vous désirais !

— Pas autant que je vous désirais.

Willow. Repoussez-moi.

Même si ni l'un ni l'autre ne parla, le souvenir des paroles de Caleb avait surgi entre eux. Le souvenir de ce qui s'était produit ensuite y était aussi, l'impatience de Willow à aller jusqu'au bout, son corps le tentant de manière insupportable, sa voix lui disant à quel point elle l'aimait.

— Willow, murmura Caleb en tendant une main vers elle.

Sans un mot, elle recula d'un pas.

Caleb laissa retomber sa main et se tourna vers Reno.

— Je vais épouser ta sœur. Tu as ma parole.

— Je n'en ai jamais douté, dit calmement Reno. Nous allons partir pendant le prochain orage. Ainsi, je pourrai peut-être garder cet endroit secret assez longtemps pour en demander la concession.

Le clair de lune se refléta dans les yeux de Caleb tandis qu'il regardait le ciel.

— L'orage pourrait survenir à un moment ou l'autre demain. C'est difficile à dire avec un pareil ciel.

Willow regarda Caleb puis Reno. Elle ne dit rien, parce qu'elle ne croyait pas pouvoir dire quoi que ce soit sans révéler qu'elle n'avait aucunement l'intention de l'épouser ni l'intention de donner lieu aux funérailles que son frère était si impatient de provoquer.

— Venez, ma chérie, dit doucement Caleb en lui tendant encore la main. Si nous devons chevaucher demain, vous avez besoin de vous reposer.

Willow recula d'un autre pas pour s'éloigner de lui.

— Willy, tu te comportes comme une sotte, intervint Reno sur un ton impatient. Caleb t'a séduite, il va t'épouser, et c'est ainsi que les choses doivent se passer.

— Non, dit Willow en fixant les yeux au-delà des deux hommes. On doit se marier par amour, et non par devoir.

Reno émit un son à la fois amusé et dégoûté.

— Quand je vivais en Virginie-Occidentale, une femme m'a appris que l'amour était pour les garçons et les filles qui n'ont pas assez grandi pour savoir que ça ne se passe pas comme ça. Caleb est un homme. Il connaît son devoir. Il est temps que tu apprennes le tien, Willy. Il est temps que tu assumes les conséquences de tes actes.

— Oui, murmura-t-elle en acceptant le résultat de ses propres choix tandis qu'un frisson lui parcourait le corps. Je comprends.

— Bien, dit Reno, soulagé.

Il fit un pas vers l'avant et l'enlaça. L'étreinte était maladroite, parce que Willow était raide, immobile.

— Allez, Willy, l'exhorta-t-il. Ne boude pas. Si tu n'avais pas eu des sentiments pour Caleb, tu ne te serais pas donnée à lui. S'il ne t'avait pas désirée, il ne t'aurait pas prise. Maintenant, vous allez vous marier. En quoi cette situation est-elle si terrible ?

Willow se retourna et regarda son frère.

Quand Reno vit son visage, il plissa les yeux.

— Willy ?

— Dis-moi, lui demanda-t-elle doucement, comment te sentirais-tu si tu étais à ma place et moi à la tienne ? Comment te sentirais-tu en sachant que ton épouse est venue à toi parce que le seul autre choix conduisait à une mort certaine ?

Reno ouvrit la bouche, mais il était trop renversé pour dire quoi que ce soit.

La seule réponse qu'obtint Willow fut un juron sauvage de la part de Caleb, mais c'était suffisant.

— Oui. C'est un bon résumé de ce que je ressens.

Elle s'éloigna des deux hommes, puis elle croisa les bras en remarquant pour la première fois à quel point elle avait froid sans son blouson.

— Excusez-moi. J'ai des choses à faire. Je ne voudrais pas être surprise sans m'être préparée si un orage se déclenchait tout à coup.

— Je vais vous aider, dit Caleb.

— Non.

— Dieu du ciel... commença-t-il.

— Oui, l'interrompit sèchement Willow. Dieu du ciel. Qu'il vous envoie directement en enfer.

Silencieusement, les deux hommes observèrent Willow se fondre dans la nuit. Quand ils ne purent plus la voir ou l'entendre, Reno laissa échapper un long soupir.

— C'est une bonne chose qu'elle n'ait pas été armée, dit-il. Elle aurait tiré.

Il secoua la tête avant d'ajouter :

— Et c'est une bonne chose qu'elle croie t'aimer, Homme de Yuma. Autrement, elle te trancherait la gorge dans ton sommeil.

Caleb secoua la tête.

— Si c'était ce qu'elle voulait, Willow s'attaquerait à moi au grand jour, même en sachant qu'elle perdrait. Elle n'est pas du genre à abandonner. J'admire ça, même si je dois dire que ce serait parfois beaucoup plus facile si elle était docile.

Reno secoua la tête d'un air stupéfait.

— C'était une petite fille tellement douce, tout en sourires, en espièglerie et en mèches blondes.

— Les petites filles douces doivent être conservées dans la ouate et placées sur une haute étagère pour demeurer douces.

Caleb tourna les yeux vers l'endroit où Willow avait disparu.

— Je préférerais avoir une femme qui ne cédera pas la première fois que la vie deviendra difficile. Je préférerais avoir une femme qui fait des choix et ne se plaint pas si les choses ne tournent pas de la façon qu'elle s'y attendait. Je préférerais avoir la passion d'une femme plutôt que les sourires d'une petite fille douce. Je préférerais avoir… Willow.

— Tu l'as, fit Reno avec un petit sourire. En ce moment, elle est furieuse comme un chat plongé dans l'eau, mais elle changera d'avis et fera pour le mieux. Elle n'a pas le choix, et elle le sait.

— J'aimerais mieux qu'elle vienne à moi de son plein gré.

— D'après ce que j'ai compris, le manque de volonté de sa part n'a pas représenté un problème pour toi, répondit Reno d'un ton sarcastique.

Caleb se retourna si vivement vers Reno que celui-ci se tendit immédiatement.

— Avec ou sans pasteur, Willow est *ma* femme, dit Caleb d'une voix sauvage. Elle est venue à moi aussi innocente que n'importe quelle femme est venue à un homme. Si tu fais quoi que ce soit pour la faire se sentir honteuse, tu auras le combat que tu souhaites. Tu as ma parole.

Reno leva un sourcil noir tandis qu'il absorbait la froide promesse dans la voix de Caleb. Après un moment, il éclata de rire et lui tendit la main.

— Bienvenue dans la famille, mon frère. Je suis heureux que Willow se soit trouvé un homme pour lequel elle n'aura pas à s'excuser quand viendra le temps de se battre.

Caleb sourit à contrecœur et lui serra la main.

— Ne t'inquiète pas, Reno. Si jamais tu as besoin d'aide pour te défendre, tu n'auras qu'à me le faire savoir, et je viendrai contre vents et marées.

— Eh bien, il y a un combat qui s'en vient et pour lequel je n'aurai pas à t'envoyer un mot. J'espère vraiment que Wolfe se trouve quelque part dans les environs. Deux pistolets contre la bande de Slater ne suffisent pas.

— Ce serait possible si tu avais un fusil à répétition.

— Wolfe m'a parlé de cette carabine sophistiquée que tu as. Il m'a dit que tu pouvais la charger et tirer pratiquement en même temps.

Caleb acquiesça.

— Il faudra que je m'en procure une, dit Reno. J'aimerais bien l'avoir en ce moment.

— J'aimerais bien que tu l'aies, moi aussi. Est-ce qu'il y a un autre chemin pour sortir d'ici ?

— Peut-être. Ça dépend des chevaux que tu as. Jette un coup d'œil ici.

Reno s'accroupit et commença à dessiner dans les cendres avec un morceau de bois. Le passage du bâton laissait une fine ligne blanche à travers les cendres noircies à la surface du feu pendant que Reno parlait à voix basse de la vallée et du flanc de montagne.

À l'autre extrémité de la petite vallée, Willow s'immobilisa pour mieux tendre l'oreille. Elle n'avait pu entendre chaque parole pendant que Caleb et Reno conversaient, mais elle avait pu distinguer les voix du murmure du vent et de l'écoulement du ruisseau. Quand leur conversation cessa subitement, elle se dit avec crainte que Caleb allait bientôt revenir au lit. Elle voulait se trouver ailleurs quand ça se produirait.

Rapidement, elle arracha une page blanche du journal de Caleb et la fourra dans la poche de son blouson avec un crayon qu'elle avait déjà pris. Elle garda également le journal, car Caleb y avait minutieusement dessiné une carte de tout le chemin difficile qu'ils avaient parcouru, ainsi que des cols les plus faciles qu'ils avaient traversés. Avec ça et son aptitude à se diriger grâce aux étoiles, elle pourrait retrouver son chemin par-delà les montagnes, même si elle devrait voyager de nuit pour éviter d'attirer l'attention.

Elle marcha jusqu'aux chevaux en traînant sa selle et enroula rapidement un tapis de couchage derrière elle. Puis elle remplit de viande séchée une des grandes poches de son blouson ; ce serait tout ce qu'elle mangerait jusqu'à ce qu'elle atteigne Canyon City. La perspective d'avoir peu à manger ne la dérangeait pas autant que le fait de devoir abandonner ses pur-sang. Elle n'était tout simplement pas capable de les dissimuler en même temps qu'elle. Ils seraient mieux avec Caleb, qui s'était suffisamment soucié d'eux pour ignorer son propre épuisement et retraverser la ligne de partage des eaux afin de sauver les quatre juments.

Le vent changea de direction, apportant le murmure de voix masculines près du campement. Willow se détendit légèrement en sachant qu'il lui restait encore quelques minutes avant que Caleb vienne la rejoindre. Elle espérait pouvoir être partie avant qu'il commence à la chercher, mais ce serait trop dangereux. Si seulement quelques minutes les séparaient, il la rattraperait. Elle avait besoin de temps pour mettre suffisamment de distance entre eux pour qu'il trouve futile de partir à sa recherche.

Ishmael sentit Willow et hennit doucement. Elle déposa la selle et ouvrit rapidement le tapis de couchage comme si elle prévoyait dormir dans le pré avec ses chevaux. Les couvertures étaient épaisses avec toutes les choses qui se trouvaient entre les couches, mais elle doutait que Caleb puisse le remarquer dans l'obscurité. Son sac de voyage aurait été trop évident, alors elle l'avait abandonné.

Elle s'assit et écrivit rapidement, disant ce qui devait être dit malgré la douleur qu'il lui en coûtait.

> *Matt, je suis désolée de ne pas être la fille innocente dont tu te souvenais. Le fait d'obliger Caleb à m'épouser ne changera rien à ce qui s'est passé.*
>
> *Ne me cherche pas. Laisse-moi oublier le passé et recommencer ma vie en tant que veuve. Je ne serai pas la première ni la dernière.*
>
> *Si jamais tu vois nos frères, dis-leur que je pense souvent à eux et que je me souviens d'eux avec amour.*

Elle s'arrêta un moment, parce que le courage lui manquait à l'idée de ce qu'elle allait écrire ensuite, mais ça devait être fait. Caleb devait comprendre qu'il n'avait aucune obligation envers elle.

> *Caleb, choisissez une jument comme paiement pour m'avoir menée jusqu'à mon frère et amenez les trois autres à Wolfe Lonetree. Il pourra en choisir une s'il prend soin des deux autres jusqu'à ce que je puisse venir les chercher.*

Si vous faites ça, vous n'aurez plus aucun devoir envers moi. Nous serons alors libres de tout recommencer.

Quelques minutes plus tard, elle alla silencieusement souhaiter au revoir aux chevaux. Les juments acceptèrent cette visite nocturne avec le même esprit débonnaire qu'elles avaient lorsqu'elles acceptaient tout ce qui leur venait de leur maîtresse. Les larmes montèrent aux yeux de Willow quand elle sentit leurs museaux duveteux la renifler, la pousser doucement, lui demandant de les caresser et de les aimer.

Caleb prendra bien soin de vous. Mieux que je pourrais le faire. Il est assez fort pour vous mener dans des pâturages où vous serez hors de danger.

Ishmael leva la tête et hennit doucement en regardant par-dessus l'épaule de Willow. Elle se retourna lentement en sachant qui serait là.

— Il est trop tard pour commencer à dormir chacun de son côté, dit Caleb en faisant un geste vers l'endroit où Willow avait déroulé son tapis et posé sa selle comme oreiller.

N'osant pas parler, elle haussa les épaules.

— Revenez au lit avec moi, chérie. Rien n'a changé.

Elle secoua la tête avec une lassitude qui était apparente même sous la pâle lueur de la lune.

Caleb attrapa vivement Willow par le bras au moment où elle se détournait. Elle émit un son de surprise. Elle avait oublié à quel point il était rapide.

— S'il vous plaît, ne me touchez pas, dit-elle sur un ton neutre, distant.

Caleb cligna des yeux devant cet éloignement dans la voix de Willow, mais il ne la relâcha pas.

— Vous êtes ma femme.

— Je suis votre putain.

Il respira brusquement avec un son déchirant. Son autre main surgit, et il l'étreignit, l'emprisonnant dans ses bras, souhaitant qu'il fasse jour pour qu'il puisse voir ses yeux.

Puis il les vit et se dit qu'il aurait aimé que la lune soit moins brillante.

Ses yeux n'étaient pas plus vivants que sa voix. Un léger tremblement traversa son corps tandis qu'elle se tenait dans ses bras. Auparavant, ce tremblement aurait indiqué la profondeur de sa passion pour lui, alors que maintenant, il était le signe d'un terrible mélange de honte et d'acceptation.

— Vous n'êtes pas ma putain, dit Caleb d'une voix sauvage. Vous n'avez jamais été ma putain !

— Maîtresse. Putain. Appelez ça comme vous voulez. Ça ne change rien à ce qui s'est produit, à ce que je suis.

Elle se détourna autant que l'étreinte de Caleb le lui permettait.

— Lâchez-moi.

— Non, dit-il en la serrant davantage contre lui.

Le refus net de Caleb était inattendu, tout comme son excitation, qu'il ne fit aucun effort pour dissimuler.

Willow était renversée. Elle ne s'était pas attendue à ce qu'il exige sa présence dans son lit ce soir-là. Elle n'avait pas vraiment cru qu'il la considérait comme sa putain.

Elle avait eu tort, mais ce n'était pas la première fois qu'elle avait eu tort à son sujet.

— Je vois, dit-elle en glissant ses mains de force entre leurs corps et en commençant à débouter son blouson avec des doigts qui tremblaient. Vous voulez encore vous soulager entre mes jambes.

Il pressa brutalement sa main sur la bouche de Willow.

— *Arrêtez ça.* Vous êtes ma femme, et non ma putain. Et vous le savez parfaitement !

Les yeux de Caleb étaient d'étroites fentes d'argent dans la clarté lunaire, sa bouche formait une ligne noire, et son expression était proprement féroce.

Elle pouvait voir la fureur en lui, la goûter, la sentir. Elle n'avait jamais vu quelqu'un être dans une telle colère. Sans prévenir, il retira sa main puis la remplaça par sa bouche. Il avait été si rapide qu'elle n'avait eu aucune chance. Elle était prisonnière dans la cage solide de ses bras et n'avait aucun moyen de se retourner, de s'échapper. Et elle n'éprouvait rien d'autre que la pression violente de la bouche de Caleb ouvrant la sienne, la laissant sans défense contre son baiser.

Immobile, Willow attendit que la langue de Caleb s'enfouisse dans sa bouche, mais ce ne fut pas ce qui se produisit. Sa bouche se fit plutôt gentille, et sa langue titilla la sienne en une douce séduction qui était plus menaçante que l'aurait été n'importe quel geste fait pour la forcer. Il en était de même de ses mains, qui glissaient doucement sur son corps, laissant du plaisir dans leurs sillons, la faisant trembler.

Le désespoir l'envahit. Il la connaissait trop bien. Ses doigts s'enfoncèrent involontairement dans les biceps de Caleb tandis que sa nature sauvage voyait l'exutoire qu'il lui offrait et exigeait d'être libérée.

— Oui, dit Caleb d'un ton féroce en mordant le cou de Willow avec une retenue sauvage pendant qu'il sentait la vive douleur de ses ongles enfoncés dans sa chair. Venez à moi. Vous êtes blessée et fâchée, et vous ne savez que faire. Laissez-vous aller contre moi, Willow. Je n'ai pas peur de la passion en vous. Libérez-la.

La prise de conscience du fait que Caleb connaissait la nature sauvage qui bouillonnait sous son calme improbable lui arracha un cri de désespoir.

— Arrêtez, s'il vous plaît, arrêtez, le supplia-t-elle d'une voix tremblante. Laissez-moi un peu de fierté, Homme de Yuma. Même une putain a besoin d'un peu de fierté.

Un frisson parcourut Caleb.

— Arrêtez de dire ça. Vous m'entendez? *Vous n'êtes pas une putain.*

— Prouvez-le! Laissez-moi dormir où je veux. Laissez-moi dormir seule.

Un silence s'installa et se prolongea jusqu'à ce que Willow ait envie de hurler. Les tremblements qui la secouaient représentaient les seuls signes de son bouleversement intérieur. Aucune émotion ne transparaissait sur son visage. Elle observait simplement Caleb avec les yeux d'une étrangère pendant qu'elle attendait de savoir si elle était femme ou putain.

Et il le savait.

— Dormez là où il vous plaira, dit-il froidement. J'en ai assez d'être traité comme un vil séducteur par votre frère et vous.

Il la relâcha brusquement et s'écarta d'un pas.

— Avertissez-moi quand vous aurez fini de bouder et que vous voudrez être traitée comme ma femme. À ce moment, je vous ferai savoir si j'ai encore envie d'être votre homme.

Chapitre 17

Ce n'est qu'au moment où elle se trouvait à des kilomètres de l'entrée étroite de la vallée que Willow descendit de cheval et retira les lambeaux de son manteau de voyage des sabots d'Ishmael. L'étalon hennit et trépigna d'impatience.

— Je sais, lui dit-elle doucement en lui caressant le cou pour le calmer. Les chiffons te dérangeaient, mais ils empêchaient tes sabots de faire du bruit sur les pierres.

Elle leva tristement les yeux vers le ciel. L'aube se pointait à l'horizon, faisant disparaître les étoiles de la nuit. Elle aurait souhaité simplement pouvoir se cacher pendant cette journée, mais cela aurait certainement été catastrophique. Elle se trouvait beaucoup trop près de la vallée pour être en sécurité. Elle devait chevaucher à toute vitesse pendant la journée et la nuit suivante.

Le lendemain, au lever du soleil, elle pourrait attacher Ishmael dans quelque pré isolé et dormir près de lui. Demain, mais pas aujourd'hui.

Elle se remit en selle et descendit le long du flanc de la montagne, s'éloignant davantage avec chaque pas de la vallée cachée. Autour d'elle, la contrée émergeait lentement de la nuit, révélant les silhouettes de lointains sommets contre le ciel pâle et un mélange de prairies et de forêts tout près. Elle garda Ishmael à l'orée de la forêt, où il y avait suffisamment d'espace pour voyager rapidement et un assez bon abri sous les arbres si elle en avait besoin.

Elle avait posé le lourd fusil de chasse sur ses cuisses. Il rendait la chevauchée parfois malcommode, mais elle avait découvert pendant la longue nuit qu'elle aimait la sensation de la crosse de bois lisse et le réconfort que lui procuraient les deux canons chargés et prêts à faire feu.

Ishmael tourna soudain la tête vers la gauche tandis qu'il regardait au-delà de la prairie l'endroit où un ruisseau coulait entre des saillies rocheuses pour aller rejoindre un cours d'eau plus large. Il pencha les oreilles vers l'avant, et ses narines palpitèrent tandis qu'il humait le vent.

Sans hésiter, Willow fit vivement tourner l'étalon vers la droite, s'éloignant de ce qu'il avait senti, puis elle se dirigea vers la forêt. Alors que son cœur battait la chamade, elle guida sa monture plus loin dans la forêt. Quand les arbres qui l'entouraient devinrent si rapprochés que le cheval commença à avoir de la difficulté à marcher et qu'elle eut du mal à éviter les branches, elle fit tourner Ishmael et le poussa sur une piste parallèle à celle qu'ils avaient abandonnée.

Willow eut beau écouter attentivement, elle n'entendait que le crissement de sa selle, le son étouffé des sabots d'Ishmael sur les épines de conifères et le doux murmure du vent. Petit à petit, la forêt fit place à des bosquets éparpillés puis à des arbres éparpillés, et finalement, il n'y eut rien d'autre que de l'herbe, des fleurs sauvages et des saules qui poussaient au bord du cours d'eau. La clairière mesurait plus d'un kilomètre dans sa partie la plus étroite et s'étirait sur plus de huit.

C'était davantage une cuvette qu'une vallée fluviale. La route qu'indiquait le journal la menait sur toute la longueur de la prairie. Elle pouvait en suivre une partie en longeant la forêt, mais c'était impossible pour le reste. Le début était plus difficile. Elle devrait parcourir trois kilomètres sans vraiment se trouver à l'abri des regards.

Willow raffermit sa poigne sur le fusil et les rênes tandis qu'elle écoutait attentivement et parcourait la prairie des yeux pour y détecter des signes de vie. Il était difficile de bien voir dans la faible lueur précédant l'aube. Plusieurs ombres de la taille de cerfs se déplaçaient lentement le long du pré et des arbres. Rien d'autre ne bougeait que les herbes agitées par le vent. Tout était si calme qu'elle pouvait entendre haut dans le ciel le cri sauvage d'un aigle qui volait vers l'est à la recherche de sa première proie de la journée. Elle inspira profondément. Il n'y avait aucune odeur de fumée dans l'air, aucun signe évident d'autres personnes ; il n'y avait qu'une étrange sensation sur sa nuque.

Soudain, Ishmael broncha et s'ébroua. Willow ignorait si l'étalon sentait son propre malaise ou s'il avait humé l'odeur d'un autre cheval dans le vent.

— Du calme, garçon, murmura-t-elle. Je n'aime pas non plus cet espace ouvert, mais il n'y a pas d'autre voie. Allons-y avant que le soleil apparaisse de derrière les sommets.

Willow éperonna doucement Ishmael, qui se mit à trotter. Même s'il était plus petit que les chevaux du Montana de Caleb, le pur-sang avait de longues enjambées impatientes.

Un cri éclata en provenance de la forêt derrière Willow sur sa gauche.

Ça ne peut pas être Caleb. Après ce qu'il a dit hier soir, il ne me suivrait pas. Et même si Matt l'a forcé à l'accompagner, le soleil se lève à peine. Matt et lui viennent de se réveiller. De plus, le cri est venu de la mauvaise direction par rapport à la vallée.

Un autre cri se fit entendre, et Willow regarda par-dessus son épaule. Quatre cavaliers se dirigeaient vers elle. Leurs chevaux étaient de gros alezans aux longues pattes. Ils se rapprochaient d'elle avec chaque enjambée.

Willow leva les rênes et parla à l'étalon, qui partit immédiatement au galop. Après avoir parcouru quelques centaines de mètres, elle regarda de nouveau par-dessus son épaule. Les cavaliers la suivaient toujours, leurs chevaux lancés à toute allure.

Elle empoigna le fusil de chasse, se pencha sur le cou d'Ishmael et lui parla de nouveau, lui demandant d'accélérer. Il s'élança au grand galop, courant à ras de terre, ne laissant voir que l'élégante bannière rousse de sa queue levée.

Les herbes hautes et les buissons défilaient en une masse indistincte. Le vent lui arrachait des larmes et lui coupait le souffle. Les sabots d'Ishmael émettaient un bruit continu de roulement de tambour. Le rythme était beaucoup trop rapide dans cette lumière incertaine et trop exigeant pour l'étalon, mais il n'y avait pas d'autre choix. Elle devait distancer les autres chevaux.

Willow se pencha encore davantage sur le cou d'Ishmael, équilibrant son poids sur les épaules de l'animal, où elle représenterait un moindre fardeau pour lui. Le fusil rendait la position inconfortable autant pour le cheval que pour sa cavalière. Après plusieurs essais, elle réussit à mettre l'arme dans son étui de selle.

Quand elle crut avoir parcouru plus d'un kilomètre, elle regarda encore une fois derrière elle. La peur lui serra le cœur. Les quatre chevaux s'étaient rapprochés. Comme elle se tournait, le vent lui arracha son chapeau et défit rapidement ses cheveux jusqu'à ce qu'ils volent derrière elle comme un drapeau. Willow cligna des yeux plusieurs fois pour évacuer les larmes causées par le vent, puis elle se pencha encore davantage vers l'avant, tenant les rênes à quelques centimètres du mors seulement et pressant sa joue contre le cou d'Ishmael. Un kilomètre plus loin, le pur-sang commença lentement à distancer leurs poursuivants. Quand ceux-ci le comprirent, ils commencèrent à faire feu.

Le galop forcené et la lumière vague aidaient Willow. Elle entendit les détonations par-dessus la respiration profonde d'Ishmael et le bruit de ses sabots, mais aucune balle ne les frôla. Elle s'aplatit contre le cou luisant d'écume de l'étalon et le louangea, puis elle l'encouragea pendant qu'ils parcouraient un autre kilomètre et que l'aube éclairait d'une lumière dorée les sommets voisins.

Le ruisseau surgit de nulle part, caché par un repli de terrain. Willow ne vit qu'en un coup d'œil la barrière de rochers et d'eau qui était apparue sans avertissement devant Ishmael. Elle s'accrocha comme une ombre pâle tandis que le corps tout entier du cheval se crispait au milieu d'une foulée, se tordait puis se relâchait en un énorme bond qui laissa le ruisseau derrière. Pris par surprise après avoir dû sauter soudainement, l'étalon trébucha en atteignant le sol. Willow raidit ses pieds dans les étriers et tira brusquement sur les rênes, relevant la tête d'Ishmael et lui faisant retrouver son équilibre. Comme un chat, il se reprit, et en quelques secondes, il se remit à galoper ventre à terre.

Willow jeta un rapide regard par-dessus son épaule. Les poursuivants perdaient du terrain. Un des chevaux avait abandonné la course. Ils avaient été plus rapides que l'étalon pendant le premier kilomètre et avaient bien tenu le coup pendant le second, mais ils n'avaient pas l'endurance du pur-sang sur une plus longue distance.

Willow éprouva une vague de soulagement presque étourdissante. Elle se retourna et se pencha encore davantage le long du cou étiré de l'étalon. Sa voix le louangeait, lui disant comment il avait carrément battu les autres chevaux. Les oreilles d'Ishmael s'agitaient d'avant en arrière tandis qu'il écoutait les paroles de sa cavalière. Même s'il haletait, il conservait son rythme. Il n'était pas encore épuisé, mais il le serait bientôt. Elle ne pouvait qu'espérer que les autres chevaux soient loin derrière eux au moment où Ishmael ne pourrait plus courir. Au bout du quatrième kilomètre, une volée de coups de feu se fit entendre de derrière Willow. Elle tourna la tête. Tous les chevaux avaient abandonné sauf un. Il avait l'élégance d'une bête de race. S'il s'agissait effectivement d'un cheval de course, il n'était pas habitué à des courses de plusieurs kilomètres. Lui aussi perdait du terrain, mais lentement.

Et il bondit par-dessus le ruisseau comme le hunter irlandais qu'il était.

Se faisant entendre par-dessus le tonnerre des sabots d'Ishmael, Willow l'exhorta encore davantage. Les oreilles du cheval s'agitèrent, et son cou s'étira un peu plus. Willow s'aplatit contre lui tandis qu'elle pleurait pour une autre raison que le vent dans ses yeux. Elle savait qu'elle exigeait trop pendant trop longtemps de son cheval. Elle savait également qu'elle n'avait d'autre choix que de demander à Ishmael tout ce qui lui restait de force.

Quand ils dépassèrent le cinquième kilomètre, l'étalon respirait par la bouche de manière saccadée, et l'écume recouvrait la majeure partie de son corps roux, mais ses foulées étaient encore longues et cadencées. Craignant ce qu'elle verrait, Willow attendit aussi longtemps qu'elle le put avant d'essuyer ses yeux sur son avant-bras et de regarder derrière.

L'autre cheval s'éloignait rapidement, désormais incapable de courir.

Willow pleura de soulagement et fit ralentir Ishmael jusqu'à un galop plus lent, atténuant la tension sur son cœur et ses poumons. La longue prairie défilait de chaque côté puis contournait une langue de roche s'étirant le long de la montagne. Personne ne la suivit dans cette large courbe. Elle tira de nouveau sur les rênes, faisant encore plus ralentir Ishmael.

Puis elle tira encore si fort sur les rênes que l'étalon se cabra et glissa sur ses jarrets. Dans la première lueur claire du jour, cinq cavaliers se dressaient en éventail à travers le pré devant Willow et fondaient sur elle à toute vitesse. Il était inutile de se retourner et de repartir à la course. Même si Ishmael pouvait encore subir une longue course, elle ne ferait que les ramener vers les ennemis qu'ils venaient juste de distancer. Il n'y avait aucune issue, car le pré était coincé entre de hauts murs de pierre alors que le cours d'eau descendait en grugeant la montagne.

Willow fit la seule chose qu'elle pouvait faire. Elle prit le fusil de chasse et poussa de nouveau Ishmael au grand galop. Ses cheveux volant derrière elle comme une bannière dorée, elle entraîna l'étalon à toute vitesse vers les hommes qui se rapprochaient d'elle.

Caleb vit l'herbe aplatie où s'était trouvé le tapis de couchage de Willow, compta les chevaux dans la clarté grise et sentit l'adrénaline courir dans ses veines. *Elle n'a pas pu s'enfuir. Nous l'aurions entendue.*

Au moment où il se tournait, il aperçut du coin de l'œil la feuille attachée à un buisson. Il l'en arracha, la lut et eut l'impression de tomber dans de l'eau glacée.

Willow était partie seule dans la nuit plutôt que de faire face à une aube avec Caleb Black.

— Tu l'as trouvée ? demanda Reno en regardant Caleb venir à grands pas vers lui.

— Elle a pris Ishmael, et elle est partie hier soir, répondit froidement Caleb.

— Nous l'aurions entendue, fit immédiatement Reno. Elle doit s'être cachée parmi les arbres.

— Son cheval est parti, et elle aussi. Elle a enveloppé les sabots de son cheval, dit Caleb.

Il s'agenouilla, enroula son tapis de couchage et l'attacha derrière la selle dont il s'était servi comme oreiller.

— Elle a laissé un mot pour dire comment elle répartissait ses juments.

— Mais pourquoi ? demanda Reno.

— Elle adore ses juments comme une mère aime ses enfants, mais la haine qu'elle a pour moi est plus forte que l'amour qu'elle a pour elles. Elle traverserait l'enfer lui-même pour s'éloigner de moi.

— Willy n'est pas idiote, dit Reno. Où croit-elle aller ? Elle ne connaît pas ces montagnes.

— Elle a pris mon fusil de chasse et mon journal.

Tout en parlant, Caleb avait pris deux boîtes de munitions dans une sacoche de selle et les avait fourrées dans les poches de son manteau.

— Le fait de se perdre sera le moindre de ses problèmes, ajouta-t-il.

— Slater, dit Reno, sous le choc. Elle sait qu'il est là-bas quelque part. Bon sang, qu'est-ce que tu as fait à Willow, hier soir ?

— Je me suis conduit en *gentilhomme*, répondit Caleb d'une voix cinglante. Elle m'a dit qu'elle voulait dormir seule, et je l'ai laissée faire. Mais ne t'en fais pas, Reno. Je ne serai plus jamais stupide à ce point.

Pendant que la lumière du soleil illuminait les plus hauts sommets, le sifflement de Caleb brisa le silence de l'aube. Deux chevaux noirs trottèrent vers lui. Il attrapa une bride, une selle et des sacoches, puis il se dirigea vers Trey pendant que Reno retournait à la course vers son campement. Il réapparut quelques instants plus tard avec une bride dans une main et une selle jetée sur son épaule.

Peu de temps après, Caleb et Reno émergèrent du bosquet qui protégeait l'entrée de la petite vallée. Reno ne se soucia pas de rattacher les branches derrière lui. Il bondit simplement en selle et commença à chercher des indices. Caleb l'avait précédé. Il fit un geste brusque puis se tourna et fit trotter son cheval en aval du ruisseau sans faire un quelconque effort pour dissimuler ses pistes dans l'eau.

Reno ne souleva pas d'objection. En ce moment, cacher le lieu où se trouvait sa vallée était le moindre de ses soucis. Rien n'avait plus d'importance que retrouver Willow avant Slater. Leur meilleur espoir était qu'elle ait voyagé à la clarté de la lune et essayé de ne pas faire de bruit. Caleb et Reno voyageaient en pleine lumière et se fichaient de qui pouvait être au courant. Ils devraient la rattraper rapidement.

Soudain, Caleb tira sur ses rênes et leva une main pour indiquer à Reno de rester silencieux. Tous deux se dressèrent sur leurs étriers, tournant lentement la tête en essayant de décider s'ils avaient vraiment entendu des détonations — et si oui, de quelle direction elles provenaient. Ils entendirent une volée de coups de feu en provenance du bas de la vallée, suivie par le son d'un fusil à double canon. Caleb éperonna Trey sans ménagement, propulsant le gros cheval le long de la piste à fond de train. Reno le suivait de près. Tous deux avaient tiré leur carabine même s'ils avaient peu d'espoir d'arriver à temps pour s'en servir. Les coups de feu provenaient d'une distance de plusieurs kilomètres. Au moment où Caleb et Reno y parviendraient, il ne resterait rien d'autre que des pistes et des cartouches vides.

Wolfe Lonetree les attendait à l'endroit même où commençait la grande prairie. Son cheval cachait les traces qu'avait laissées Ishmael pendant que Willow avait cherché dans la prairie des signes de présence humaine.

— La bande de Slater a attrapé la fille et l'étalon roux à environ huit kilomètres d'ici, dit-il à Caleb et Reno. Elle n'est pas blessée et ne risque pas de l'être pendant un moment. Slater essaie de lui faire dire où vous êtes, mais si nous arrivons au pas de charge, il va lui trancher la gorge juste pour vous contrarier. Vous connaissez sa réputation.

— Oui, dit Caleb d'un ton sec. Je la connais. Tu peux nous conduire près de l'endroit où ils détiennent Willow ?

Wolfe opina de la tête et poussa son cheval dans le pré. La jument était d'un étrange bleu-gris avec une crinière et une queue noires, une couleur qu'on retrouvait chez les mustangs et qui remontait à leurs ancêtres espagnols. Tous les trois de front, les chevaux trottèrent à travers les hautes herbes sur une longue diagonale qui les conduisit finalement au bord d'une forêt. Parvenus à cet endroit, les hommes les mirent au pas afin qu'ils se reposent en prévision de ce qui pourrait survenir. Discrètement, Wolfe s'assura de placer son cheval entre Reno et Caleb tandis que ses yeux indigo passaient d'un homme à l'autre et qu'il essayait de déterminer si Caleb savait qui était en réalité le mari de Willow.

Après un moment, Wolfe dit sèchement à Reno :

— Tu dois être Matthew Moran.

— La plupart des gens l'appellent Reno, dit Caleb sans détourner le regard de la terre devant eux.

Wolfe eut un léger sourire et se détendit.

— Je l'ai toujours fait, mais je ne savais pas que tu étais marié, Reno.

— Willy est ma sœur, répondit celui-ci. Elle va devenir la femme de Caleb.

Wolfe regarda tour à tour Caleb et Reno, puis de nouveau Caleb.

— Sa femme, répéta-t-il doucement.

Caleb acquiesça.

— Eh bien, si jamais une femme peut parvenir à t'apprivoiser, c'est certainement la guerrière blonde que j'ai aperçue ce matin.

— Tu l'as aperçue ? demanda brusquement Caleb.

— Tu vois cette bosse dégarnie là-haut ? demanda Wolfe en pointant un doigt.

Au-delà du pré et à environ 300 mètres plus haut, il y avait un piton rocheux.

— Je la vois, dit-il.

— J'étais là-haut avec mes jumelles pour garder un œil sur la bande de Slater, dit Wolfe. La fille se trouvait à quelques centaines de mètres dans le pré quand elle a aperçu Jed Slater et quelques-uns de ses hommes partir à la course derrière elle. Elle n'a pas perdu de temps à paniquer. Elle a poussé son étalon roux à toute vitesse. Slater était sur son gros cheval de course.

Reno secoua la tête et émit un juron à voix basse.

— Alors, elle n'avait aucune chance, dit Caleb à voix haute.

— C'est ce que Slater pensait aussi, fit Wolfe. Il a laissé courir son énorme cheval. Un kilomètre plus loin, il avait réduit la distance entre eux à une centaine de mètres. Deux kilomètres plus tard, il avait du mal à garder cette distance. Trois kilomètres plus loin, il perdait du terrain. Il a essayé de tirer, mais il était trop tard.

— Je vais le tuer, dit Caleb.

Wolfe lui jeta un regard oblique.

— Ça ne m'étonnerait pas. Dieu sait qu'il l'a mérité.

— C'est à ce moment que Slater a attrapé Willy? demanda Reno. S'est-elle arrêtée quand il a tiré?

Wolfe secoua la tête.

— Pas du tout. Elle a poursuivi sa course folle sans se soucier des coups de feu. Son cheval et elle ont bondi par-dessus un ruisseau caché qui devait faire au moins six ou sept mètres de large. L'étalon a failli trébucher de l'autre côté, mais elle l'a ramené sur ses pattes et l'a fait repartir à la course en un rien de temps. Puis ils ont simplement continué à cette allure. Je n'ai jamais vu une chose pareille.

— Quoi? demanda Reno.

— Cet étalon roux, répondit Wolfe. Ta sœur l'a fait courir ventre à terre sur plus de huit kilomètres sans jamais le fouetter ni l'éperonner, sans jamais faire autre chose que de se coller à son cou. Le gros cheval de Slater est courageux, mais il n'était simplement pas à la hauteur de ce petit étalon roux.

— Alors, comment Slater a-t-il attrapé Willow ? demanda Caleb.

— Il ne l'a pas fait. Il avait divisé sa bande pour chercher des indices. La moitié de ses hommes étaient devant elle. Elle a passé une courbe dans le pré, et ils étaient là.

Wolfe regarda tout à coup Caleb.

— Es-tu sûr que tu veux la marier ?

— Absolument.

— Bon sang. Je dois t'avouer, Caleb, que si c'était n'importe qui d'autre que toi, j'essaierais de la conquérir moi-même.

Caleb plissa les yeux en direction de Wolfe.

— Oublie ça.

Le sourire de Wolfe brilla dans son visage basané.

— Je te comprends. C'est une fille exceptionnelle. Quand elle a vu les hommes, elle a fait se cabrer son cheval. Au moment où ses quatre sabots retombaient sur le sol, elle a vu la meilleure possibilité qu'elle avait et l'a saisie.

Wolfe secoua la tête à ce souvenir.

— Elle a dirigé cet étalon roux vers le plus large écart entre les cavaliers, poursuivit-il, puis elle a pris son fusil et elle a filé vers eux à toute allure.

Reno parut éberlué.

— Willow a fait ça ?

Wolfe acquiesça de la tête puis regarda Caleb.

— Tu ne parais pas surpris.

— Je ne le suis pas. Quand les Comancheros nous ont attaqués, mon cheval s'est effondré. Willow s'est retournée et est revenue vers moi en ignorant les coups de feu.

— Je comprends comment ça pourrait inciter un homme à vouloir se marier, dit Wolfe en souriant. Le seul fait de la regarder s'attaquer à la bande de Slater m'a donné quelques idées en ce sens. Les dames de Londres que j'ai rencontrées étaient belles comme le jour, mais elles n'auraient pas tenu le coup aussi longtemps ici.

— Willow s'est transformée aussitôt que j'ai pu lui donner des vêtements décents, dit Caleb.

— J'ai bien cru reconnaître ceux que je t'avais refilés, dit Wolfe. Il a fallu aux hommes de Slater une minute pour comprendre qu'il s'agissait d'une fille, et ensuite, ils se sont calmés, parce qu'ils s'attendaient à ce que ça se termine sans problème. Au moment où ils ont sorti leurs carabines, elle était déjà sur eux. Ils ont tiré quelques coups pour l'arrêter, elle a fait feu, et un des hommes l'a arrachée de sa selle quand l'étalon est passé près de lui.

La main de Caleb se serra sur la crosse de son arme.

— Lui a-t-il fait du mal ?

— Pas autant qu'elle lui en a fait, dit Wolfe d'un ton débordant de satisfaction. Il aurait tout aussi bien pu attraper un lynx. Quand je suis finalement descendu de ce rocher et me suis approché, Willow était ligotée sur le sol, et les hommes qui l'avaient attrapée n'avaient plus assez de peau sur le visage pour qu'il vaille la peine de se raser.

Wolfe omit de mentionner que Willow était aussi en mauvais état, ses joues pâles portant l'empreinte d'une main d'homme.

— Puis Slater est arrivé et a commencé à poser des questions sur toi, poursuivit Wolfe en regardant Caleb. Willow a dit qu'elle ignorait où tu étais, qu'elle était perdue.

— Est-ce que Slater l'a crue ? demanda Reno.

D'un air malheureux, Wolfe retira son chapeau, passa ses doigts à travers sa chevelure épaisse et noire comme la nuit, puis le remit brusquement en place.

— Non. Il a trouvé une sorte de livre qu'elle transportait. Il semble qu'il y avait à l'intérieur une carte et beaucoup de notes.

— Mon journal, dit Caleb. Elle l'a pris.

Wolfe plissa les yeux, mais ne posa aucune question malgré sa curiosité.

— Slater lui a dit de désigner l'endroit où elle s'était trouvée. Elle l'a regardé droit dans les yeux et lui a dit qu'elle ne savait pas lire. Il lui a jeté le journal au visage et lui a dit qu'elle avait jusqu'à ce que les chevaux soient reposés pour apprendre.

— Combien de temps nous reste-t-il ? demanda Reno.

Wolfe parcourut des yeux les environs et regarda l'angle du soleil.

— Peut-être une autre heure. Ces chevaux étaient en sueur de la tête à la queue. C'est pour cette raison que j'ai pris le risque de partir à ta recherche. Si je ne t'avais pas trouvé en cinq minutes, j'y serais retourné.

Caleb fit une moue. Il devinait ce que Wolfe ne disait pas, à savoir que Jed Slater était un homme habitué à obtenir ce qu'il voulait de la manière la plus efficace possible. Il avait établi sa réputation de cruauté pendant une guerre particulièrement cruelle.

Wolfe regarda l'expression dure de Caleb et sut à quoi il était en train de penser. Il hésita, sachant qu'il aurait dû s'abstenir, mais il posa quand même la question qui le rongeait depuis le moment où il avait compris qui les hommes de Slater poursuivaient.

— Comment t'es-tu trouvé séparé de Willow ? demanda-t-il.

Caleb ne répondit pas.

Reno jura puis avoua :

— Elle a enveloppé les sabots de son étalon dans des vêtements puis s'est faufilée hors de la vallée.

Le silence se fit pendant que Wolfe songeait à ce que venait de dire Reno.

— Elle vous a échappé à tous les deux, dit-il finalement.

— Oui.

— Bon sang, soupira-t-il. Vous avez une idée de la raison pour laquelle elle s'est enfuie ?

Reno n'attendit pas Caleb pour parler.

— Willow pense que Caleb l'a séduite pour se venger du fait que j'ai séduit sa sœur.

— Par saint Georges ! s'exclama Wolfe, renversé au point d'employer un langage qu'il avait juré d'oublier, pourquoi a-t-elle… ?

— Les chevaux sont assez reposés, l'interrompit Caleb. Partons.

Sans attendre pour voir si les autres hommes le suivaient, Caleb éperonna son cheval, qui détala au galop. Une minute plus tard, Wolfe les dépassa et prit la tête du trio. Aucun d'eux ne parla jusqu'à ce qu'il leur signale de s'arrêter.

— Nous devons laisser les chevaux ici, dit-il.

Pendant que Reno attachait les montures hors de vue, Caleb retira ses bottes et enfila ses mocassins. Wolfe entreprit de grimper sur une saillie rocheuse qui surplombait la prairie. Quand tous trois se retrouvèrent sur le ventre juste au-dessous de la crête, ils enlevèrent leurs chapeaux et rampèrent sur le dernier mètre. Le camp de Slater se trouvait en bas de la pente, à environ 300 mètres. Il n'y avait sur la pente aucun abri, car elle était trop abrupte et trop rocheuse pour que quoi que ce soit puisse y survivre sauf un peu d'herbe et quelques arbres rabougris. La seule autre approche vers le camp était un pré herbeux où dix chevaux attachés broutaient et où des hommes en faisaient marcher cinq autres pendant que l'écume séchait sur leurs corps après leur longue course épuisante.

Ishmael en faisait partie. Même si on les faisait marcher pendant déjà une demi-heure, il faudrait encore au moins une autre demi-heure avant qu'ils soient suffisamment refroidis pour retourner avec les autres chevaux. Ensuite, Slater reviendrait et commencerait à interroger Willow.

Avant que cela se produise, Willow devrait être partie.

En prenant soin qu'aucun rayon de soleil ne se reflète sur sa longue-vue, Caleb parcourut l'endroit des yeux jusqu'à ce qu'il repère Willow. Elle se trouvait d'un côté du camp, pieds et poings liés au milieu des provisions. Ses bras étaient attachés de façon inconfortable derrière son dos, Une corde partait de ses poignets pour entourer une souche et revenir à ses chevilles.

Trois mètres derrière elle, un homme était appuyé contre une selle et se coupait les ongles avec un canif. Son visage donnait l'impression qu'il s'était battu avec un lynx.

Willow se redressa. Le mouvement attira l'attention de Caleb. Pendant un moment, ses cheveux s'écartèrent de son visage, révélant l'empreinte livide d'une main d'homme. Caleb devint immobile pendant plusieurs secondes. Il regarda longuement le garde. Ce n'est qu'à ce moment qu'il recommença à parcourir des yeux les alentours du camp de Slater, remarquant la position des autres hommes, d'abris possibles et de sites éventuels d'embuscade.

Pendant que Caleb se servait de sa longue-vue, Wolfe parla d'une voix basse qui ne portait pas plus loin que les deux hommes étendus de chaque côté de lui.

— Si Slater a conservé ses habitudes du temps de la guerre, il y aura un homme qui garde Willow et un autre à une trentaine de mètres hors du camp, là où on s'attendrait le moins qu'il y en ait un. Au moindre signe de danger, ils abattront Willow.

— J'ai aperçu un homme dans les rochers sur la droite, dit doucement Caleb. Je vais m'occuper de lui quand nous nous approcherons.

Il referma la longue-vue et la tendit à Reno.

— Même chose pour l'homme près d'elle, celui au visage lacéré. Je vais m'occuper tout particulièrement de lui.

Reno balaya avec la longue-vue la pente et les approches du camp pendant que Caleb retirait son lourd manteau et s'assurait que son six-coups était bien placé dans son étui.

— Vous ne pourrez pas vous approcher d'eux sans être repérés, dit finalement Reno en abaissant la longue-vue. Et si vous les abattez, Willow sera la prochaine à mourir. Nous allons devoir attendre l'obscurité.

— Slater n'est pas un homme patient, dit Caleb. Je ne vais pas rester ici à le regarder l'interroger puis la dépecer avec sa cravache à pointe d'aciers quand elle ne répondra pas. C'est ce qu'il a fait au Mexique quand une femme a refusé de lui dire où se trouvait son mari.

La main puissante de Wolfe s'abattit sur le bras de Reno pour l'empêcher de se redresser.

— Du calme, Reno. Cal déteste ça encore plus que toi, mais il a raison. Si quelqu'un peut extirper Willow vivante de ce camp, c'est lui.

— Tiens, dit Caleb en tendant sa carabine à Wolfe. Les cartouches sont dans la poche de mon manteau. À cette distance, elle tend vers la gauche d'environ deux centimètres. Willow et moi pourrions nous trouver dans ta ligne de tir pendant les premiers 10 mètres. Ensuite, je l'entraînerai dans le ravin à l'arrière du camp. Quand nous aurons franchi le sommet, nous le contournerons et attendrons que vous nous ameniez les chevaux.

Wolfe acquiesça de la tête et commença à viser avec la carabine, se familiarisant avec la nouvelle arme.

Caleb se tourna vers Reno.

— À quel point es-tu silencieux pendant une traque?

— Il est meilleur que la plupart et pas aussi bon que toi, dit Wolfe avant que Reno puisse répondre. Mais je ne le suis pas non plus, et j'ai été élevé parmi les Cheyennes.

Caleb émit un grognement.

— Reno, tu peux rester ici avec ta carabine ou venir avec moi une partie du chemin, et nous allons découvrir à quel point tu es vraiment rapide avec ce six-coups.

Reno lui adressa un sourire confiant.

— Je serai constamment sur tes talons.

Il parlait tout seul. Caleb était déjà en mouvement. Il fallait du temps pour traquer une proie humaine, et il leur en restait sacrément peu avant que Slater revienne au camp.

Willow regarda de derrière l'écran de ses cheveux, vit qu'on faisait toujours marcher les chevaux et recommença à essayer de se défaire des cordes qui l'attachaient. Impatiente de se retrouver libre, mais inquiète d'attirer l'attention de son garde, elle s'agitait et tirait sur ses liens que dissimulait sa chevelure. La douleur parcourait ses poignets. La peur l'aidait à l'ignorer. Elle ne voulait surtout pas voir s'accomplir de nouveau la promesse cruelle dans les yeux de Slater. Le Comanchero Nine Fingers l'avait fait se sentir avilie.

Slater l'horrifiait.

Malgré ses efforts, les cordes ne lui semblaient pas plus lâches maintenant qu'elles l'avaient été quand elle avait commencé à tordre ses poignets jusqu'à ce que sa peau soit écorchée. Luttant contre le désespoir qui menaçait de la submerger, elle tira brusquement un poignet puis l'autre vers l'arrière en espérant que si elle se faisait saigner, ses poignets et ses mains deviendraient assez glissants pour qu'elle puisse les faire passer entre les liens serrés.

Elle jeta un coup d'œil au garde et vit qu'il devait avoir fini de se couper les ongles. Il était étendu sur le dos avec la bouche ouverte, complètement endormi.

Elle commença à tirer sans retenue sur ses liens en profitant de la sieste du garde.

— Ne bougez pas, chérie. Je ne veux pas vous couper.

L'espace d'un instant, Willow pensa qu'elle était devenue folle et entendait des choses, puis elle sentit ses liens se relâcher et dut réprimer un cri de soulagement et de joie.

— Ramenez vos chevilles vers la droite, dit Caleb d'une voix à peine audible.

Il y eut un léger bruissement pendant que Willow faisait tourner ses pieds vers l'arrière de la souche. Pendant un instant, elle sentit une pression sur ses chevilles, et la corde tomba par terre.

— Reculez lentement jusque derrière la souche. Non ! Ne regardez pas le camp. C'est à moi de le faire. Surveillez ce que vous faites.

Willow s'éloigna lentement jusqu'à ce que la souche se trouve entre le camp et elle. Caleb était étendu sur le ventre, son corps à plat contre le sol.

— Étendez-vous très lentement et rampez comme un serpent derrière moi jusqu'à cette petite dépression dans l'herbe. Vous la voyez ?

Elle acquiesça de la tête, se pencha et commença à se tortiller le long du corps de Caleb. Quand sa tête arriva à la hauteur de la poitrine de Caleb, il lui donna des directives plus précises d'une voix si basse qu'elle se demanda si elle entendait vraiment ses paroles.

— La dépression mène à un ravin d'environ un mètre de profondeur. Allez vers la droite et continuez à ramper vers le haut jusqu'à ce que vous atteigniez les rochers. Votre frère est sur la gauche, derrière eux. Quoi que vous fassiez, *restez baissée*. Reno et Wolfe devront tirer au-dessus de nous si on nous repère.

Willow aurait voulu poser des questions, mais un regard dans les yeux clairs de Caleb suffit à la retenir. Elle pencha la tête et recommença à ramper, se sentant terriblement exposée. Chaque fois qu'elle levait la tête pour voir à quelle distance elle se trouvait du ravin, il lui semblait qu'elle n'avait pas progressé du tout. Mais si elle commençait à accélérer, la main de Caleb se refermait sur sa cheville et la forçait à avancer si lentement qu'elle aurait voulu crier de frustration et de peur.

Quand elle atteignit finalement le ravin, elle se rendit compte qu'il lui offrait bien peu de protection. Profond d'une trentaine de centimètres, avec des côtés qui descendaient légèrement en pente, le ravin était à peine mieux que l'herbe pour les cacher, Caleb et elle. Les rochers dont il avait parlé se trouvaient à une trentaine de mètres. Elle appuya sa joue contre le sol et avança sur ses bras, qui tremblaient sous la tension causée par le fait de se mouvoir si lentement et de manière si inconfortable.

Caleb et elle se trouvaient à une quinzaine de mètres des rochers quand un des hommes de Slater jeta un coup d'œil vers la souche et découvrit que Willow s'était échappée.

Chapitre 18

Le cri de l'homme qui avait découvert que Willow s'était enfuie fut interrompu quand Wolfe ouvrit le feu avec la carabine de Caleb, arrosant le camp de balles. Caleb se jeta sur Willow pour la protéger de la seule manière qu'il pouvait. 15 mètres plus loin, Reno commença à tirer avec son six-coups. Les balles volaient si rapidement qu'il était difficile de distinguer le son de chaque coup. D'autres détonations arrivèrent du camp, des carabines et des pistolets mêlés dans un tir de barrage épouvantable.

Aplatie contre le sol, effrayée et à peine capable de respirer, Willow sentit le grand corps de Caleb tressauter et l'entendit jurer. D'autres cris se firent entendre, puis il y eut d'autres coups de feu, des balles sifflant et s'enfonçant avec un bruit mat dans le sol tout près, mais elle ne pouvait rien voir, parce que Caleb la recouvrait entièrement.

Soudain, le six-coups de Reno devint silencieux, mais pas la carabine à répétition. Elle continua à faire pleuvoir une pluie de balles.

— Courez ! cria Reno.

À peine Willow avait-elle compris les paroles que Caleb la redressait et la tirait en la transportant à moitié vers les rochers. Reno était accroupi d'un côté du ravin peu profond et refermait un deuxième cylindre rempli de balles dans son revolver. Willow et Caleb le dépassèrent en vitesse pendant que la carabine à répétition devenait finalement silencieuse.

Reno recommença immédiatement à tirer pour donner à Wolfe le temps de recharger. Cette fois, les tirs étaient plus lents, parce que Reno visait froidement les hommes assez stupides pour relever la tête afin de voir ce qui se passait. La distance était grande pour un pistolet, mais Reno était un expert avec cette arme.

— Grimpez ce ravin, dit brusquement Caleb à Willow tandis qu'il se tenait derrière elle et pointait un doigt vers un cours d'eau asséché qui s'éloignait de la crête où se trouvait Wolfe. Quand vous atteindrez les arbres, courez sur une trentaine de mètres, puis cachez-vous jusqu'à ce que nous vous rejoignions. Maintenant, *courez*.

Willow partit en s'aidant des pieds et des mains pendant que la carabine à répétition recommençait à faire feu. Caleb attendit pour voir si elle continuait selon ses directives et s'étonna qu'elle le fasse. Il se tourna et commença à donner des ordres brusques à Reno.

— Je vais les garder occupés pendant que tu recharges, dit-il, mais tu ferais sacrément mieux de pouvoir le faire en courant.

— Tu es blessé, dit Reno sans quitter le camp des yeux. Je vais rester.

— Ce n'est pas le bras avec lequel je tire. Vas-y.

Reno aperçut la botte d'un homme qui pointait parmi les provisions dans le camp.

— D'accord. Prépare-toi.

Pendant que Caleb dégainait son six-coups, Reno visa la botte à peine visible. Il tira son dernier coup, se tourna et commença à retirer les cartouches vides de son six-coups tandis qu'il remontait le ravin à la suite de Willow.

Caleb avait déjà choisi sa cible. Aussitôt que Reno tourna vers le ravin, il ouvrit le feu. Sa balle envoya un homme de Slater courir vers une meilleure cachette. À l'autre bout du camp, quelqu'un ouvrit le feu sur eux avec une carabine. En constatant la rapidité des tirs, Caleb comprit qu'il s'agissait d'une carabine à répétition. Les balles sifflaient et percutaient le rocher juste sous lui. Immédiatement, Wolfe répliqua de sa position, forçant l'autre tireur à garder la tête basse.

Une autre carabine commença à tirer. Elle était aussi à répétition. Caleb fit feu à deux reprises et compta les fois où les autres carabines tiraient sans s'arrêter. Huit pour une et neuf pour l'autre. Elles n'étaient pas du même type que la sienne, ce qui signifiait que celles des hommes de Slater contenaient moins de balles dans les chargeurs et qu'il fallait plus de temps pour les recharger.

— Prêt! cria Reno.

Caleb se tourna et courut aussi vite qu'il le put en grimpant le ravin. Il ne se soucia pas de recharger en route, parce que sa main gauche dégoulinait de sang. Il dépassa Reno, poursuivit sur une trentaine de mètres, rechargea et cria à Reno de se retirer. En travaillant de concert, tous deux se retirèrent sous le couvert des arbres.

Willow était invisible.

— Trouve-la et fais-lui traverser la crête, dit brusquement Caleb à Reno. De l'autre côté, Wolfe pourra vous amener directement les chevaux.

— Et toi ?

— Je vais couvrir vos arrières jusqu'à ce que tu aies fait traverser Willow. Maintenant, vas-y !

Ce n'était pas le temps de discuter, et Reno le savait. Ils avaient surpris Slater, mais cet avantage disparaissait rapidement. Ses carabines à répétition n'étaient pas aussi bonnes que celle dont se servait Wolfe, mais elles étaient deux contre une. Il y avait aussi 10 hommes, moins les deux gardes et ceux que Wolfe avait blessés ou tués.

Peu importe la façon dont Reno comptait, l'avantage était du côté de Slater. Il se tourna et courut à travers les arbres en appelant doucement sa sœur. Willow se releva à une trentaine de mètres devant lui. Il courut vers elle et l'entraîna le long du ravin comme Caleb l'avait fait, en la tirant et la portant à la fois. Au moment où ils arrivèrent au bout et grimpèrent dans la zone où se mêlaient de hautes herbes et des arbres, elle respirait aussi difficilement qu'elle l'avait fait en traversant la ligne de partage des eaux. Reno haletait presque autant.

— Tiens-toi dos à moi et garde les yeux ouverts, lui ordonna-t-il.

Luttant pour retrouver son souffle, Willow surveilla les environs avec inquiétude, ses yeux passant d'une ombre à l'autre. Rien n'était visible à part des bosquets de trembles et des plaques d'herbe, les signes avant-coureurs du bassin au pied des sommets boisés. Sa respiration ralentit progressivement. Le temps s'écoulait lentement pendant qu'elle s'efforçait de distinguer les bruits de la nature de ceux que pourraient faire des hommes en se faufilant jusqu'à eux. Elle entendit au loin des détonations de carabines, mais aucune provenant d'un six-coups.

Finalement, le cri harmonieux d'un loup se fit entendre derrière elle.

— Ne tire pas! s'exclama-t-elle. C'est Caleb!

— Je ne tire jamais sur quelque chose que je ne peux pas voir, répondit calmement Reno. Amène-toi, Homme de Yuma. Willy, surveille le foutu pré!

Elle se retourna en vitesse et regarda le terrain vide, sentant le dos de son frère comme un mur derrière elle.

C'est aussi bien ainsi, se dit-elle tristement. *Je ne veux pas vraiment voir Caleb me fixer avec ses yeux froids et savoir que le devoir lui a fait risquer sa vie pour moi.*

Elle songea à quel point il s'était mis en danger en venant au camp, et elle frissonna. Elle n'avait même pas eu le temps de le remercier, mais cela aussi était mieux ainsi. À la façon dont il avait tourné la tête pour regarder la vallée, il n'attendait absolument rien de sa part.

Avertissez-moi quand vous aurez fini de bouder et que vous voudrez être traitée comme ma femme. À ce moment, je vous ferai savoir si j'ai encore envie d'être votre homme.

— Quelqu'un vient? demanda Reno.

— Non, répondirent Caleb et Willow à l'unisson.

— Bien. Comment te sens-tu à la vue du sang, Willy? Ça te fait t'évanouir?

— Pas depuis mes 13 ans.

— Alors, change de place et va panser ton futur mari pendant que je surveille le pré.

Il fallut à Willow quelques instants pour comprendre. Quand elle le fit, elle se tourna brusquement et fixa Caleb, qui se tenait debout à moins d'un mètre d'elle. Elle exhala brusquement en voyant le sang se répandre en une tache pourpre le long de son bras gauche.

— Caleb, mon Dieu… fit-elle d'une voix tremblante.

— Ne vous évanouissez pas, dame du Sud. Vous ne me serez d'aucune utilité si vous êtes inconsciente par terre.

Les paroles sèches lui firent reprendre son contrôle comme rien d'autre n'aurait pu le faire. Elle avança d'un pas et regarda son bras, car c'était mieux que de voir la clarté sauvage de ses yeux.

— Tenez, dit Caleb en passant une main derrière son dos où il avait déplacé son étui à couteau pour mieux ramper. Vous aurez besoin de ça.

D'une main tremblante, Willow prit le grand couteau. Quand elle le vit taché de sang, elle leva les yeux vers Caleb en se demandant s'il n'avait pas une autre blessure qu'elle ne voyait pas.

— Ce n'est pas mon sang, fit-il.

Willow prit une profonde inspiration et ne dit rien.

— Déçue? demanda-t-il d'un ton sarcastique.

Elle tressaillit légèrement, puis raffermit sa poigne sur le couteau et en glissa la lame sous la manche de Caleb.

— Restez immobile.

— Ne vous inquiétez pas, dame du Sud. Je ne vais pas vous donner un prétexte pour me blesser davantage que je ne le suis déjà.

Le tissu céda facilement devant la lame mortellement aiguisée. Willow écarta la manche pour voir la blessure en haut du bras de Caleb. Elle se mordit la lèvre en apercevant la traînée rouge où une balle avait creusé un sillon le long de son biceps.

— Oh, Caleb, murmura-t-elle. Je suis désolée.

— Vous le devriez, dit-il d'un ton catégorique. Vous et vos idées de fillette à propos de l'amour, vous avez failli tous nous faire tuer.

Willow regarda Caleb, puis elle détourna rapidement les yeux. Il avait le regard d'un oiseau de proie, intense et impitoyable. Il n'avait jamais ressemblé autant à ce qu'il était... un ange de la vengeance.

Rien n'avait changé. Rien ne changerait. Rien ne *pourrait* changer. Elle était tombée en amour avec un homme qui ne connaissait que le froid équilibre entre le bien et le mal, le devoir et la nécessité. Mais elle avait ses propres idées à propos du bien et du mal, du devoir et de la nécessité. Aucune d'elles n'impliquait de forcer un homme à l'épouser simplement parce que son frère était un as de la gâchette.

— Vous n'êtes pas le seul à avoir un sens du devoir, lui dit-elle.

Elle prit l'autre bras de Caleb et glissa le couteau sous la manche. Quand elle parla, sa voix était aussi sourde que le bruit du tissu qu'elle découpait en lanières avec des mouvements brutaux.

— Je ne pouvais pas rester et vous regarder être forcé de m'épouser seulement parce qu'il se trouve que Matt est si terriblement rapide avec son pistolet!

— Forcé de vous marier à cause du pistolet de votre frère, dit froidement Caleb. C'est bien de savoir que vous pensez que je suis à la fois un lâche et le genre de vil séducteur qui transformerait une fille innocente en putain.

— Séducteur? Ne soyez pas ridicule, répondit Willow d'une voix sèche pendant qu'elle enveloppait la blessure de Caleb avec une douceur qui contrastait avec sa voix. Avant même que vous m'embrassiez, poursuivit-elle, je vous désirais au point où je ne pouvais pas prendre une inspiration sans me demander si l'air vous avait d'abord touché.

Caleb se raidit comme s'il avait reçu un coup de fouet.

— Je suis désolée, dit rapidement Willow en pensant qu'elle avait été trop brutale en enveloppant sa blessure. Je ne voulais pas vous faire mal. Pour ce qui est d'être un lâche, continua-t-elle en attachant minutieusement le bandage, quiconque a le courage de ramper dans le camp de Jed Slater en plein jour n'est pas un lâche. Vous êtes simplement trop pragmatique pour aller vers une mort certaine et trop fier pour vous enfuir. Il ne reste donc que le mariage.

Elle recula d'un pas.

— Ça devrait faire l'affaire, termina-t-elle.

— Est-ce que ça veut dire que tu as fini de déchirer des morceaux de tissu ? demanda sèchement Reno en se tournant pour leur faire face. Si oui, il est temps de… *Slater !*

Avant que le cri ait fini de quitter les lèvres de Reno, Caleb pivota sur lui-même et tira son revolver en un seul mouvement fluide si rapide que l'œil ne pouvait réellement le suivre. Le tonnerre éclata à la droite de Willow puis sur sa gauche alors que Caleb et ensuite Reno vidaient leurs armes sur les deux hommes qui se trouvaient à une vingtaine de mètres et sortaient du ravin sur l'herbe en cherchant un angle de tir entre les arbres.

La vitesse foudroyante de la réaction de Caleb et de Reno surprit les frères Slater. Ils tirèrent rapidement au hasard en courant se mettre à l'abri. Mais il n'y en avait aucun près d'eux. Caleb et Reno étaient aussi précis qu'ils étaient rapides. Comprenant cela, Jed Slater se tourna et fit feu alors même que les balles le fauchaient.

Ce n'était pas les hommes qu'il visait, mais Willow.

Une douleur fulgurante éclata dans la tête de Willow, et elle tomba à genoux. Elle sentit l'obscurité descendre sur elle. Elle entendit la voix de Caleb crier son nom pendant qu'elle tendait les bras vers lui pour trouver un appui solide dans cette noirceur qui menaçait de l'engouffrer. Elle sentit la force de ses bras la supporter, mais même sa puissance ne parvenait pas à tenir à distance l'obscurité anormale.

Elle essayait encore de prononcer le nom de Caleb quand elle perdit finalement connaissance.

Il sentit s'amollir le corps de Willow, vit le sang qui se répandait de dessous sa chevelure blonde et cria son nom d'une voix qui lui déchirait la gorge.

Il n'y eut pas de réponse. Il ne s'était pas attendu à ce qu'il y en ait une. Les doigts tremblants, il tâtonna doucement autour de la blessure sanglante, puis il serra Willow contre son corps. Et il pleura à la manière silencieuse et poignante d'un homme qui ne s'était jamais laissé aller à verser des larmes.

Quand Wolfe arriva au camp, il vit d'abord Reno et Caleb assis à une dizaine de mètres au milieu des ombres tachetées de soleil. Willow gisait entre les deux hommes. Caleb jeta un rapide regard à Wolfe et aux chevaux, puis il se tourna vers Willow comme s'il craignait qu'elle meure s'il la quittait des yeux. Sa main reposait entre les siennes. Il caressait sa peau douce, essayant de rassurer à la fois Willow et lui-même sur le fait qu'elle était toujours en vie.

Reno regarda longuement sa sœur, puis il se leva et marcha jusqu'à l'endroit où Wolfe attendait.

— J'ai entendu les coups de feu. Willow a été touchée ? demanda-t-il en descendant de cheval.

— Oui.

— Gravement?

— Nous ne le savons pas. Son pouls est fort et régulier, mais elle est inconsciente.

Les yeux noirs de Wolfe se fermèrent brièvement. Il se tourna et regarda tristement la fille qui gisait trop paisiblement et l'homme qui était assis près d'elle et la caressait avec une tendresse qu'il n'aurait jamais crue possible de sa part s'il ne l'avait vu de ses propres yeux.

— Qu'est-ce qui est arrivé? dit-il en se détournant, car il avait l'impression de s'être introduit dans l'intimité de Caleb.

— Slater et son jeune frère ont surgi du ravin derrière nous. Ils étaient à 30 mètres quand je les ai aperçus, répondit Reno d'un ton las. Willow pansait le bras de Caleb. Nous n'avons pas eu le temps de l'écarter. Quand Jed Slater a compris qu'il était fini, il a tiré sur elle. Qu'il aille brûler en enfer.

— Amen, soupira Wolfe. Et Kid Coyote?

— Mort.

Reno regarda derrière Wolfe les chevaux qu'il conduisait. Ishmael était là. Il avait la tête haute, et sa démarche était solide. Sa robe était ternie par l'écume séchée, mais sa longue course ne semblait pas l'avoir abattu.

— Merci d'avoir ramené l'étalon, dit Reno la voix rauque à cause de ce que ni l'un ni l'autre n'avait osé dire. C'est le préféré de Willow.

— Pas besoin de me remercier. J'aurais tué chaque hors-la-loi dans le camp pour mettre la main sur cet étalon roux, dit calmement Wolfe.

Il attendit, mais Reno n'ajouta rien à propos de ce à quoi ils étaient confrontés avec la blessure de Willow.

— Est-ce qu'elle a trop saigné? Est-ce que c'est pour ça qu'elle est inconsciente?

Reno hésita puis fit un geste étrangement impuissant de la main gauche.

— C'est une blessure à la tête. Caleb a dit qu'elle était peu profonde. Il a dit qu'il avait vu des hommes se promener avec une balle dans la tête jusqu'à ce que la blessure se referme.

Puis, il poussa un juron et ajouta :

— Il a aussi dit qu'il avait vu des hommes qui n'avaient jamais repris connaissance après avoir reçu une blessure aussi peu profonde que la sienne.

Wolfe jura à voix basse et saisit les rênes entre ses doigts comme s'il s'agissait du cou d'un homme.

— Apparemment, nous ferions mieux de camper ici.

— Nous sommes trop proches de la bande de Slater.

— Ils sont finis, répondit Wolfe laconiquement. Cette carabine à répétition de Caleb est une vraie merveille. On peut la garder à l'épaule pour la recharger. On n'a qu'à insérer les balles sur le côté et continuer à tirer. Elle est beaucoup mieux que les deux armes à répétition qu'avait Slater.

— C'est seulement parce que c'était toi qui tirais, dit Reno. Je n'ai jamais vu quelqu'un qui soit à ta hauteur avec une carabine.

— Et je n'ai jamais vu quelqu'un de ton niveau en ce qui concerne ta façon de tirer avec un six-coups, sauf peut-être Caleb Black.

Reno lui adressa un sourire triste.

— Cet Homme de Yuma est vraiment rapide ; il n'y a pas de doute là-dessus. J'ai dû contourner Willow pour tirer. Pendant ce temps, Caleb avait vidé son chargeur. Il est aussi futé qu'il est rapide. Il a tout de suite vu que Kid Coyote était lent et effrayé, alors il a mis six balles dans le corps de Jed Slater et m'a laissé Kid Coyote.

Wolfe acquiesça.

— J'ai vu tirer Caleb. Pas souvent, je dois le préciser, mais quand il le fait, il est drôlement efficace. Je suis heureux que vous deux ayez réglé vos différends autrement qu'en dégainant vos armes.

Reno fixa ses yeux vert pâle sur le visage de Wolfe.

— Caleb et moi sommes partis du mauvais pied, mais c'est un foutu bon gars, et il se reproche ce qui est arrivé à Willy. C'est pure folie. Ce n'est pas sa faute si Jed Slater était vicieux comme un serpent et assez résistant pour recevoir six balles et continuer quand même à tirer.

Reno fit un geste de colère avant d'ajouter :

— Mais Caleb ne m'écoute pas. Peux-tu le ramener à la raison ?

— Je vais essayer, mais je doute d'y réussir. J'ai découvert que les hommes ne sont pas vraiment raisonnables quand il s'agit de leurs femmes. En particulier les hommes comme Caleb Black. L'eau profonde qui s'écoule lentement paraît calme ; mais que Dieu vienne en aide à l'idiot qui essaie de modifier sa course.

Wolfe marcha jusqu'à l'endroit où gisait Willow. Quand Caleb leva les yeux, la gorge de Wolfe se serra sur les paroles de tristesse qu'il ne pouvait exprimer. Caleb ressemblait à un homme qui ne croyait plus à rien, même à l'enfer.

— Qu'est-ce que je peux faire ? demanda-t-il doucement.

— Aller chercher ses juments, dit Caleb en reportant son regard sur Willow pendant qu'il caressait doucement sa joue du revers de la main. Quand elle va se réveiller, je veux qu'elle voie ses chevaux en train de brouter tout près. Je veux qu'elle ouvre les yeux et aperçoive…

Caleb s'interrompit. Wolfe lui posa une main sur l'épaule, la serra et se retourna sans dire quoi que ce soit. Il n'y avait aucune parole qui puisse faire revivre la lumière dans les yeux de Caleb.

Celui-ci ne leva pas les yeux quand Wolfe enfourcha son cheval et partit. Il ne leva pas les yeux quand Reno fabriqua un large lit avec des branches de conifères. Mais quand Reno s'apprêta à transporter Willow, Caleb le repoussa et prit la jeune femme dans ses bras malgré sa blessure. La douleur à son bras n'avait aucune d'importance, sauf celle de lui rappeler qu'il était encore vivant et que Willow ne l'était pas tout à fait.

— Je vais monter sur cette colline, dit Reno. Je pourrai mieux monter la garde de là-haut.

Caleb acquiesça sans le regarder. Il déposa doucement Willow sur le lit, tira de nouveau la couverture sur elle et s'étendit à ses côtés. Ses doigts cherchèrent de nouveau son poignet afin de se rassurer en prenant son pouls. Son battement fort et régulier était tout ce qui existait entre Caleb et le genre d'obscurité dont il avait toujours ignoré l'existence jusqu'à ce qu'il se tourne en entendant le cri de Willow et en la voyant s'effondrer.

Mais Willow avait su qu'une telle obscurité existait. Il l'avait vue dans ses yeux le soir précédent, quand elle se tenait sous le clair de lune et qu'elle s'était qualifiée de putain. Il avait été furieux qu'elle puisse s'abaisser, ainsi que l'abaisser, lui aussi, et amoindrir ce qu'ils avaient partagé. Elle avait éprouvé la même fureur, avait été submergée par une rage aussi profonde que la passion qu'ils avaient vécue.

Pourtant, derrière toute cette souffrance et toute cette rage, Caleb avait entendu Willow prononcer son nom dans le silence, demandant pourquoi une chose qui avait débuté dans une telle beauté s'était terminée dans une aussi terrible obscurité. Il s'était posé la même question depuis qu'il avait su qu'elle était la sœur de Reno.

Aucune réponse ne lui était venue; seulement une douleur qui augmentait avec chaque respiration, avec chaque caresse partagée, avec chaque instant où il savait que l'amour viendrait à prendre fin pour être remplacé par la haine.

Et c'était arrivé.

Caleb ferma les yeux comme si ce geste pouvait effacer les douloureux souvenirs, en vain. Il ne cessait d'entendre la voix rauque de Willow crier son nom en un écho obsédant d'un amour perdu avant même qu'il puisse être vraiment trouvé.

Caleb, qu'est-ce qui ne va pas? entendit-il dans son esprit. *Caleb? Qu'est-ce qui s'est passé? Pourquoi ne me répondez-vous pas? Caleb? Caleb!*

Soudain, il se rendit compte que c'était Willow qui prononçait son nom.

— *Caleb.*

Il ouvrit lentement les yeux en espérant qu'il ne rêvait pas.

Willow le regarda d'un air inquiet, son cœur se serrant en voyant l'expression sur son visage. Même si elle grimaçait de douleur à cause de ce mal de tête qui était venu de nulle part, elle toucha la joue de Caleb de ses doigts tremblants en voulant apaiser la douleur qu'elle voyait dans ses yeux.

— Vous êtes blessé, dit-elle en voyant le bandage ensanglanté comme si c'était la première fois.

— On m'a tiré dessus.

Caleb lui jeta un regard intense en s'interrogeant sur son inquiétude, sur l'émotion qui l'avait fait le regarder comme si la veille au soir n'avait jamais existé.

— Et vous aussi, ajouta-t-il.

Les yeux noisette de Willow s'écarquillèrent, révélant toutes les teintes de bleu, de vert, d'ambre et de gris. Caleb sentit sa tension s'amenuiser encore davantage quand les deux pupilles se contractèrent en réaction à l'augmentation de la lumière. Les hommes qui étaient morts de leurs blessures à la tête n'avaient pu réagir à la lumière avec les deux yeux.

— Tiré? demanda-t-elle. Comment? Quand? Je ne m'en souviens pas.

— N'essayez pas de vous asseoir, dit-il, mais il était trop tard.

Willow émit un petit gémissement. Caleb l'attrapa et la déposa lentement sur le lit.

— Ma tête me fait mal.

— C'est ce qui arrive quand vous croisez le chemin d'une balle.

Il l'embrassa très doucement et caressa sa joue. Quand elle ne s'écarta pas, mais tourna plutôt son visage vers sa main, il éprouva un si grand soulagement qu'il en fut étourdi. Il l'embrassa légèrement sur les lèvres et murmura :

— Ne bougez pas, mon amour. Vous êtes faible comme un chaton.

— Quand tout ça est-il arrivé?

Caleb regarda sa montre et ne put croire qu'il s'était écoulé si peu de temps. Il avait l'impression d'avoir passé des mois à surveiller Willow.

— Il y a moins d'une heure, dit-il.

Elle fronça les sourcils tandis qu'elle essayait de se souvenir.

— Matt ? Est-ce que Matt va bien ? Et vous ?

— Votre frère est là-haut sur la colline et monte la garde. Ma blessure est sans importance. Wolfe est allé chercher vos juments. Il a ramené Ishmael aussi. Tout va bien, sauf vous. De quoi vous souvenez-vous ?

Caleb ne pouvait empêcher que l'espoir transparaisse dans sa voix. Souvent, les blessures à la tête entraînaient une amnésie. Il aurait donné beaucoup pour que Willow puisse oublier ce qui était arrivé la veille.

Il vit le moment exact où Willow se souvint. L'inquiétude amoureuse quitta son regard. Très lentement, elle détourna son visage, si bien que les doigts de Caleb ne touchaient plus sa joue.

— Je me souviens de m'être enfuie sur Ishmael plutôt que de vous obliger à m'épouser sous la menace du pistolet de Matt, dit-elle finalement.

— Oui, je vois bien que vous vous souvenez de ça. Quoi d'autre ? demanda Caleb d'un ton neutre.

Willow fronça les sourcils et porta les mains à ses tempes pour soulager sa douleur en les frottant.

— Je me souviens d'avoir fait courir Ishmael beaucoup trop vite et beaucoup trop longtemps.

— Ishmael s'en est sorti tout à fait bien. Jed Slater se fichait des gens en général et des femmes en particulier, mais il était le meilleur cavalier du Kentucky. Il s'est occupé personnellement d'Ishmael après sa course. Vous souvenez-vous de quoi que ce soit d'autre ?

— Je me souviens d'avoir lutté contre l'homme qui m'a attrapée. Ça n'a pas fonctionné. Il m'a giflée si fort que je ne pouvais plus ni voir ni entendre.

Caleb serra les mâchoires.

— Vous l'avez passablement griffé en retour.

— Oui, je me souviens de son visage. C'était lui qui me gardait.

L'expression de Willow se transforma quand elle se souvint du sang sur le couteau de Caleb.

— Je pensais qu'il faisait la sieste, mais ce n'était pas le cas, n'est-ce pas ?

— De quoi d'autre vous souvenez-vous ?

— De vous, répondit simplement Willow. Vous avez tranché mes liens puis rampé derrière moi hors du camp, et quand les tirs ont commencé, vous m'avez protégée avec votre corps.

Elle regarda à travers l'écran épais de ses cils blonds.

— C'est à ce moment que vous avez été blessé, n'est-ce pas ? Je vous ai senti tressaillir.

— Vous rappelez-vous autre chose ?

— Je suis désolée, Caleb, murmura-t-elle en ignorant sa tentative de changer de sujet. Je n'ai jamais voulu que vous soyez blessé. C'est moi qui vous ai séduit, et non le contraire. Je savais que Matt ne le verrait pas comme ça, et je ne voulais pas qu'il vous abatte parce que c'était moi qui vous avais séduit, alors je suis partie. Mon frère est si rapide avec…

Willow s'interrompit soudain. Elle se souvenait d'avoir vu Caleb se retourner et dégainer à une vitesse fulgurante.

— *Vous êtes aussi rapide que mon frère.*

— Peut-être, mais probablement pas, dit Caleb d'une voix égale. De toute façon, la vitesse n'importe pas toujours. Ce qui importe, c'est d'atteindre votre cible et d'être prêt à recevoir une balle en retour.

— C'est ce qui vous est arrivé.

— De même qu'à Jed Slater. Il est chanceux d'être mort. Je l'aurais pendu pour ce qu'il vous a fait.

Willow soupira et poursuivit sur le seul sujet qui avait de l'intérêt à ses yeux.

— Vous ne craignez pas le pistolet de Matt ; alors, pourquoi avez-vous accepté de m'épouser plutôt que de lui faire face ?

— Je ne voulais pas tuer quelqu'un que vous aimiez, répondit simplement Caleb. Vous aimiez votre frère. Vous disiez que vous m'aimiez. Un de nous deux aurait été tué, Willow. Probablement les deux. C'est ce qui arrive quand deux hommes de la même trempe sont assez stupides ou assez malchanceux pour se faire face l'arme à la main. Puisque j'avais prévu vous épouser de toute façon, ça me semblait idiot de combattre Reno à ce propos. Je préférais que votre frère soit vivant pour vous donner à moi.

— Quand… fit Willow en déglutissant. Quand avez-vous compris à quel point Matt était habile avec son pistolet ?

— À la minute où Becky a prononcé son nom. Votre frère s'était fait une réputation d'homme terrible dans un combat. Il n'a jamais cherché à obtenir cette réputation, mais ça n'a pas empêché les gens de jaser. Wolfe m'a averti, aussi. Il m'a dit que Reno et moi nous tuerions probablement l'un l'autre.

— Vous saviez tout ça, et vous êtes quand même parti à la poursuite de Matt ?

Caleb regarda Willow en fronçant les sourcils.

— Bien sûr. Si j'avais laissé tomber, qui d'autre aurait fait en sorte qu'aucune autre fille innocente ne soit séduite et abandonnée pour finalement mourir en donnant naissance aux bâtards de Reno ?

— Matt ne ferait jamais une pareille chose !

— Je le sais, maintenant. Et je ne vais pas non plus m'attaquer à lui. Vous et moi, nous allons nous marier, Willow.

— Ce n'est pas vous qui m'avez séduite, dit-elle, les dents serrées.

— Foutaises, répliqua Caleb d'une voix dure avant de caresser la joue de Willow en une excuse silencieuse. Chérie, aucun homme n'a jamais séduit une fille aussi minutieusement que je l'ai fait avec vous. La combinaison de votre innocence et de votre passion m'a fait souffrir jusqu'à ce que je croie devenir fou. J'étais résolu à vous posséder, mais je l'étais encore plus à faire en sorte que ce soit vous qui le demandiez. Ma fierté m'interdisait de penser que quiconque puisse dire que je vous avais prise contre votre volonté.

— Alors, c'est pour cette raison que vous m'avez dit de vous repousser, fit Willow d'une voix faible en comprenant trop tard.

— Ce n'est pas *pour ça*, dit Caleb d'une voix basse. Je venais d'apprendre que vous étiez la sœur de l'homme que j'avais fait le serment de tuer. Je savais que si je vous prenais, vous vous détesteriez tout autant que vous me haïriez quand vous vous retrouveriez devant moi au-dessus du cadavre de Reno. Je ne voulais pas ça, mais je vous désirais tant que je ne pouvais me détourner de vous.

Willow écarquilla les yeux de surprise en comprenant ce que Caleb avait tenté de lui épargner ; mais même sa formidable maîtrise de soi ne l'avait pas empêché de la prendre.

— C'est à ce moment que je vous ai dit de me repousser, murmura Caleb, quand j'ai su que vous étiez la sœur de Reno. La pensée que vous puissiez me haïr me déchirait, mais j'ignorais quoi faire pour arrêter ça. Je n'aurais pas pu me regarder en face si j'avais laissé Reno continuer à séduire d'autres filles. Malgré ça, je vous désirais tant que je ne pouvais pas vous laisser partir. Peu importe le choix que je faisais, je perdais.

Willow sentit son cœur se serrer alors qu'elle se souvenait du moment où elle devait choisir entre marier un homme qui ne l'aimait pas et regarder mourir l'homme qu'elle aimait sous la main de son frère. Aucun choix n'était supportable, alors elle était simplement partie en laissant les deux choix derrière. Caleb n'avait pas même eu cette porte de sortie. Le devoir, le désir ou la mort avaient constitué un piège parfait. Aucune marge de manœuvre pour plaider sa cause ou se cacher. Aucune façon de se libérer. Aucune façon de changer ce qui arriverait. Aucune façon de vivre avec ce qui arriverait.

Willow ne savait pas ce qu'elle aurait fait s'il n'y avait pas eu d'issue pour elle. Elle émit un petit gémissement, prise en étau dans la compréhension douloureuse du fait que Caleb avait payé le prix fort pour la passion qu'elle avait suscitée en lui.

Caleb frôla encore de ses longs doigts la joue de Willow, puis il les retira parce qu'il craignait sa réaction.

— Je vous ai prise parce que je n'ai pas pu m'en empêcher, avoua-t-il d'une voix rauque. Je ne vous ai rien caché. Je ne le pouvais pas. Je ne me suis jamais retrouvé avec une femme comme vous, à la fois passionnée, sereine et joyeuse. Vous m'avez fait comprendre tout ce que j'avais raté jusque-là. *Et je savais à chaque instant de chaque heure où j'étais avec vous que j'allais vous perdre aussitôt que je trouverais Reno.*

Caleb lutta contre l'émotion qui lui serrait la gorge et lui brûlait les yeux comme une flamme nue. Il prit une lente inspiration pour tenter d'apaiser la tension brutale dans son corps. C'était inutile. Cette tension n'avait jamais tout à fait cessé d'être présente depuis qu'il avait su que Willow était la sœur de Reno.

— Puis vous avez dit que vous étiez ma putain, murmura-t-il, comme si ce que nous avions vécu n'était rien de plus qu'un accouplement de deux étrangers dans le noir. Et pourtant, à mes yeux, ce que nous avions était… magnifique.

Willow sentit la tension dans les doigts de Caleb, un léger tremblement qui passa de lui à elle et lui fit discerner l'agitation derrière son apparente impassibilité.

— Alors, je vous ai donné ce que vous vouliez, poursuivit-il. Je vous ai laissée dormir seule comme une femme, et non comme une putain. Et en m'éveillant, j'ai découvert que même si je n'avais pas tué votre frère, vous me détestiez tellement que vous aviez préféré courir vers une mort certaine plutôt que de m'épouser.

— Ce n'est pas vrai! s'exclama Willow en s'assoyant.

Pendant un instant, une vive douleur la fit grimacer, mais elle passa rapidement; la jeune femme était submergée par sa détermination à faire en sorte que Caleb comprenne.

— Je n'avais pas l'intention de mourir. Je ne voulais simplement pas passer le reste de ma vie avec un être qui pensait que tout ce qui existait entre un homme et une femme n'était qu'un échange — elle le satisfait, et il lui accorde le mariage ou une poignée d'argent selon le type de femme qu'elle est. Cette manière de penser fait de toutes les femmes des putains.

Caleb se redressa en luttant pour garder cette maîtrise de soi qu'il avait toujours tenue pour acquise avant de rencontrer Willow Moran. Très doucement il tourna son visage contre son cou, l'enlaçant sans lui faire mal.

— Je n'ai jamais pensé à vous de cette façon, dit-il après un moment. Quand vous vous êtes donnée à moi…

Sa voix s'éteignit, puis devint encore plus rauque qu'auparavant lorsqu'il reprit.

— C'était le plus beau cadeau qu'on m'ait jamais donné. Je n'avais rien à vous offrir en retour que des choix terribles qui me déchiraient. Mon seul espoir de modifier ces choix était de vous donner un plaisir si grand que vous ne seriez pas capable de me détester quoi qu'il arrive après que j'aie trouvé votre frère.

Caleb se força en vain à respirer profondément, régulièrement. La douleur brute qu'il éprouvait échappait à son contrôle.

— Quand j'ai découvert que Reno n'avait pas séduit ma sœur, j'ai cru que Dieu avait entendu mes prières. J'étais libéré de ce piège. Mais vous me détestiez quand même.

Il prit une profonde inspiration quand sa voix se brisa, puis il ferma les yeux et lutta pour finir de dire ce qui devait être dit avant qu'il perde même la capacité de parler.

— Vous pourriez porter mon enfant en ce moment même. Je ne peux pas vous laisser partir seule alors que vous prétendez être veuve. Nous allons nous marier. Nous devons ça au bébé que nous avons peut-être créé. Acceptez-le, Willow. Ne me combattez plus. Vous vous feriez seulement souffrir.

— Le devoir, dit Willow en essayant sans y parvenir de masquer l'amertume dans sa voix. Fichu devoir, murmura-t-elle sur un ton misérable. Une vie entière de froid devoir. Je ne voulais pas ça. C'est pour ça que je me suis enfuie. Je souhaitais tellement plus de mon mariage que le devoir.

Un petit tremblement traversa Caleb, sa maîtrise lui échappant, sa voix devenant encore plus dure.

— Je suis désolé, Willow. Je voulais tellement plus aussi. Je voulais dormir avec vous dans mes bras et me réveiller en voyant votre sourire. Je voulais voir l'amour dans vos yeux quand vous me regarderiez. Je voulais construire une maison pour vous et vous donner des enfants. Je voulais une passion si profonde que je plongerais dans votre âme de la même façon que vous aviez plongé dans la mienne. Je voulais... tout.

— Moi aussi, murmura-t-elle.

— Nous pourrions encore avoir tout ça, dit Caleb contre les cheveux de Willow. Ne pouvez-vous pas me pardonner et apprendre à m'aimer de nouveau ? J'en ai besoin, Willow. Je vous aime tellement que je peux à peine respirer.

Elle tressaillit et voulut hurler en devant écouter le devoir qui se faisait passer pour de l'amour, mais elle n'avait pas la force de crier. Elle n'avait même pas la force de rester assise sans s'appuyer sur l'homme qui avait toujours été plus fort qu'elle ne l'était, plus robuste, et qui n'avait besoin de rien d'autre que lui-même, son Dieu et son devoir.

— Ne faites pas ça, soupira Willow. Vous n'avez pas à me dire de doux mensonges pour m'attirer dans votre lit. Je ne suis plus une jeune fille innocente. Je suis une...

— C'est assez, Willow, l'interrompit Caleb d'une voix basse. Je ne vous laisserai pas encore vous traiter de putain. Je sais que vous me détestez. Je sais que je n'aurais jamais dû vous séduire, mais je ne peux effacer le passé. Tout ce que je peux faire, c'est vivre avec ça et essayer de ne plus vous faire de mal.

— Le devoir, résuma-t-elle.

— Au diable le devoir, dit Caleb en tremblant. *Je vous aime.*

Willow sentit une seule goutte sur sa joue et frémit. Elle s'était crue au-delà des larmes. Au moment même où elle levait une main pour essuyer la preuve de son déses-poir, elle se rendit compte que ce n'était pas sa propre larme qui brûlait sa peau.

En hésitant et en ayant peur de croire, elle porta une main tremblante à la joue de Caleb. Ses pleurs l'ébouillan-taient, la brûlaient à travers la douleur et la confusion jusqu'à la vérité qui se trouvait dessous. Le sentiment du devoir pouvait forcer un homme à venger sa sœur au risque d'y perdre la vie. Le devoir pouvait le forcer à risquer sa vie pour sauver Willow. Le devoir pouvait le forcer à épouser la fille qu'il avait séduite. Mais même le devoir ne pouvait faire sourdre des larmes sur le visage d'un homme aussi dur que Caleb Black. Avec un petit bruit de ravissement, Willow posa sa joue contre celle de Caleb, puis elle se retourna et l'embrassa, goûtant les pleurs aigres-doux qui se mêlaient aux siens. Il en était de même de leurs phrases murmurées, deux voix entremêlées dans la découverte et la joie, celles d'un homme et d'une femme liés l'un à l'autre par la passion irrésistible qu'on appelle l'amour.

Épilogue

L e vent qui provenait des sommets montagneux courait, frais et doux sur la terre, faisant danser les feuilles des trembles. Ishmael leva la tête, et ses narines palpitèrent quand il sentit l'odeur familière de l'homme et de la femme qui marchaient ensemble dans le pré. Derrière eux, à l'orée de la forêt, une grande maison de rondins et une ferme brillaient des teintes dorées du bois que le temps n'avait pas encore défraîchi. Les fenêtres de verre, un cadeau de mariage de Wolfe, brillaient comme des joyaux au soleil.

Ishmael regarda Caleb et Willow s'avancer pendant un moment de plus avant de baisser la tête, de hennir et de recommencer à brouter l'herbe riche de l'automne dans les hautes terres. Autour de lui paissaient quatre juments arabes dont les corps protégeaient et nourrissaient les poulains qu'elles mettraient au monde au printemps. Non loin de là, de grandes juments du Montana aux lignes minces se nourrissaient dans le bassin verdoyant. Elles aussi allaient mettre au monde des poulains quand l'hiver libérerait complètement le pays de sa blanche étreinte. Des animaux de bétail broutaient également à l'extrémité sud du pré sinueux, leurs corps gras et lisses grâce à l'herbe abondante du Colorado. De longues rangées de foin séchaient sous le soleil en émettant une odeur de soleil captif sur les terres.

Caleb porta Willow par-dessus le ruisseau qui chantait en descendant du canyon boisé à l'extrémité du bassin. En souriant, elle passa ses bras autour de son cou et regarda les yeux ambrés de l'homme qu'elle aimait. Un anneau d'or brillait à sa main gauche. Il avait été fait à partir de pépites que Reno avait trouvées dans une haute vallée secrète.

— Et l'an prochain, dit Caleb en frôlant de sa bouche les lèvres de son épouse, nous pourrons clôturer le pâturage près de la maison. D'ici là, Ishmael devra garder un œil sur ses juments.

— Il a fait du bon travail jusqu'ici, répondit Willow.

Caleb eut un large sourire.

— Je ne peux pas dire le contraire. Mes juments du Montana étaient plus grandes que ce à quoi il était habitué, mais ça ne l'a nullement dérangé.

Willow essaya de réprimer son rire, mais la lueur d'amusement dans les yeux de son mari était trop séduisante. Elle rit doucement et embrassa la ligne de sa mâchoire.

— Est-ce que ça va te déranger quand je vais devenir grosse ? demanda-t-elle contre sa peau.

Caleb figea et ses bras se serrèrent.

— Vas-tu devenir grosse ?

— Le printemps venu, je pense être aussi grosse que les juments.

— Tu en es certaine ? demanda-t-il essayant en vain d'atténuer l'inquiétude dans sa voix alors qu'il se souvenait de sa sœur.

— Je suis forte, murmura Willow. Ne t'inquiète pas, mon amour.

La joie et la crainte s'entremêlèrent dans l'intensité mordorée du regard de Caleb pendant qu'il admirait la femme qui était devenue le centre de sa vie.

— Je serai avec toi, dit-il simplement.

Et il le fut.

Leur premier enfant naquit quand les ruisseaux des hautes terres étaient débordants de l'eau vive du printemps. Comme les frères et les sœurs qui suivirent, il devint grand, fort et droit, nourri par la bonne terre de l'Ouest et par l'amour qui scintillait entre Caleb et Willow Black.

Ne manquez pas la suite

Seulement à moi

Chapitre 1

St. Joseph, Missouri
Printemps 1867

— S'il vous plaît, soyez raisonnable, milord Wolfe. Ce n'est pas moi qui ai décidé de renvoyer Betsy et les valets de pied.

— Je ne suis pas votre lord. Je suis un bâtard, vous vous en souvenez ?

— Je constate que ma mémoire s'améliore à chaque instant, répondit Jessica dans un souffle. Aïe ! Ça pince.

— Alors, arrêtez de vous tortiller comme un ver sur un hameçon. Il reste encore 20 boutons, et ils sont petits comme des pois. Misère ! Quelle espèce d'idiot a confectionné une robe qui nécessite qu'une femme ait de l'aide pour y entrer ?

Et en sortir.

C'était le pire de tout ça. Wolfe savait que viendrait le temps où il devrait détacher à nouveau chacun des boutons de jais et que chaque bouton détaché révélerait davantage de peau chaude et parfumée et de fine lingerie de dentelle. C'était une elfe qui lui arrivait à peine aux épaules, mais elle le mettait à genoux tellement il la désirait. Son dos était souple et élégant comme celui d'une danseuse, gracieux comme une flamme. Et comme une flamme, Jessica le brûlait.

— Je suis désolée, murmura-t-elle tristement alors que les paroles de Wolfe lui écorchaient les oreilles. J'avais espéré…

— Bon sang, arrêtez de murmurer. Si vous avez quelque chose à dire, dites-le et oubliez toutes ces idioties d'aristo-crate qui vous obligent à parler si doucement qu'un homme doit se plier en deux pour vous entendre.

— J'ai pensé que vous seriez heureux de me voir, dit Jessica d'une voix forte. Jusqu'à ce matin, je ne vous ai pas vu une seule fois pendant les mois qui se sont écoulés depuis que nous avons échangé nos vœux. Vous ne m'avez pas demandé comment s'est passé mon voyage ni posé de ques-tions à propos de mon périple en train à travers les États-Unis, et vous n'avez pas…

— Vous avez dit que vous ne vous plaindriez pas si je vous laissais seule, l'interrompit brusquement Wolfe. Êtes-vous en train de vous plaindre, lady Jessica ?

La jeune femme lutta contre une vague de tristesse. Ce n'était pas ainsi qu'elle avait imaginé sa réunion avec Wolfe. Elle avait été impatiente de chevaucher à travers les Grandes Plaines américaines sur des pur-sang avec lui. Elle avait été impatiente de passer de longues journées dans un silence confortable, d'avoir des conversations animées et, la nuit venue, de faire des feux sous le ciel américain scintillant d'étoiles. Mais surtout, elle avait été impatiente de revoir Wolfe.

— Quand j'ai reçu votre lettre dans laquelle vous me demandiez de vous rencontrer ici, dit-elle, j'ai pensé que vous aviez surmonté votre ressentiment.

— « Ressentiment ». Voilà bien un type de mot aristocratique affecté.

Ses doigts touchèrent involontairement la chair chaude de Jessica. Il poussa un juron et les écarta brusquement.

— Vous ne me connaissez pas très bien, *madame*. Je n'avais pas de ressentiment. J'étais absolument furieux, et je vais le rester jusqu'à ce que vous grandissiez, que vous acceptiez une annulation du mariage et que vous retourniez en Angleterre, d'où vous n'auriez jamais dû partir.

— Vous ne me connaissez pas très bien non plus. Vous pensiez que j'abandonnerais et que je vous supplierais d'annuler le mariage devant la perspective de voyager seule jusqu'en Amérique.

Wolfe émit un grognement. C'était exactement ce qu'il avait pensé. Mais Jessica l'avait étonné. Elle avait elle-même organisé son voyage et celui de sa servante, avait embauché deux valets de pied avec le petit héritage qu'elle avait acquis à son mariage et traversé seule l'Atlantique.

— Je doute que vous trouviez aussi agréable de voyager avec moi que de voyager seule. Ce n'est pas que vous ayez été réellement seule, Madame. Votre entourage s'est occupé de vos moindres besoins. Diable, ne pourriez-vous même pas écarter vos cheveux ? demanda-t-il rudement quand une longue mèche soyeuse glissa de la main de Jessica sur son doigt.

Ses bras étaient fatigués de tenir ses cheveux au sommet de sa tête, mais tandis qu'elle rattrapait la mèche rebelle, elle dit seulement :

— Une servante et deux valets de pied ne constituent pas un entourage.

— En Amérique, oui. Une femme américaine s'occupe d'elle-même et de son homme.

— Betsy m'a dit qu'elle avait travaillé dans une maison où il y avait douze domestiques.

— Betsy doit avoir travaillé pour un *carpetbagger*.[1]

Jessica cligna des yeux.

— Je ne le pense pas. L'homme vendait des actions, et non des tapis.

Wolfe essaya de ne pas laisser l'humour atténuer sa colère. Il n'y parvint pas tout à fait.

— Un *carpetbagger* est une sorte de voleur, dit-il prudemment.

— Comme l'est aussi un marchand de tapis.

Wolfe émit un son étouffé.

— Vous riez, n'est-ce pas ?

Quand elle le regarda par-dessus son épaule, son expression était à la fois ravie et soulagée.

— Vous voyez ? Ce ne sera pas si mal d'être marié avec moi, dit-elle.

Wolfe plissa de nouveau les lèvres. Tout ce qu'il pouvait voir d'où il était, c'était une robe mal boutonnée et la courbe gracieuse d'un cou de femme. Mais Jessica n'était pas vraiment une femme. C'était une petite aristocrate anglaise

---

1. N.d.T.: Le terme «carpetbagger» (qui signifie littéralement «celui avec un sac en tapis») est un terme péjoratif désignant un individu originaire du Nord des États-Unis venu s'installer dans le Sud lors de la Reconstruction qui suivit la guerre de Sécession avec l'intention de profiter de la situation confuse du pays. Source : Wikipédia.

froide et gâtée — exactement le genre de femme qu'il détestait depuis qu'il était assez âgé pour comprendre que les dames de la haute société ne voulaient pas de lui comme mari. Elles voulaient seulement savoir ce que c'était que de forniquer avec un sauvage.

— Wolfe? murmura Jessica en scrutant le visage qui était redevenu celui d'un étranger.

— Tournez-vous. Je n'arrive pas à boutonner cette damnée robe, nous allons rater la diligence.

— Une diligence?

— Oui, Madame, dit Wolfe d'un ton moqueur. Un moyen de transport muni de quatre roues, d'un conducteur, de chevaux…

— Oh, taisez-vous. Je sais ce qu'est une diligence, l'interrompit Jessica. J'étais seulement surprise. Auparavant, nous avions voyagé à dos de cheval et en carriole.

— Vous étiez une petite aristocrate bien convenable, à l'époque. Maintenant, vous êtes une bonne vieille épouse américaine. Quand vous serez fatiguée de ce rôle, vous connaissez la sortie.

Wolfe saisit un autre bouton. Une chaîne en or brillait juste sous ses doigts. Il se souvint de la lui avoir offerte avec le médaillon. C'était le symbole d'une époque à jamais révolue, une époque où lui et sa garçonne rousse avaient été libres de simplement profiter de la présence de l'autre.

Exception faite d'un juron occasionnel à voix basse, Wolfe termina silencieusement d'attacher les boutons de jais exaspérants sur la robe de Jessica.

— Voilà, dit-il avec soulagement en reculant d'un pas. Où sont vos malles?

Elizabeth Lowell

— Mes malles? demanda-t-elle distraitement en voulant grogner de soulagement parce qu'elle n'avait plus à retenir au sommet de sa tête la lourde masse glissante de sa chevelure.

— Vous devez avoir rangé vos vêtements dans quelque chose. Où sont vos malles?

— Mes malles.

— Lady Jessica, si j'avais voulu un perroquet, je serais devenu un corsaire. Où sont vos damnées malles?

— Je l'ignore, avoua-t-elle. Les valets de pied s'en sont occupés après que Betsy ait défait les bagages.

Wolfe passa sa grande main dans ses cheveux et essaya de ne pas remarquer l'image que projetait Jessica avec sa robe bleu pâle qu'il entrevoyait à travers le roux flamboyant de ses cheveux épars.

— Vous êtes une fichue dame inutile.

— M'insulter ne vous mènera à rien, répondit-elle sèchement.

— Ne pariez pas là-dessus.

Wolfe sortit à grands pas de la chambre d'hôtel et fit claquer la porte derrière lui.

Jessica eut à peine le temps de dissimuler sa tristesse derrière une expression sereine avant que Wolfe réapparaisse avec une malle en équilibre sur chaque épaule. Deux étrangers d'allure rustre, à peine plus âgés que des garçons, le suivaient. Chacun portait deux malles vides. Les jeunes hommes laissèrent tomber leur chargement et fixèrent avec grand intérêt la femme vêtue à la dernière mode dont les cheveux détachés tombaient en des vagues chatoyantes jusqu'à ses hanches.